COMO CASARSE CON UN GRANUJA

Amor y Aventura

Cómo casarse con un granuja

Katharine Ashe

Traducción de Ana Isabel Domínguez Palomo
y María del Mar Rodríguez Barrena

VERGARA
GRUPO ZETA **Z**

Barcelona • Bogotá • Buenos Aires • Caracas • Madrid • México D.F. • Miami • Montevideo • Santiago de Chile

Título original: *How a Lady Weds a Rogue*
Traducción: Ana Isabel Domínguez Palomo
  y Mª del Mar Rodríguez Barrena
1.ª edición: marzo 2014

© 2012 by Katharine Brophy Dubois
© Ediciones B, S. A., 2014
  para el sello Vergara
  Consell de Cent 425-427 - 08009 Barcelona (España)
  www.edicionesb.com

Printed in Spain
ISBN: 978-84-15420-39-2
Depósito legal: B. 1.847-2014

Impreso por LIBERDÚPLEX, S.L.U.
Ctra. BV 2249 Km 7,4
Polígono Torrentfondo
08791 - Sant Llorenç d'Hortons (Barcelona)

Para Idaho *y* Atlas, *mis fieles compañeros de escritura que me calientan los pies y se acuestan felices y contentos al solecito que entra por la ventana de mi despacho, como si eso fuera lo único que necesitaran en la vida. Para ellos, porque me hacen jugar aunque tontamente piense que debería estar trabajando. Y porque todos los días me recuerdan que el amor puede ser incondicional. Gracias por convertirme en un ser humano mejor.*

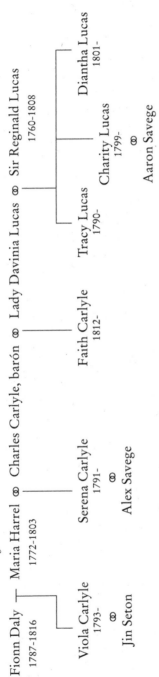

1

Queridos compatriotas británicos:

¡Menudo escándalo!

Me paso las noches en vela con el corazón desbocado, sin aliento, y llorando por el saqueo al que es sometida Gran Bretaña. Mi alma llora y mi frágil constitución femenina se estremece al saber que la Élite de la Sociedad, admirada por todos, está robando a nuestro reino para financiar sus tejemanejes.

¡Un robo en toda regla!

Llevo tres años indagando sobre la identidad de los miembros del escurridizo Club Falcon, una institución lúdica para caballeros que recibe regularmente fondos del erario público sin pasar por el Parlamento tal como establece la ley. Hoy os anuncio el mayor logro de mi cruzada hasta la fecha: he descubierto la identidad de uno de sus miembros. He contratado a un asistente para que siga a este hombre y descubra sus actividades. Cuando tenga en mi poder informes fiables, los mostraré.

Hasta entonces, si está leyendo esta misiva, señor Peregrino, secretario del Club Falcon, sepa que estoy deseando que algún día nos encontremos cara a cara para poder decirle exactamente la opinión que usted me merece.

LADY JUSTICE

A la atención de lady Justice
Brittle & Sons, editores
Londres

Mi querida señora:

Me deja usted casi sin aliento (como supongo que le ssucede a las tres cuartas partes de la población masculina londinense) al imaginarla acostada en su lecho, rebosante de emoción y con los labios trémulos. Su devoción me conmueve. Y, cual mástil que se alza orgulloso con las velas desplegadas, me siento henchido por la emoción de saber que ansía conocerme.

Aunque tal vez no haya descubierto a un simple miembro del club. Tal vez haya descubierto usted mi propia identidad. Tal vez no me vea obligado a esperar mucho tiempo para conocerla. Tal vez mis fantasías nocturnas se conviertan pronto en realidad. O eso espero.

Su cada vez más ferviente admirador,

PEREGRINO
Secretario del Club Falcon

Peregrino:

Envía a Cuervo en busca de *Lady Priscilla.*

EL DIRECTOR

Señor:

Voy a serle franco. Está cometiendo un error. No hay en Inglaterra un hombre más inteligente ni más perspicaz. Enviaré a Cuervo tras la bestia y obedecerá sin rechistar. Pero tenga por seguro que lo habrá perdido después de este insulto.

Con todos mis respetos,

PEREGRINO

2

«Tengo... que... llegar... al... establo.»

En algún lugar, en una estancia de la planta alta, una muchacha gritó.

No una muchacha. Una mujer. Un grito ronco, ebrio, un grito de placer. El grito de la muchacha estaba solo en su cabeza. Como siempre.

«Llegar al establo. Rescatar a la dama.»

Wyn abrió los ojos. La sala comenzó a dar vueltas. Pero él seguía de pie. En un rincón, contra la pared. Fuera como fuese, seguía de pie. En una situación muchísimo mejor que la de su anfitrión, que estaba inconsciente en el vano de la puerta, con una botella en una mano y el tobillo desnudo de una mujer en la otra. El resto del cuerpo de la mujer se encontraba ya en el pasillo, y padecía la misma indisposición.

Wyn recorrió la estancia con la mirada, que estaba llena de copas y de humo. Una corbata arrugada adornaba una estantería, y unas medias de mujer, abandonadas, reposaban sobre los brazos de un sillón en una pose muy sugerente e intencionada. Un taco de billar roto sobresalía de la pantalla de una lámpara, y las colillas de numerosos cigarros habían agujereado la alfombra.

Volvió a cerrar los ojos con fuerza.

—¿Nos divertimos ya?

A continuación, sintió la quemazón en su estómago.

Ah. Ni un minuto consciente antes de que comenzara la tortura. Su némesis más fiel se había vuelto muy insistente de un tiempo a esa parte. No recordaba haber comido desde que llegara a la fiesta campestre tres días antes. La comida calmaba la tortura de su estómago. Pero no tenía tiempo para eso. Ya llevaba en ese lugar demasiado tiempo. Si los demás se encontraban en el mismo estado que su anfitrión, debía marcharse sin dilación.

—A las carreras, pues. —Clavó la mirada en la puerta y se alejó de la pared.

—¿Qué has dicho, Yale?

¿Había hablado en voz alta? Por el amor de Dios.

Con tiento, con muchísimo tiento, desvió la mirada hacia la voz. Jamás se apresuraba. Apresurarse conducía a cometer errores. Wyn Yale, agente del Club Falcon y consumado caballero desde la punta de sus relucientes botas hasta su bien anudada corbata, jamás cometía errores. Nunca se caía. Nunca tropezaba. Nunca revelaba algo, ni siquiera cuando era incapaz de articular los sonidos necesarios para pronunciar su nombre. En ese caso, se mantenía en silencio.

El orgullo no alimentaba su perfección. Su padre y sus hermanos mayores solían criticar su orgullo. No tenían la menor idea.

Sin embargo, al parecer acababa de hablar cuando no había sido su intención. Estaba, tal vez, perdiendo el control. Una pena. Al fin y al cabo, la precisión racional era lo único que le quedaba, además de, cómo no, la dichosa bola de fuego que vivía en su estómago.

—¿Qué carreras?

El otro invitado estaba tendido en el diván, sin la compañía de una mujer en ese momento, tal vez debido al chaleco empapado de vino que llevaba.

«Regla número tres: Las damas esperan que un caballero siempre mantenga la compostura. Incluso las cortesanas.»

La tía abuela de Wyn había insistido en ese hecho.

—¿Quién corre? —preguntó el caballero borracho con dificultad—. Apostaría diez guineas por ti antes que por cualquier otro. Eres muy listo, hijo de...

—No hay carrera. —Con pasos bien medidos, Wyn se acercó al aparador y sirvió una copa de vino. Parpadeó con fuerza para centrarse, dio media vuelta y se acercó al tipo con la copa, tras lo cual lo obligó a cerrar la mano alrededor del cristal. Calidez. Carne y piel humanas. Qué raro que se percatara de ese hecho. Claro que había pasado una eternidad desde la última vez que sintió la piel humana, desde la última vez que tocó a otra persona—. Solo voy a ocuparme de mi caballo.

El tipo le dio un buen sorbo y el vino le cayó por la comisura de los labios.

—Es un animal precioso. ¿Lo vendes?

—No. —Wyn contaba con otro fiel compañero además de la quemazón de su estómago: el lustroso purasangre negro que lo esperaba en el establo se merecía a alguien muchísimo mejor que él.

El hombre agitó una mano, desentendiéndose de la negativa con la alegre despreocupación etílica que Wyn llevaba años sin experimentar. En su caso, no había alegría, no.

—Da igual. Mi mujer me despellejaría si me gastara tanto dinero.

—Muchísimo mejor gastar en vino y en putas, claro —murmuró Wyn, que volvió a clavar la vista en la puerta. Se tambaleó hacia un lado y después hacia el otro.

—No sabía que tenías tanto.

—Últimamente no, amigo mío. —Claro que había comprado a *Galahad* hacía cinco años, antes de quedarse seco.

El hombre le dio otro sorbo a la copa y se durmió entre ronquidos. Wyn pasó por encima de los cuerpos tendidos en el vano de la puerta y salió al pasillo. En el armario del mayordomo, buscó su gabán. ¿Había llevado gabán? ¿Qué mes era? Septiembre.

Cogió su gabán, que colgaba de un gancho. Mejor asegurarse de que era el suyo. Buscó en el bolsillo interior el único objeto que sospechaba que solo él llevaría a una bacanal campestre. Sus dedos se cerraron alrededor de la funda del cuchillo. La pistola, por supuesto, seguía en sus alforjas. No hacía falta un arma de fuego en semejante reunión amistosa de truhanes. La había llevado consigo para el camino, y porque no llevarla lo convertiría en un imbécil.

Pese a todos sus pecados, no era un imbécil. Ni siquiera era un poco tonto.

Salió de la casa y se alejó de los hombres y de las mujeres encerrados dentro, sumidos en una orgía que todos disfrutaban porque no conocían otra cosa más satisfactoria, y atravesó el embarrado camino. El interior del establo estaba lleno de paja húmeda y del cálido olor de los caballos. *Galahad* se encontraba en su propia cuadra porque se lo merecía, no porque no aceptara tener compañía: el purasangre estaba castrado, al igual que su amo en esa reunión... aunque temporalmente. Nada de mujeres mientras trabajaba. Nada de beber tampoco. Sin embargo, esa misión lo había requerido. De ahí que el caballo tuviera cuatro ojos en ese momento. Y cuatro orificios nasales y cuatro orejas.

Wyn extendió las manos hacia los dos hocicos de *Galahad*, cada uno de satén negro marcado con una llama. Se aferró a ambos lados de la cara del animal y las dos cabezas se convirtieron en una. Como era una criatura muy tranquila, *Galahad* no protestó.

—¿Soportas su compañía, amigo mío? —Regó el manto del animal con su aliento, que apestaba a brandi—. Después de todo, es muy guapa.

Galahad lo miró con sus ojos de color marrón y le dio un golpecito en el pecho con el hocico.

—Harás lo que se te pida. Menuda pareja hacemos. —Cerró los ojos—. Pero pronto haré algo que no me han pedido que haga. Después, te alejarán de mí. Se lo llevarán todo, pero... —Hizo una pausa y cuando continuó la voz le salió en un susurro—: Pero tú serás lo único que lamente perder. —Se quedó quieto un momento, mientras el suelo cubierto de paja se movía bajo sus pies. A continuación, se dispuso a ensillar y a embridar su caballo.

Con la bolsa de viaje colgada de la grupa, *Galahad* lo siguió a través del establo, pegado a sus talones, como un perro fiel. Se detuvieron delante de otra cuadra. El animal que había dentro relucía como una joya: el hocico afilado, los inteligentes ojos, la poderosa cruz y el sedoso manto pardo.

Wyn hizo una reverencia.

—Milady, su escolta ha llegado. —Abrió la puerta de la cuadra.

Lady Priscilla, un especimen equino de lo mejorcito que se podía criar, salió sin protestar, porque aunque joven y briosa, era dócil. Sin duda alguna, dócilmente se fue con el anfitrión de Wyn después de que este se la ganara en una partida de cartas al marqués de McFee... de forma injusta, ya que pertenecía al tío de McFee, el duque de Yarmouth.

En ese momento, el duque quería a su yegua de vuelta. Y ¿quién mejor para hacer el trabajo que Wyn? La corona sabía que solo tenía que mover el meñique en señal de que requería los servicios del señor Wyn Yale, el tercer hijo de un terrateniente galés con pocas tierras, menos sesos y nula fortuna, para que este se aprestara a cumplirlos. Y, por supuesto, lo hacía porque le gustaba. En realidad, le había gustado. De un tiempo a esa parte, seguía haciéndolo para poder permitirse los chalecos y el brandi.

Sin embargo, ese trabajo era distinto. No había accedido a realizar una tarea tan humillante para complacer al desconocido director del Club Falcon ni al rey. Ni siquiera por la bolsa llena de monedas que le pagarían. Había aceptado esa misión para vengar una muerte.

Una muerte por otra. Un pecado para borrar otro.

En esa ocasión, no obstante, no podría ocultarles la verdad a sus amigos: Leam Blackwood, Jin Seton, Constance Read y Colin Gray, antiguos miembros del Club Falcon y los mejores amigos que un hombre podía tener. En esa ocasión, se enterarían todos. En esa ocasión, todo el mundo se enteraría.

De la cálida tierra, se alzaba una neblina que se mezclaba con la llovizna. El cielo estaba encapotado y la llovizna pronto se convertiría en un chaparrón. La manta de la yegua la mantendría seca. Cogió una manta del guadarnés y se la colocó a *Galahad* sobre el lomo.

—Ahora sí nos vamos a las carreras, mira por dónde.

Echó a andar por el camino, entre la niebla, con una rienda en cada mano y seguido dócilmente por cientos de guineas en la piel de unos caballos. El plomizo día todavía era joven, y el camino que lo separaba del pueblo, donde podría encontrar una botella y el carruaje del servicio de correos de Su Majestad o un coche de postas, solo era de unos cuantos kilómetros. Cuando por fin llegara al castillo de Yarmouth dentro de dos días, volvería a estar seco y su atuendo volvería a ser exquisito. Allí, en mitad de la nada, con la única compañía de dos animales, por una vez no tenía que imitar siquiera la perfección. Al fin y al cabo, un hombre que se disponía a asesinar a un duque debería tener la libertad de disfrutar el viaje como buenamente quisiera.

En teoría, su plan había funcionado de maravilla.

En teoría.

Por supuesto, Diantha no había contado con el apuesto granjero. De ahí que no hubiera previsto la deserción de Annie. Como tampoco había previsto la lluvia que empapaba el bajo de su vestido de viaje ni el hombre con los dedos como salchichas que se sentaba en el rincón contrario del carruaje del servicio de correos de Su Majestad. El bebé llorón que se agitaba entre los brazos de su madre tampoco era un regalo. Pero al menos la pequeñina no le había provocado graves problemas, salvo una jaqueca del tamaño de Devonshire, algo que comenzó en la casa de postas cuando Annie se despidió sin más con un «¡Buena suerte, señorita Lucas!» por encima del hombro. De modo que tampoco podía echarle la culpa al bebé.

Por supuesto, desde la comodidad de Brennon Manor, Diantha no podría haber anticipado nada de eso, mucho menos la deserción de Annie. Su mejor amiga, Teresa Finch-Freeworth, adoraba a su doncella, y la verdad era que a Diantha también le había caído bien. Annie le pareció la acompañante ideal con la que marcharse de casa de Teresa antes de tiempo, respetando las normas del decoro. Hasta que Annie la abandonó.

Diantha se frotó las sienes. La jaqueca empeoraba, pero los bebés lloraban, y a ella le gustaban mucho los niños en circunstancias normales. Siempre había soñado con tener hijos propios, y al señor Hache le gustaban. Pero no tenía tiempo para pensar en eso. En ese instante, tenía que encontrar a su madre y sacarla del antro de perdición en el que estaba viviendo.

Por debajo del ala de su bonete, se atrevió a mirar de reojo a don Dedos Salchichones. El hombre miraba al bebé con el ceño fruncido mientras el fuerte vaivén del carruaje le agitaba la papada.

—Le están saliendo los dientes, ¿verdad? —le preguntó Diantha en un susurro a la madre—. Mi hermana Faith lloró a pleno pulmón cuando le salieron los dientes.

—Es que no para, señorita. —La mujer gimió por lo bajo mientras acunaba al bebé contra unos pechos demasiado pequeños como para servir de almohada.

—Pobrecilla. Mi madre solía frotarnos las encías con brandy. A veces con whisky, si mi padre ya se había bebido todo el brandy. Tiene un efecto muy calmante.

La mujer la miró con expresión recelosa, incluso un poco escandalizada.

—¿Ah, sí?

—Pues sí. Había tantos contrabandistas en la costa que no tuvimos problemas para conseguir brandy durante la guerra. —Colocó un dedo enguantado en la manita del bebé y la pequeña se aferró a él mientras los sollozos se entrecortaban—. En la próxima parada, moje un dedo en una copa y frótele las encías. Se dormirá enseguida. —La boquita de la niña se abrió de nuevo y soltó un chillido ensordecedor—. Después, bébase usted el resto —continuó en voz más alta, para hacerse oír. Sonrió y le dio unas palmaditas a la mujer en el brazo.

La mirada de la mujer se suavizó. El bebé siguió chillando. Bajó el ala de su gorra, don Dedos Salchichones le lanzó otra mirada libidinosa. Tenía el aspecto de un salteador de caminos, siempre y cuando los salteadores de caminos tuvieran las uñas sucias y una mirada furtiva.

En ese momento, Diantha tuvo claro que la deserción de Annie solo era uno de sus problemas. Los hombres como ese abundarían en el camino hasta llegar a Bristol, y seguramente también los habría en el barco que la llevara a Calais. El mundo estaba lleno de hombres, y algunos eran malvados.

Tampoco sabía mucho del tema, salvo que cuando era muy pequeña le habían presentado a un hombre muy desagradable llamado señor Baker, con quien su madre quiso casar a su guapísima hermana, Charity. O algo parecido. Nadie le contaba nada en aquella época porque era demasiado pequeña «y susceptible», o eso decían, lo que significaba que se metía en líos cada vez que podía. En ese momento, ya no quedaba nadie en casa, de modo que no podían explicarle las cosas aunque ya tenía diecinueve años. Había una única excepción: Teresa, cuyas historias eran escandalosas y emocionantes, y que había planeado su misión, una misión que debía llevar a cabo pasara lo que pasase, aun cuando se tratara de la deserción de su doncella que había preferido fugarse con un granjero de brazos musculosos. A Annie le habían gustado mucho dichos músculos. Los había mencionado justo antes de abandonarla, al parecer a modo de justificación.

Diantha no tenía opinión alguna acerca de los brazos o de los músculos de los hombres, pero en ese momento veía un fallo garrafal en su plan. Necesitaba a un hombre. Pero no a uno cualquiera. Necesitaba a un hombre valeroso y honrado, uno que la ayudara sin cuestionarla.

Necesitaba a un héroe.

La hermanastra de Diantha, Serena, solía leerle historias de caballeros que salvaban a damiselas en apuros, y el barón Carlyle, su padrastro, que además era un erudito, le había asegurado que dichas historias no eran del todo mentira, sino que algunas estaban basadas en hechos históricos. Los héroes existían. Y su misión era demasiado peligrosa como para ejecutarla solo con ayuda femenina. De modo que tenía que encontrar un héroe.

Al pensarlo fríamente, parecía lógico. Por supuesto que el plan que Teresa había trazado no requería que se buscase la ayuda de un hombre. Teresa nunca había conocido a un héroe de verdad. Su padre apenas si miraba a sus mujeres, y desde luego que sus hermanos no tenían ni un pelo de heroicos. Dos semanas antes, los tres le habían echado un vistazo a Diantha y en sus ojos había aparecido un brillo feroz. Dado que ninguno de ellos había reparado antes en sus visitas a Brennon Manor, no podían considerarse heroicos.

Los héroes no solo se fijaban en la apariencia. Los héroes se fijaban en el corazón.

La madre del bebé llorón movió una cadera esquelética, obligando a Diantha a pegarse al corpulento caballero que tenía a la izquierda. Sumido en su diario, el caballero no pareció darse cuenta. Le echó una miradita y soltó un suspiro decepcionado.

Demasiado viejo. Un héroe dispuesto a defender a una dama de los peligros de los salteadores debía estar en plena flor de la vida. De lo contrario, no podría blandir ni una espada ni una pistola con el vigor necesario. Ese hombre tenía el bigote canoso.

El carruaje se zarandeó. El bebé chilló. La madre sollozó en silencio.

—¿Puedo cogerla? Mi hermana ya es mayor y echo de menos tener a un bebé en brazos. —A decir verdad, Faith fue un bebé muy inquieto. Sin embargo, Diantha creía que Dios le perdonaría la mentirijilla—. Así podrá dar una cabezada antes de la próxima parada.

—Ay, señorita, no puedo permitir...

—Claro que sí. Yo la cuidaré mientras usted descansa. —Rodeó al bebé con los brazos y lo pegó contra su cuerpo. La bolsa de viaje que tenía en el regazo era el cojín perfecto, y ella tenía más pecho que la madre, de modo que podría acunar a la pequeña mejor. La madre envolvió a su hija con el arrullo.

—Gracias, señorita. Es usted un ángel.

—En absoluto. —Esa era la pura verdad, por supuesto.

Meció a la pequeña, deleitándose con su calorcillo y su peso, mientras miraba al pasajero cuyas rodillas casi tocaban las suyas.

No era un hombre. Tendría trece años como mucho y, a juzgar por las uñas ennegrecidas y su piel cenicienta, trabajaba en las minas.

En las mejillas del muchacho aparecieron dos rosetones. Se tocó la gorra.

—Señorita.

Diantha sonrió y el rubor se extendió por el sucio cuello del muchacho.

No le serviría, por supuesto. No se les podía encomendar nobles misiones a los muchachos, aunque se sumergieran todos los días en las entrañas de la tierra a fin de extraer metales para otros y por tanto deberían ser considerados héroes, siempre y cuando el mundo fuera justo.

Eso la dejaba con el hombre que dormía en el rincón, el pasajero que en la última parada había ocupado el lugar de Annie en el carruaje.

El bajo de su gabán chorreaba agua en el suelo, alrededor de sus relucientes botas. Tenía los brazos cruzados por delante del pecho y un elegante sombrero de seda negra bien calado. No era un hombre pequeño, sino que parecía bastante alto y con hombros anchos, pero daba la sensación de que ocupaba su espacio sin incomodar a sus compañeros de viaje. Solo podía verle las manos, sin guantes, y la parte inferior de la cara.

Manos elegantes, de dedos largos, un mentón firme y recién afeitado, y una boca bien formada.

Parpadeó.

Se encogió de hombros, agachó la cabeza un poco y miró por debajo del ala del sombrero del hombre.

Se quedó sin aliento.

Se irguió de nuevo en el asiento. Bajo el peso del bebé que lloraba, el corazón le latía desaforado. Tomó una honda bocanada de aire para calmarse. Y otra. Le echó otra miradita al hombre, con más detenimiento en esa ocasión.

Y lo supo. En lo más profundo de su corazón, las escasas dudas que le quedaban se disiparon y supo que estaba destinada a encontrar a su madre.

Su plan no solo funcionaría en teoría. Había deseado que un caballero la ayudara en su misión y Dios o el destino, o quienquiera que concediese sus deseos a las damiselas esperanzadas, le estaba proporcionando dicho hombre. Porque si alguien podía cumplir el papel de héroe, era ese caballero, estaba convencida de ello.

Después de todo, ya era suyo.

Una joven lo estaba mirando.

A Wyn no le sorprendió, ya que estaba acostumbrado a ese tipo de atención y no solía molestarle. Sin embargo, de un tiempo a esa parte había recibido mucha, aunque las mujeres de la orgía que acababa de abandonar no se parecían en nada a la muchacha que lo miraba desde el asiento contrario del carruaje con los ojos más azules que había visto en la vida. Unos ojazos azules con unos iris enormes, como lapislázuli pulido, rodeados por pestañas largas y oscuras bajo unas cejas arqueadas. Unos ojos conocidos.

Pero una muchacha desconocida. Aunque no estuviera borracho, se acordaría de esa cosita tan mona de haberla visto antes. El ángulo de su delicada barbilla, el mohín de sus labios carnosos y los alborotados rizos que sobresalían por debajo de su bonete eran demasiado atractivos como para olvidarse. Y, borracho o sobrio, Wyn nunca olvidaba un detalle, mucho menos si pertenecía a una joven tan guapa como esa. O a un hombre. O a un pueblo. O al tocón de un árbol. O a cualquier otra cosa. Por eso había sido tan bueno en su trabajo los últimos diez años.

Vio que ella enarcaba las cejas todavía más.

—Así que por fin se ha despertado —dijo la muchacha y entonces la recordó. Tampoco olvidaba una voz, mucho menos esa en concreto, tan fresca y cantarina—. Creía que nunca se iba a despertar —siguió ella, que al parecer no necesitaba respuesta—. Que sepa que me ha costado reconocerlo. Tiene un aspecto espantoso.

—Muchas gracias, señorita —consiguió decir, sin arrastrar las palabras, por supuesto. No mencionaría que él tampoco la había reconocido, porque sin duda alguna ella se percataría del motivo.

«Regla número cuatro: No herir jamás los sentimientos de una dama.»

Una muchacha no cambiaba tanto de aspecto, como había hecho la señorita Lucas, en dos años sin muchísimo esfuerzo y sin la generosa ayuda de la naturaleza, y sin ser consciente de la transformación.

La señorita Lucas no era una cortesana como las mujeres a las que había abandonado de buen grado el día anterior. Era una dama de alcurnia, la hermanastra de una aristócrata que le caía muy bien, quien además estaba casada con el hombre que lo ayudó en la peor noche de su vida.

Se pellizcó el puente de la nariz, frotándose los lagrimales, y la miró de nuevo.

Una dama de alcurnia... con un bebé en brazos.

Miró a uno y otro lado de la muchacha. Ni el hombre que tenía a la izquierda ni la mujer que tenía a la derecha podrían considerarse ni el marido ni la doncella de la hijastra de un barón y de la hermana de un baronet, por más que su visión estuviera emborronada. Ladeó el cuello hacia la izquierda. Ninguno de los otros viajeros que iban en su asiento cumplía el papel.

—Viajo sola —adujo ella—. Annie me abandonó por un granjero musculoso en la última parada. La verdad es que era muy guapo, así que no la culpo. Pero podría haberse quedado conmigo hasta encontrarle una sustituta. —Se inclinó hacia delante y susurró—: Verá, no me siento cómoda viajando sola. —Le lanzó una mirada elocuente al corpulento comerciante que compartía su asiento y volvió a apoyarse en el respaldo—. Pero ahora que está usted aquí, ya no estoy sola. —Sonrió y aparecieron dos hoyuelos en sus mejillas de alabastro.

Wyn parpadeó, haciendo que la neblina se disipara un momento. Recordó que la muchacha que conoció en la propiedad que el conde de Savege poseía en Devon tenía esos mismos hoyuelos. Sin embargo, no recordaba haber sido incapaz de apartar la vista de ellos. Claro que en la casa de postas solo tenían ginebra, y el destilado del enebro siempre lo dejaba tocado.

A la postre, sus palabras consiguieron penetrar el estupor etílico.

—¿Sola? —Clavó la mirada en el bebé chillón. Era un milagro que hubiera podido dormir—. ¿El padre del bebé se ha quedado en casa?

Los hoyuelos se hicieron más pronunciados.

—Supongo que sí. Pero la verdad es que no lo sé y tampoco puedo preguntarle a la madre, porque está durmiendo y me da pena despertarla. —Bajó la voz—. La verdad es que me muero de la curiosidad. Debe de ser duro emprender el camino con un bebé sin ayuda alguna. Aunque... —Frunció el ceño—. Aunque yo tampoco soy la más adecuada para hablar, ya que tampoco tengo ayuda. Bueno, ya sí. —Sus labios sonrosados volvieron a sonreír y su alegre mirada lo recorrió de la cabeza a los pies.

—A su servicio, señorita. —En el reducido espacio, en vez de hacerle una reverencia, se tocó el ala del sombrero.

Vio que su sonrisa se ensanchaba.

La bola de fuego que tenía en el estómago ejecutó un baile impaciente. Dada la presente compañía, no podía preguntarle a la dama qué quería decir. No podía preguntarle su destino, sus intenciones, sus planes o quién era Annie. Ni siquiera podía pronunciar su nombre. Y esperaba fervorosamente por su propio bien que ella no decidiera proporcionarle dicha información de forma voluntaria mientras compartían habitáculo con cuatro desconocidos. Sin embargo, en la siguiente parada, se la llevaría a un aparte y averiguaría lo necesario. Después, la devolvería con su familia.

Era evidente que la señorita Lucas se había escapado de casa. Por suerte para ella, él era un especialista en devolver a muchachas que se escapaban. El especialista a sueldo de la Corona, el miembro del Club Falcon (una organización secreta muy reducida, dedicada a devolver a aristócratas perdidos a sus hogares), con un don para guiar a muchachas como ella. Malcriadas, voluntariosas, ingenuas y seguras de sus encantos. Jóvenes capaces de manejar a todo el mundo sin más herramienta que la hipnótica fuerza de sus sonrisas.

La vio concentrarse de nuevo en el bebé que tenía en brazos. Wyn cerró los ojos y regresó al letargo proporcionado por la ginebra, pero el descontento lo tenía atrapado. La potrilla era algo secundario al lado de la muchacha. El duque de Yarmouth tendría que esperar.

Claro que no había prisa. Nadie sospecharía que había algo raro si se retrasaba. Esa misión era a todas luces un preludio de su retiro obligatorio, un mensaje silencioso de que la Corona ya no requería sus servicios. Una reprimenda final. El jefe del Club Falcon, el vizconde Colin Gray, se lo había advertido: su director estaba preocupado. Gray creía que se debía al brandy. Pero Wyn sabía la verdad: el director llevaba cinco años sin confiar en él, y no tenía nada que ver con el brandy.

En ese momento, devolvería a la señorita Lucas a su casa, después llevaría el caballo con su dueño y su actual existencia terminaría con un escándalo ignominioso. Cruzó los brazos por delante del pecho. El bebé chilló. El carruaje se zarandeó. El olvido del sueño le llegó muy despacio.

3

El señor Yale volvió a despertarse cuando el carruaje entró en el patio de la casa de postas. Fue el primero en salir, pese a la lluvia.

Diantha necesitaba una enorme taza de té, desperezarse un poco y dar un paseo vigoroso. Le dolían muchísimo los brazos y los hombros por el peso del bebé.

La madre de la niña le dio un apretón en la mano.

—Señorita, me ha salvado hoy. Esta noche rezaré por usted.

—Sospecho que usted habría hecho lo mismo por mí. —Sonrió y se dirigió a la puerta, si bien le temblaban las rodillas.

El señor Yale, que la aguardaba junto al carruaje a la mortecina luz de la lluviosa tarde, le tendió una mano. A Diantha le resultó ridículo sentir un repentino hormigueo en el estómago, pero puesto que solo había experimentado esa misma sensación en tres ocasiones a lo largo de su vida y siempre la había provocado él, no le extrañó. Esa era la reacción que debía suscitar un verdadero héroe en una dama.

Colocó sus dedos enguantados sobre la palma de la mano que le ofrecía y bajó los dos escalones. En cuanto pisó el suelo, que estaba lleno de charcos, lo miró a los ojos.

Otro hormigueo.

—Señorita —le dijo él en voz baja mientras ella se cubría la cabeza con la capucha de la capa—, espero que me disculpe, pero debo pedirle que me acompañe brevemente al establo ya que debo ocuparme de mis caballos. —Señaló con la mano libre los dos caballos atados a la parte posterior del carruaje—. Dada la ausencia de Annie, creo que entenderá que no es apropiado para usted entrar en la casa de postas sin una compañía apropiada. —Su mirada se desvió un instante hacia la puerta del establecimiento, donde aguardaba don Dedos Salchichones.

—Desde luego, señor. No me importa en absoluto acompañarlo al establo.

—Excelente. —El señor Yale hizo una reverencia y sus ojos grises relucieron.

Dichos ojos parecían plata bruñida. Con ese pelo tan negro y su mentón cuadrado, poseía una apostura casi imposible, pese a estar muy demacrado. Sin embargo, fueron sus ojos lo que la atrajeron la primera vez que lo vio, en una boda celebrada en Savege Park. Porque miraban a una jovencita como si estuviera pendiente de cada una de sus palabras y como si sus deseos fueran su prioridad. De hecho, parecían tratar de leerle la mente, como si quisiera descubrir sus deseos en vez de exigirle que hiciera el esfuerzo de expresarlos con palabras.

Eso fue lo que hizo el señor Yale la noche de la boda. Le leyó el pensamiento y la rescató. Se convirtió en su héroe.

Lo observó desatar los caballos de la parte posterior del carruaje y llevarlos hacia el arco por el que se accedía al patio trasero de la posada. Junto a la puerta del establo vio un perrito muy flaco que los miró al pasar.

—Pobrecillo, está en los huesos y, además, cojea de una pata delantera. Creo que está herido. —Diantha intentó echarle otro vistazo, pero un mozo de cuadra cerró la puerta.

—Solo es un chucho, señorita.

—Deberían darle de comer. Está famélico.

El señor Yale la miró con curiosidad antes de ocuparse de sus caballos. En vez de dejarlos en manos del mozo, se encargó él mismo y después regresó a su lado.

—Gracias por ser tan paciente, señorita Lucas. ¿Cómo se encuentra? —Hizo una reverencia tan refinada como si estuvieran en un elegante salón.

Ella correspondió con una genuflexión.

—Bien, señor. Mucho mejor ahora.

—¿Viaja usted con equipaje?

—Sí, llevo un baúl de viaje y una sombrerera. ¿Por qué?

—En ese caso, lo primero que debemos hacer es ordenar que bajen ambas cosas del carruaje.

—Oh, no creo que sea necesario. Reanudaremos la marcha en breve. Solo nos detendremos para cenar y para que cambien el tiro de caballos, creo.

—Supongo que querrá usted cenar, ¿verdad? —El señor Yale se adelantó y la invitó a pasar al interior de la casa de postas.

—Pues sí, ¡estoy muerta de hambre! Jamás había imaginado que viajar en transporte público abre el apetito.

—¿Ah, no?

—Pues no. No se me había ocurrido que pudiera pasar hambre, así que antes de partir de Brennon Manor no le ordené a Annie que preparara comida fría para el viaje. —Lo precedió al interior y nada más hacerlo percibió el calor del establecimiento y el olor a carne asada y cerveza.

La taberna ocupaba varias estancias contiguas, todas ellas forradas con paneles de madera y con alegres fuegos que crepitaban en sus respectivas chimeneas. Una mezcla de campesinos, aldeanos y los viajeros del carruaje ocupaba la barra y las mesas. Diantha sintió que le rugía el estómago.

El señor Yale le quitó la capa y la invitó a sentarse a una mesa pequeña. Al instante, apareció un hombre ataviado con un delantal almidonado.

—¿Qué le traigo, señor?

—La dama tomará lo que le apetezca, y yo quiero una pinta de cerveza, una copa vacía y una botella de Hennessy.

—¿Señorita?

—Tráigame lo mejor que sirvan de cena esta noche, gracias. —Sonrió—. ¡Huele que alimenta!

—El asado y el budín de mi mujer, señorita. Los mejores del pueblo.

—Bueno, no es un pueblo muy grande —susurró Diantha cuando el hombre se marchó—, pero sin duda voy a disfrutarlos mucho. Ahora mismo podría comerme un caballo. Ninguno de los suyos, por supuesto. ¡Tiene usted unos animales preciosos, señor Yale!

—Gracias, señorita Lucas. —No se sentó—. Ahora mismo

vuelvo. —La miró a los ojos sin flaquear—. Sería conveniente que se quedara usted en esta mesa durante mi ausencia.

—Tengo tanta hambre que, en todo caso, me iría a la cocina.

Él se despidió con una reverencia y desapareció por la puerta trasera. Diantha miró hacia la barra, desde donde don Dedos Salchichones no le quitaba el ojo de encima. Después, desvió la mirada hacia la ventana para observar la lluvia.

Cuando el señor Yale regresó, ya había llegado la comida y las bebidas que él había pedido.

—¿No va a comer?

—Ahora mismo no. —Se sirvió una copa de la botella y se la bebió de un trago—. Pero que le aproveche —añadió, levantando la pinta de cerveza.

—Gracias. —Diantha empezó a comer—. El sabor es aún mejor que el olor. Apenas he comido durante los quince días que he pasado en Brennon Manor por culpa de la emoción del viaje.

—Señorita Lucas, ¿me permite el atrevimiento de preguntarle por las circunstancias que la han llevado a viajar sola?

—La doncella de Teresa me ha abandonado. Pensamos que era una muchacha muy avispada con la que viajar, pero no esperábamos que desertara tan pronto. A decir verdad, no esperábamos que desertara.

—Entiendo. Teresa...

—Finch-Freeworth. Estudiamos juntas durante tres años en la Academia Bailey para Señoritas después de que mi padrastro me enviara a dicha institución tras despedir a mi cuarta institutriz. Sin embargo, la señorita Yarley, la directora de la Academia Bailey, era una mujer espléndida, de modo que jamás le ocasioné problema alguno. ¡Válgame Dios, el budín está riquísimo! ¿Es tan buena la comida en todas las casas de postas?

—En absoluto. Puesto que la propiedad de su padrastro se encuentra en Devonshire, debo suponer que el hogar de la señorita Finch-Freeworth, Brennon Manor, se encuentra en el norte y que acaba usted de abandonarla hace poco tiempo —dijo él sin hacer siquiera una pausa, algo que a Diantha le gustó.

La noche que la rescató en Savege Park también se hizo con la situación sin necesidad de que ella se lo explicara.

—Salí esta mañana muy temprano.

—Y ¿qué...? —Hizo una pausa—. Señorita Lucas, por favor, discúlpeme si le pido más detalles.

—Por supuesto. ¿Por qué no iba a dárselos?

Lo vio sonreír levemente. Apenas un amago de sonrisa en una de las comisuras de sus labios. En las tres ocasiones que el señor Yale había visitado Savege Park, el hogar de su hermanastra Serena, Diantha lo había visto sonreír de esa forma a su otra hermanastra, Viola, y también a lady Constance Read, una diosa de los pies a la cabeza que además era una heredera escocesa con quien parecía mantener una especial amistad. Sin embargo, a ella jamás le había sonreído de esa forma, ni siquiera la noche que la rescató. En ese momento, dicha sonrisa suscitó una reacción extraña en su interior, algo agradable pero alarmante al mismo tiempo. Algo... cálido.

—Puesto que, en circunstancias normales, imagino que su padrastro habría dispuesto que viajara usted en su carruaje, ¿qué opinan él y los padres de la señorita Finch-Freeworth del hecho de que utilice un transporte público para desplazarse?

—Oh, no han supuesto el menor inconveniente. Mi padrastro no lo sabe. En cuanto a los padres de Teresa, lady Finch-Freeworth es una mujer maleable sin apenas carácter y a sir Terrence le da exactamente igual lo que hagan las mujeres de su casa. De hecho, creo que ni siquiera ha reparado en mi presencia.

Los ojos del señor Yale adquirieron un brillo suave que le provocó un extraño nudo en la garganta.

—Permítame que lo dude.

—Pero es cierto. Cuando les mostramos la carta de mi padrastro, ni él ni lady Finch-Freeworth pestañearon siquiera. Hice un trabajo espléndido falsificando la firma de mi padrastro. La verdad es que tengo mucho talento con la pluma, así que fue ciertamente satisfactorio.

—Supongo que lo fue, sí.

—¿Qué está bebiendo?

—Brandy. Dígame, señorita Lucas, ¿cuál es su destino?

—Jamás he visto a un caballero ingerir tanto brandy en tan poco tiempo desde que murió mi padre. Claro que mi padrastro apenas bebe y tampoco puede decirse que conozca a muchos otros caballeros, salvo a los maridos de mis hermanas y al párroco. Y, naturalmente, al señor Hache. Pero eso cambiará una vez que encuentre a mi madre, me traslade a Londres el mes que viene y sea presentada en sociedad.

El señor Yale no replicó. Se limitó a mirarla con esos ojos plateados. A mirarla de forma penetrante. Diantha se sintió demasiado observada, pero no de un modo irrespetuoso. Sentía que alguien la miraba con interés. Que la miraba de verdad. Y no por sus espinillas y su aspecto rollizo, que desaparecieron tras cumplir los dieciocho años, y tampoco por sus ojos, que su madre insistía en calificar como su mejor rasgo. El señor Yale parecía mirar algo más. Parecía mirar su interior.

A la postre, dijo:

—¿Quién es el señor Hache?

—Mi futuro. O, al menos, ese es el plan.

—Entiendo. ¿Trata usted de librarse de un compromiso?

—En absoluto. Me alegrará acabar casada con el señor Hache tanto como me alegraría acabar con cualquier otro. Bueno, tal vez no con cualquier otro. Pero usted ya me entiende.

Al ver que esbozaba de nuevo esa leve sonrisa, Diantha experimentó de nuevo la sensación cálida en las entrañas.

—Posiblemente —fue su réplica.

La puerta se abrió con brusquedad, estrellándose contra la pared, y un muchacho gritó:

—¡Los pasajeros del carruaje a Shrewsbury!

—¡Oh! —Diantha se limpió la boca con una servilleta—. Debemos apresurarnos, señor Yale. Tiene que ir a por sus cab...

—Señorita Lucas, siéntese y acabe de cenar. —No se movió.

—Pero el carruaje del servicio de correos de Su Majestad se marcha. —Diantha se puso en pie—. No podemos entrete...

El señor Yale se levantó, y cuando la miró lo hizo con una expresión tan íntima que ella sintió que las suelas de las botas de viaje se le quedaban pegadas al suelo. Acto seguido, dijo en voz baja:

—Señorita Lucas, no es aconsejable que una dama viaje de noche en transporte público, con escolta o sin ella. —Su porte era firme, totalmente diferente a la actitud indolente que había demostrado durante el trayecto.

Sintió que su forma de dominar la situación le provocaba algo

31

inusual, de la misma manera que se lo había provocado su escrutinio.

—Lo que quiere decir que ve a don Dedos Salchichones como una amenaza.

—Lo que quiere decir que si es lista, no se subirá a otro carruaje hasta que amanezca y, en cambio, disfrutará de una cómoda noche de descanso en esta posada respetable.

Ella pareció considerarlo, frunciendo ligeramente el ceño. Su mirada lo recorrió nuevamente de arriba abajo, como un hombre que examinara a un caballo antes de comprarlo. Sus sonrosados labios compusieron ese mohín que no resultaba en absoluto desagradable, sino todo lo contrario, ya que acentuaba la forma de corazón de su boca y resaltaba su labio inferior.

—No me convencerá de que sería usted incapaz de vencerle si tuviera que enfrentarse a él. —Le miró los hombros y, después, las manos.

—La cuestión, señorita Lucas, no es si yo sería capaz o incapaz. La cuestión es si estoy dispuesto a asumir la posibilidad de llegar a ese punto.

—Entiendo. —La mirada de la señorita Lucas se posó en su mano derecha al tiempo que se ruborizaba ligeramente—. ¿Qué ha hecho con sus guantes, señor Yale?

—Me he visto obligado a abandonarlos esta mañana. —Uno de los participantes en la orgía había apagado un puro en uno de los guantes y él detestaba ese tipo de manchas—. ¿Sería tan amable de sentarse? —Señaló de nuevo su cena.

—Supongo que estoy cansada y que me vendrá bien descansar. —El ceño fruncido desapareció y esos ojos azules lo miraron—. ¿Vamos a alquilar habitaciones para pasar la noche? Jamás lo he hecho por mí misma.

—Será un honor —contestó Wyn, al tiempo que hacía una reverencia.

La señorita Lucas sonrió, y el gesto dejó a la vista sus hoyuelos. De repente, abrió los ojos de par en par.

—¡Oh, mi equipaje!

—Me he tomado la libertad de ordenar que lo suban a una habitación privada.

—¿Lo ha hecho mientras ha estado fuera? —La señorita Lucas parpadeó—. Creo que lo perdonaré por no habérmelo consultado... con el paso del tiempo. Supongo que tiene usted mucha experiencia en esto de viajar.

—Tengo alguna, sí. —Por varios continentes.

—Por tanto, confiaré en su opinión sobre la temeridad de viajar en el carruaje del servicio de correos de Su Majestad por la noche. —Se puso seria—. Aunque desearía proseguir con mi búsqueda lo antes posible. —Se sentó, esperó a que él la imitara y, después, cogió de nuevo el tenedor—. No tengo mucho tiempo. Se supone que mi estancia en Brennon Manor será de cuatro semanas y ya han pasado dos.

—¿Qué búsqueda? ¿Eso quiere decir que no está tratando de eludir a un pretendiente rechazado?

La vio fruncir el ceño, un gesto que le indicó que su pregunta acababa de hacer mella en la opinión que la dama tenía de su inteligencia.

—Ya le he dicho que no estoy huyendo de nadie. Más bien trato de encontrar a alguien.

—¿A quién?

—A mi madre. —Lo miró de forma penetrante—. ¿Sabe usted algo sobre mi madre?

—Solo que no reside en la casa de su padre y que no se deja ver entre la alta sociedad.

Y que estaba involucrada en un turbulento asunto que provocó la huida apresurada al continente de un aristócrata traidor hacía varios años. Sin embargo, fue Liam quien se ocupó de dicho asunto, puesto que en aquel entonces él estaba ocupado batallando contra sus propios demonios y no tenía tiempo para preocuparse de los intereses de sus amigos.

La señorita Lucas se tragó un bocado de carne asada y Wyn observó el movimiento de su garganta, que quedaba a la vista sobre el recatadísimo escote de su vestido. Era un movimiento normal y corriente, pero al mismo tiempo tan femenino que logró desviar su atención de la botella que tenía junto a la mano.

La irritante sed que llevaba en la sangre disminuyó con la primera copa y desapareció por completo con la segunda. Se sirvió una tercera. Jamás llevaba una petaca encima, pero el traqueteo y las sacudidas de la última hora de trayecto en el coche de postas habían llevado su irritabilidad casi al límite.

—Se marchó hace cuatro años, unos cuantos días antes de que yo cumpliera los quince. —Bebió un sorbo de té—. Tuvo algo que ver con mis hermanas mayores y mi hermano, Tracy, pero no estoy al tanto del asunto. Al parecer, todos se alegraron con su marcha. No era una buena persona, se lo aseguro.

—Si usted lo dice, la creeré.

Sus miradas se encontraron por un instante y el azul intenso de sus ojos refulgió como una piedra preciosa.

—El caso es que mi padrastro jamás habla de ella, como tampoco lo hacen los demás. Es como si se hubiera desvanecido por arte de magia.

—Extraordinario —murmuró él.

—¿Verdad que sí?

Tal vez lo sería si su propia historia no confirmara que tal cosa era posible. Desde que su madre murió, hacía ya catorce años, Wyn no había visto a su padre ni a sus hermanos, ni tampoco había mantenido correspondencia con ellos.

—Pero sé que no es así —siguió la señorita Lucas al tiempo que atacaba con ímpetu la carne asada—. Cuando se marchó, pregunté por ella. Mi padre, me refiero a mi padrastro, me dijo que se había marchado al norte, para vivir con unos parientes. —Lo miró, alzando los párpados, ya que tenía la cabeza gacha—. No lo ha hecho. O, al menos, si lo hizo entonces, ya no está allí. Verá, hace unos meses registré el escritorio de mi padre.

—Qué intrépido por su parte.

—Pues sí. He hecho un montón de cosas depravadas en mi vida que hacían llorar a mis institutrices, que acababan tirándose de los pelos. No de forma literal, por supuesto. Salvo una, pero eso fue un accidente. A lo que iba, que he sido un poco problemática, aunque jamás he robado. Pero ella es mi madre y mi padre se niega a darme información y, la verdad, tengo derecho a saber algo de ella. ¿No cree?

—Debe de desearlo con ahínco.

—No ha respondido a mi pregunta. No soy una cabeza de chorlito, señor Yale.

—Jamás se me ocurriría pensarlo.

—Y nunca robé las cartas. Solo las leí. —Enarcó sus delicadas cejas al tiempo que aparecía un brillo travieso en sus iris azules—. Así que no he cometido pecado alguno. De verdad.

La repentina imagen de verla pecar hizo que Wyn cogiera de nuevo su copa.

—¿Y dónde está su madre?

La señorita Lucas soltó el tenedor y esbozó una dulce sonrisa.

—Señor Yale, qué refrescante es hablar con usted. Mi padre jamás me entiende cuando hablo y el señor Hache me permite hablar y hablar sin replicar siquiera a mis comentarios. Pero usted es diferente. Usted parece saberlo todo.

Sí. Wyn sabía que le convenía meterla en un coche de postas con destino al norte y librarse de ella lo antes posible. El posadero se acercó a la mesa, ofreciéndole la oportunidad de apartar por la fuerza la vista de su precioso cuello.

—Señor, mis dos mejores habitaciones están listas para usted y para su hermana. Pueden subir cuando gusten. ¿Cenará más tarde?

—Tráigale un plato de asado. Le encantará. —La señorita Lucas se llevó a la boca otro trozo de carne asada.

Wyn apartó la mirada de esos sonrosados labios y se puso en pie.

—Mi hermana subirá de inmediato. Está cansada después de todo un día de viaje.

—Pero debe comer algo...

—Cenaré en mi habitación —la interrumpió él, señalando hacia la escalera.

Una vez que llegaron al descansillo superior, el posadero le entregó dos llaves.

—Esta es para la dama, señor, y esta es para usted. Le diré a la doncella que suba para asistir a la dama y, después, haré que le preparen la cena sin demora.

—Gracias.

—Felicite a su esposa por el asado y por el budín, estaban deliciosos. —La señorita Lucas esbozó una sonrisa deslumbrante.

El posadero sonrió de oreja a oreja.

—Lo haré, señorita.

Ella lo observó mientras se alejaba por el pasillo.

—Supongo que es una buena idea que le haya dicho que soy su hermana. Pero es evidente que no nos parecemos en absoluto. —Lo miró a los ojos. Su expresión era inocente y sincera.

Era cierto. No se parecían en absoluto. No se parecían en lo esencial, en algo que trascendía el color de ojos o de pelo. La señorita Lucas afirmaba haber hecho cosas depravadas, pero su rostro irradiaba sinceridad y bondad. Su comportamiento lo demostraba. Había tomado en brazos al bebé y lo había llevado en su regazo durante toda la tarde. Había felicitado al posadero por una comida tan simple. Wyn no alcanzaba a entender cómo una madre podía abandonar a una hija así, justo cuando llegaba a la pubertad.

—¿Dónde se encuentra su madre, señorita Lucas?

—En Calais.

Sí, era una muchacha intrépida.

—¿Tiene la intención de cruzar el Canal para ir en su busca?

—Sí. Parece estar viviendo con un numeroso grupo de jóvenes. Al parecer, ha hecho creer a mi padre que se trata de un convento de monjas católicas y que necesita dinero para financiar las artesanías y bordados que hacen para ganarse la vida. Eso fue lo que le dijo por carta a mi padre. Yo no soy tan tonta como para creérmelo. Creo que es la directora de una escuela.

Wyn se mordió la lengua.

—¿Una escuela?

Ella esbozó una sonrisa.

—No. Lo he dicho para ver cómo reaccionaba usted. La verdad, estoy muy impresionada. Por supuesto que yo no debería estar al tanto de estos temas, pero Teresa Finch-Freeworth me ha ayudado mucho. —Sonrió con dulzura—. Aunque sé que jamás revelará usted la sorpresa que le ha provocado mi indiscreción. Es un caballero de los pies a la cabeza, señor Yale.

—¿Por qué no ha ido a buscarla su padrastro?

—Porque le da igual lo que le suceda. —La señorita Lucas apartó la mirada.

Era una inconveniencia. Ella era una inconveniencia. Un precioso saquito de buenas intenciones que guardaba cierto resentimiento. Dicho resentimiento era evidente solo con mirar sus enormes ojos, aunque afirmara todo lo contrario. Y para colmo debía sufrir la indignidad de soportar la nueva profesión de su madre, si lo que decía era cierto.

—Señorita Lucas, no puedo permitir que prosiga con su viaje.

Su mirada voló hacia él al instante.

—¿Cómo?

—Que no puedo...

—No, no. Lo he escuchado perfectamente. Es que estoy atónita.

—No sé si sentirme halagado o insultado por su sorpresa, señorita.

—Ah. Claro. Le pido disculpas, señor. —Pareció recomponerse y con mucha rapidez, por cierto.

Lo observó un instante y después dejó escapar un pequeño suspiro. Sin embargo, no pareció muy desilusionada, una actitud que Wyn había visto en muchas jovencitas a lo largo de los últimos años. Sin duda, para ella solo era un juego más. Tal vez solo deseara una pequeña aventura y, a esas alturas, agradeciera muchísimo su intervención.

—Supongo que habrá averiguado a qué hora sale el coche de postas que me llevará de vuelta a la casa de mi amiga, ¿verdad?

—Sale mañana a las diez en punto.

—En ese caso, habrá tiempo de sobra para desayunar. No me gusta viajar con el estómago vacío. —Su voz parecía apagada.

—Es por su bien, señorita Lucas.

Pareció meditar un instante.

—Viajar en transporte público es incómodo. Tal vez no habría logrado llegar a Bristol. —Dejó escapar un pequeño suspiro que elevó sus pechos—. Bueno, pues que duerma bien, señor. Gracias por su ayuda. —Le tendió la mano y Wyn le entregó la llave, tras lo cual entró en su habitación.

Wyn volvió a la taberna y a lo que le quedaba de la botella de brandy.

Diantha se apoyó en la puerta de su habitación, embargada por una extraña sensación de vacío en el estómago. Su mirada recorrió la pequeña estancia, sin demostrar el menor interés. Había viajado en muy pocas ocasiones, de modo que debería estar emocionada por el repentino cambio de planes. Una noche en una casa de postas de verdad, después de haber disfrutado de una cena deliciosa en compañía de un verdadero caballero.

A esas alturas, sabía en qué se había equivocado de nuevo. Esa vez no era su plan lo que había fallado, sino la idea que tenía de los hombres.

Un verdadero caballero no tenía por qué ser un héroe. Porque por encima de cualquier otra cosa, un verdadero caballero se esforzaría por salvaguardar el decoro, las buenas formas y, lo más importante y desolador, el buen nombre de una dama.

Diantha no se consideraba una pánfila y sabía perfectamente que su viaje podía perjudicarla, cosa que una pánfila no haría. Pasaría semanas en el camino, sin una carabina apropiada y sin una doncella, y su destino sería un burdel. Un verdadero caballero como el señor Yale solo podía actuar de una forma: acompañándola de vuelta a su hogar. No podía ser su héroe. No en esa ocasión. En esa ocasión, la condición de caballero era incompatible con la de héroe.

Debería volver a la taberna y buscarse otro héroe. Seguro que había alguno entre todos esos campesinos y vecinos del pueblo. O tal vez debería emprender a solas el siguiente tramo de su viaje, con la esperanza de encontrar un héroe en el camino.

Le había resultado fácil memorizar el horario de los coches de postas, que colgaba de la pared junto a la puerta principal, mientras comía y le explicaba su búsqueda al señor Yale. El carruaje de Shrewsbury pasaría a las cinco y cuarto de la mañana. Lo cogería. Encontraría a su madre y, por fin, hablaría con ella.

Diantha se desvistió hasta quedarse en ropa interior, y cuando apareció la doncella, la despachó tras darle un penique. Después se acostó en la cómoda cama, cubierta con el edredón más bonito que había visto jamás, y clavó la vista en el techo. La pintura blanca estaba agrietada, al igual que le pasaba a su teoría sobre los caballeros y los héroes.

El problema era que, en su opinión, si algún hombre podía ser un verdadero héroe, era el señor Yale. Aunque tal vez a esas alturas ya no existían los parangones que abrazaban el honor y la nobleza de espíritu. Tal vez no existieran, como tampoco existía el amor que describían las historias antiguas, ese amor entre un hombre y una mujer que sucumbían a la devoción más sublime y vivían felices para siempre. Los dos matrimonios de su madre demostraban que dicho amor era un mito, por no mencionar la tibia relación que mantenían lady Finch-Freeworth y sir Terrence. Sus hermanas sí que parecían felices con sus maridos, pero contaban con mucho dinero, muchos carruajes y muchas casas. ¡Por Dios, Serena incluso era condesa! ¿Cómo no iba a ser feliz?

Sin embargo, su hermano Tracy evitaba el matrimonio, y Diantha entendía perfectamente sus motivos. El amor verdadero era un concepto mítico. Al igual que los héroes.

Cerró los ojos e intentó no pensar en ese caballero tan apuesto al que iba a dejar atrás y que, aunque maravilloso, solo era un hombre al fin y al cabo.

4

A las once en punto, Wyn ya casi podía ver el fondo de la botella. Y no se debía a su excelente visión.

La taberna seguía abarrotada, ya que la posada era uno de los lugares preferidos por los habitantes del pueblo y los granjeros para celebrar el final de la cosecha. Demasiado regocijo para su gusto en ese momento. Apartó el resto del brandy, se puso en pie y se abrió paso entre las mesas llenas de vociferantes hombres en dirección a la puerta para llegar al establo. Debía comprobar el estado de los caballos. La paja debía estar seca. La cuadra tenía que estar limpia, aunque tuviera que empuñar él mismo la pala. Lo había hecho en incontables ocasiones incluso antes de tener caballo propio.

La noche era muy oscura y había un solo farol para iluminar la entrada del establo. Atravesó el camino empedrado, chapoteando con las botas, y abrió la puerta. Entró y cerró tras él, bloqueando así la algarabía procedente de la posada y también la luz del camino.

A un escaso metro de distancia, se escuchó un siseo en la oscuridad. Un sonido breve y agudo.

Y, a continuación, la mujer se abalanzó sobre él.

Tenía unas curvas perfectas allí donde la tocaron sus manos, que se cerraron alrededor de su cintura, y estaba temblando. Respiraba entrecortadamente contra su mentón.

Wyn hizo lo que no habría hecho de no haberse bebido casi una botella entera de brandy en menos de tres horas o de haber utilizado todos sus sentidos en ese momento, no solo su anhelante sentido del tacto... Como por ejemplo, su sentido del olfato, que le habría indicado que no tenía a una de las mozas de la taberna entre las manos. La pegó contra su cuerpo. ¿Qué otra cosa pretendía una muchacha cuando se arrojaba a los brazos de un hombre borracho casi a medianoche?

La oyó jadear antes de que se tensara. A continuación, la mujer pegó la barbilla a su mentón y susurró:

—Ayúdeme.

De no ser por el estrépito que le llegó desde el fondo del establo y por la palabrota tan soez procedente de la misma dirección, Wyn habría reaccionado de forma muy distinta en ese momento, aunque estuviera borracho.

No soltó a la señorita Lucas, aunque su abotargado cerebro le gritaba que lo hiciera. En cambio, se volvió para protegerla con su cuerpo, le pegó la espalda a la pared y le susurró al oído:

—Abráceme y quédese quieta.

Ella le obedeció. No le costó en lo más mínimo abrazarla y afianzar los pies en el suelo a la vez. La sentía suave y como por fin estaba usando todos sus sentidos, ¡y qué bien olía!, no tuvo el menor problema en mantenerse erguido. Le cubrió el pelo con la capucha de la capa y acarició sus rizos, tan suaves como la seda.

Se escucharon unos pasos fuertes.

—¿Dónde estás, palomita? —preguntó una voz ronca que arrastraba las palabras—. Sal como una buena chica o me enfadaré mucho cuando te encuentre.

El cuerpo de la señorita Lucas se estremeció. Wyn inclinó la cabeza, ocultándola todavía más por si el hombre se había acostumbrado a ver en la oscuridad. Podría enfrentarse a él, pero los pasos sugerían que era un hombre corpulento y Wyn sabía que no se encontraba en su mejor momento de forma con casi una botella de brandy en el cuerpo y sin haber comido desde hacía días.

Los pasos se escucharon más cerca sobre la paja antes de detenerse.

—¿Qué pasa aquí? —Una pausa—. Ah, perdone, buen hombre. Estaba buscando a mi mujercita, ¿sabe?

—Largo, «buen hombre». —Wyn no tuvo el menor problema en adoptar un tono ronco. La caricia del lóbulo de su oreja en los labios había convertido su garganta en un desierto.

El hombre masculló algo y se dirigió a la puerta, que abrió y cerró con un golpe al salir.

Ella suspiró con alivio y aflojó los dedos con los que se sujetaba a su espalda. Sin embargo, Wyn no soltó a su cautiva. El brandy que corría por sus venas se lo impedía. Sus pechos se pegaban a su torso y su olor se le subía a la abotargada cabeza. Una vez pasado el peligro, sentía a la mujer que tenía en los brazos, sentía su cuerpo cálido y menudo, sometido al suyo con tanta naturalidad. Le deslizó las manos por la espalda, recorriendo la elegante curvatura de su columna, sintiendo las vértebras como los guijarros redondeados del cauce de un riachuelo, y sintió a la mujer. Una mujer, joven, dulce, hermosa y viva, cuya sangre corría por su tembloroso cuerpo.

Ella siseó una vez y se revolvió entre sus brazos para empujarlo. Pero todavía no había terminado con ella. La sujetó con firmeza, y sintió un zumbido en los oídos, como cuando el viento soplaba con fuerza, al cubrir con las palmas ese trasero tan perfecto y femenino.

—Señor Yale —susurró ella tras jadear—, debe detenerse ahora mismo.

Dado que ni siquiera una botella de brandy podía eliminar lo que habían conseguido años de entrenamiento, la soltó y retrocedió un paso. No había más luz en el establo, pero sus ojos se habían adaptado a la oscuridad y podía verla. Podía olerla y escucharla, podía escuchar sus rápidas inspiraciones superficiales, mezcladas con los resoplidos de los animales.

De repente, mantenerse en pie le supuso un desafío, de modo que se apoyó en la puerta de una cuadra.

—Señorita Lucas, ¿tendría la amabilidad de decirme qué hace en el establo? —preguntó, pronunciando cada palabra con sumo cuidado.

—Me escondía de él. Pero me ha encontrado. Lo mismo... lo mismo que usted. —Su voz sonaba más aguda que antes, y más apresurada.

—Va a tener que perdonar mi mala educación, pero ahora mismo estoy un poco...

—Borracho.

—... indispuesto.

—Teresa me dijo que los hombres borrachos pueden demostrar actitudes amorosas aunque no sea su intención.

Había sido su intención. Y seguía siéndola. Llevaba la impronta de su calidez en las palmas de las manos y en el torso, y el recuerdo de su piel en los labios le provocaba cierta tensión en la entrepierna.

—Y ese hombre odioso también lo estaba. —Bajó la voz—. Me ha llamado «palomita». ¿Alguna vez ha escuchado algo tan ridículo? Parecía un caballero, pero resulta que no tiene un pelo de heroico.

Wyn meneó la cabeza a fin de conseguir aclarársela mínimamente.

—Señorita Lucas, vuelva a su habitación, cierre la puerta con llave y duerma.

—¿No quiere saber por qué no estoy allí?

—Puede que esté borracho, pero no soy tonto. Sé por qué no está allí.

—¿Sabe que salí en busca de otro caballero para que me ayudara porque usted se negó?

—Es posible que la conozca mejor de lo que usted misma se conoce. —Nueve muchachas. En diez años, había encontrado y rescatado a nueve muchachas que se habían fugado. También había encontrado a dos bebés, a un amnésico, a un par de niños cuyo retorcido tutor legal había vendido a las minas, a un antiguo soldado que se había vuelto loco y no se había dado cuenta de que había abandonado a su familia, y a un rebelde escocés que resultó no ser un rebelde. Pero nueve muchachas. Siempre se las asignaban. Incluso se reían y decían que se llevaba muy bien con ellas, como si compartieran un chiste increíble—. Váyase. —Abrió la puerta.

La señorita Lucas se fue, pero no lo hizo con actitud desafiante ni dócilmente. Se fue sin más, y su silueta quedó recortada por el farol del patio, una silueta que Wyn bebió con su borrosa mirada, desde la curva de sus caderas hasta el elegante trazado de sus hombros. Estaba borracho. Demasiado borracho como para no mirarla y no lo bastante como para que la imagen no lo afectara.

Por la mañana, se disculparía como era debido por sus rápidas manos. Sin embargo, en ese momento era incapaz. No podía mentir de forma convincente bajo los efectos del brandy, y Diantha Lucas no era una muchacha a la que mentir. Incluso borracho se daba cuenta.

Un rayito de sol se le clavó a Wyn en los ojos. Alguien llamaba a su puerta, arrancándolo de un profundo sueño.

Se frotó la cara para despertarse y se acercó a la puerta. El mozo de cuadra estaba en el pasillo, con el ceño fruncido, y al verlo se llevó una mano a la gorra.

—Buenos días, señor.

Parecía demasiado alterado para los destrozados nervios de Wyn. Una botella solucionaría el problema. Pero nunca bebía antes de mediodía. Nunca. Era la única regla a la que se ceñía. La única regla de entre todas las que le había enseñado su tía abuela, una de las cuales rompió la noche anterior, en un inusitado arrebato de debilidad, razón por la cual tendría que pedir disculpas ese día. La señorita Lucas no le parecía una persona quisquillosa, pero era una dama, y una muy joven. Por raro que pareciera, no se la imaginaba ofendida. Pero sí un poco... recelosa.

Se llevó una mano a la frente.

—¿Qué hora es?

—Casi las ocho, señor.

El estómago le dio un vuelco por el dolor perpetuo. Las ocho era una hora demasiado temprana para sentir esa inestabilidad tan desquiciante en las extremidades, sobre todo teniendo en cuenta que había terminado la botella de brandy apenas nueve horas antes.

—¿Pasa algo con mis caballos?

—Supuse que querría saber, señor, que el alguacil de Winsford se ha pasado por aquí esta mañana.

—¿Winsford? —El condado de su anfitrión hedonista. No era una buena señal.

—Sí, señor. —El mozo de cuadra asintió con la cabeza varias veces, deprisa, agitando la visera de su gorra—. Ha estado preguntando por esa yegua suya.

«Una señal pésima», pensó.

—¿En serio?

—Quería entrar en la cuadra y echarle un buen vistazo. Pero le he dicho que ese purasangre suyo le arrancaría un bocado si lo intentaba.

Pese a las circunstancias, Wyn sonrió.

—Sabes que no lo haría. *Galahad* es tan manso como un corderito.

El mozo de cuadra le devolvió la sonrisa.

—Como el Señor me ha dado una lengua para decir lo que crea conveniente, me pareció que podría usarla.

—¿Y qué esperas recibir a cambio por este uso en particular? Porque supongo que el alguacil no se encuentra al pie de la escalera principal y ahora estarás encantado de señalarme la escalera de servicio por un precio, ¿verdad?

El hombre se puso más derecho que una vela.

—Un momento, señor. No pensaba poner la mano. Solo pensé que si se iba detrás de la dama a toda prisa para poder alcanzarla, le convenía no tener problemas con un alguacil viejo y metomentodo de la otra punta del país. Bueno, es que después de verla rescatar a ese spaniel que casi perdió una pata en el herrero y que cojea tanto, y de verla discutir con el cochero para subirlo en el carruaje, repitiendo una y otra vez que iba a cuidarlo hasta que se pusiera bien... Bueno, he pensado que es la clase de dama que necesita que alguien la cuide. —Se sonrojó y se caló la gorra todavía más—. Yo tengo a una muchacha así, le gusta cuidar de todo el mundo y no tiene a nadie que la cuide. Salvo yo, señor, ya me entiende.

—Te entiendo. —«Por Dios, no», pensó. Qué ciego había estado al subestimar tontamente la tenacidad de la señorita Lucas. Estaba perdiendo facultades, sí—. Deprisa, dime en qué coche de postas se ha ido la dama y dónde se encuentra el alguacil ahora.

El alguacil estaba hablando con la autoridad local, preguntándole acerca del espinoso asunto de recuperar un caballo robado por un caballero de alcurnia a más de cuarenta kilómetros de allí. Wyn se apresuró a vestirse muy agradecido por que la incuestionable calidad de *Galahad* le confiriera el aire de un caballero de alcurnia, un hecho que hacía ser cautelosas a las autoridades.

Una vez en los establos, le puso una guinea en la mano al mozo de cuadra.

El hombre puso los ojos como platos.

—¡No, señor! No lo he hecho para que...

—Acéptala —replicó con sequedad—. Cómprale algo a tu muchacha, esa que se preocupa más por los demás que por sí misma.

Emprendió el viaje a paso vivo por el deteriorado camino, a un ritmo mucho más rápido que el del coche de postas de Shrewsbury.

El perro fue el primero en aparecer. Cojeando por el centro del camino hacia ellos, meneaba la cola en una muestra de bienvenida algo insegura. Después ladró una vez, un sonido de alegría, y dio un brinco sobre las tres patas sanas. El único color discernible era el de sus ojos negros. Tras dar media vuelta regresó por donde había aparecido.

Wyn azuzó su montura.

Envuelta en la llovizna, la señorita Lucas se encontraba a un lado del camino junto a un baúl de viaje, sobre el que descansaba una sombrera.

—No espere que me alegre de que haya aparecido usted de entre todas las posibilidades —dijo ella antes incluso de que detuviera el caballo, con el perro dando vueltas entre ellos mientras gruñía de placer.

—Buenos días, señorita Lucas. Espero que se encuentre bien.

—Pues claro que no me encuentro bien. —Tenía el ceño fruncido—. Seguro que se alegra de eso.

—Al contrario, señorita. No me alegro en absoluto.

No parecía muy contento, pensó Diantha. Pese al tono mesurado de su voz, parecía muy contrariado y un tanto peligroso a lomos de su caballo negro, todo vestido de negro, con la cara sin afeitar y la corbata atada al descuido. Diantha nunca lo había visto con un pelo fuera de su sitio, lo que quería decir que al descubrir que ella no se encontraba en la posada, había salido corriendo a buscarla. Algo que, pese a lo que se había jurado al verlo aparecer por el recodo, le provocó una vez más el hormigueo en el estómago. Incluso sintió algo cálido, el mismo efecto que le provocó esa mano en su trasero la noche anterior en el establo.

—Puede ayudarme ahora si lo desea. —Frunció más el ceño—. Y se lo agradecería. Pero si intenta obligarme a volver a casa de mi amiga o a regresar a mi propio hogar, me negaré.

—Señorita Lucas, ¿por qué está a un lado del camino con su equipaje?

—Porque me conviene.

El señor Yale ladeó la cabeza.

—Este tipo de inacción no va a llevarla más cerca de Calais.

—Es usted muy listo, señor Yale. Antes creía que eso me gustaba de usted. Pero creo que debo cambiar de opinión.

—Gracias. —Algo brilló en sus ojos grises—. Y yo creo que ya sé a quién recurrir cuando necesite que alguien no me halague.

Sus labios, que siempre la habían traicionado a lo largo de su vida, temblaron. Por un momento, esos ojos plateados se clavaron en ellos y el hormigueo de su estómago se convirtió en un estallido de fuegos artificiales. Le había rozado la mejilla sin querer la noche anterior. Su incipiente barba le había parecido áspera e irritante. Aún le ardía la piel allí donde lo había tocado.

—Verá, no podía dejar al perro atrás —explicó con voz temblorosa, aunque era una tontería, porque lo más normal era que el mentón de un hombre irritara al tacto a esas horas de la noche, puesto que habían pasado muchas horas desde que se afeitó. Sin embargo, no podía dejar de preguntarse si su piel sería más irritante en ese preciso momento. Y quería tocarla—. Pero varios pasajeros del interior se quejaron por el olor a establo...

—No era de extrañar.

—... y el perro se negó a quedarse en mi regazo cuando me senté en el techo. Creo que le dan miedo las alturas. ¿Se ha encontrado alguna vez algo tan ridículo como un perro con miedo a las alturas?

—Una ridiculez, sin duda.

—Se está riendo de mí. Pero no podía dejarlo abandonado en el camino. De modo que me vi obligada a apearme antes de tiempo. Estoy esperando al siguiente coche de postas.

—Tendrá que esperar hasta el jueves.

Ella puso los ojos en blanco.

—Por supuesto que también he leído los horarios en la posada. Solo lo he dicho...

—Para comprobar mi reacción. —Una sonrisa torcida apareció en sus labios.

¿Quién iba a decir que la boca de un caballero podría resultar tan... intrigante? O que mirarla le haría sentirse hambrienta, aunque apenas había transcurrido una hora desde que se comiera el aperitivo que le había preparado la mujer del posadero de madrugada, mientras intentaba convencerla de que no se fuera sin él. Diantha nunca había reparado antes en la boca de un caballero. Reparar en la del señor Yale en ese momento parecía una estupidez.

Pero durante un instante, la noche anterior, su boca le había tocado la oreja, derramando su cálido aliento por su cuello, y no se había sentido tonta. Se había sentido acalorada, y no solo en el cuello. Sino por todo el cuerpo. El mero recuerdo la acaloró de nuevo.

—Lo he dicho para ganar tiempo —masculló—. Aún estoy decidiendo qué hacer. He visto una granja a unos dos kilómetros de aquí. Estoy pensando en caminar hasta allí y pedir ayuda, pero todavía no tengo bien trazado el plan.

—Ah. —Parecía muy serio bajo la llovizna, que era de un color muy parecido al de sus ojos—. En ese caso, no quiero alterar su meditación. Buenos días, señorita. —Le hizo una reverencia desde la montura y tras saludarla con un gesto elegante del sombrero, reemprendió la marcha.

Diantha fue incapaz de contener la sonrisa. Para ser un hombre que solía ser tan elegante, era un bromista incurable.

—No va a dejarme aquí.

Él no se volvió.

—¿Está segura?

—Segurísima.

El perro corría detrás de los caballos. Tras unos cuantos metros, se detuvo y la miró. Diantha comenzó a jadear al sentir que el pánico le subía por la espalda.

—Señor Yale, déjese de bromas —le gritó—. Sé muy bien lo que pretende.

Él aminoró el paso y se giró en la silla para mirarla.

—Me apena enormemente que tengamos que separarnos cuando seguimos sin comprendernos, señorita Lucas. —Le hizo otra reverencia—. Pero le deseo muy buenos días y que tenga suerte en la granja. —Azuzó a los caballos y comenzó a alejarse de nuevo.

Ella se aferró los guantes mojados y movió los dedos de los pies dentro de las botas empapadas.

—¡Tenía un plan! —gritó—. Y llevo fondos suficientes. No me he embarcado en esta misión a tontas y a locas. Tenía un plan. —El señor Yale parecía estar demasiado lejos como para escucharla, así que apretó los dientes y masculló—: Si usted es un verdadero caballero, mi madre es una santa. —Enderezó los hombros—. ¡Muy bien, me disculpo! —A continuación, y en voz algo más baja, porque era incapaz de soportar la humillación—: Por favor, vuelva.

El caballo negro se detuvo y la yegua lo imitó. El señor Yale los instó a dar media vuelta y regresó. A varios pasos de distancia, desmontó, dejó los caballos a un lado del camino y se acercó a ella andando, con el perro pegado a los talones. Estaba concentrado en ella como si fuera lo único que existía en el mundo, algo habitual en él, y, por supuesto, algo que le había encantado hasta ese momento.

Se detuvo muy cerca de ella, tan alto y tan ancho de hombros, con el gabán agitándose en torno a sus musculosas piernas y a sus relucientes botas, la personificación del hombre al que le tendría miedo si se lo encontrase en un camino desierto un día de lluvia sin conocerlo de antemano. Claro que, en realidad, no lo conocía, al menos no lo conocía bien, solo a través de sus hermanastras.

Y la noche anterior, cuando la tocó a pesar de que no debería haberlo hecho, se le aflojaron las rodillas. De no ser por sus fuertes manos que la sujetaban entre su torso y la pared, se habría caído al suelo.

—Su plan era una estupidez. —Sus ojos brillaban, aunque no podía ser fruto de la rabia.

Un verdadero caballero, como lo fue su padre y lo era su padrastro, ocultaba su mal genio ante las damas. Sin embargo, el brillo que vio en los ojos del señor Yale se parecía a la rabia. Además, un verdadero caballero no acariciaba el trasero de una dama en un establo a oscuras.

Se quedó sin aliento.

—Mi plan no era una estupidez.

Esos ojos grises no flaquearon.

—De acuerdo —admitió ella—. Lo era. En parte. Pero solo porque usted tardó más de lo que había pensado en aparecer en el carruaje del servicio de correos de Su Majestad.

Lo vio fruncir el ceño.

—¿Cómo dice?

—He dicho que mi plan solo falló porque usted tardó más de lo que había pensado en...

—En aparecer. Sí. Usted no tenía la menor idea de que yo estaría en ese carruaje.

Diantha meneó las cejas.

—¿Está seguro de eso?

—Bruja. Las muecas no la favorecen. Y sí, estoy muy seguro por la sencilla razón de que ni siquiera yo sabía que iba a subirme a ese carruaje.

—¿En serio? Qué inconveniente para usted. Yo siempre tengo un plan para todo.

—Empiezo a darme cuenta.

—¿Cómo es que acabó en este camino sin planearlo?

—Estaba en una fiesta campestre y los entretenimientos se... —Se detuvo de golpe—. Por supuesto, eso es irrelevante. Usted no sabía que yo iba a subirme a ese carruaje en concreto.

—Cierto. Yo no sabía que usted iba a subirse a ese carruaje, lo admito. Pero esperaba encontrar a un héroe que me ayudara. Y después, apareció usted, y tiene un aire de héroe, señor Yale. Siempre me lo ha parecido.

—Supongo que sus palabras deberían halagarme y que debería postrarme de rodillas al ver esos hoyuelos que tan convenientemente acaba de hacer aparecer...

—Claro que eso lo pensé hasta anoche.

Sus apuestas facciones se congelaron.

—Señorita Lucas —dijo con voz alterada—, le ruego que me permita pedirle perdón por...

—No tiene ni que mencionarlo. Al fin y al cabo, los hombres cometen tonterías cuando han bebido demasiado. —No quería que se disculpara por haberla tocado. Le parecía inapropiado, sobre todo porque ella también tenía parte de culpa al haberse refugiado en un establo, y todo por su falta de buen juicio—. Y me refería, por supuesto, a que me parecía heroico hasta que me dijo que no iba a ayudarme.

Sus anchos hombros parecieron perder parte de la rigidez.

—Ella te da y te quita. ¿Tiene por costumbre no halagar a los demás?

—Mis hoyuelos son sinceros.

—No me cabe la menor duda. Como tampoco me cabe la menor duda de que usted es una dama muy problemática.

Ella parpadeó despacio, ocultando brevemente sus ojos azules. Acto seguido, se volvió y se acercó a su baúl de viaje. Sin aspavientos, se sentó en el baúl y entrelazó las manos sobre su regazo.

—Acaba de sentarse en un charco.

Ella le volvió la cara, ofreciéndole su encantador perfil.

—Una preocupación muy mundana. —Sin embargo, la comisura de sus labios temblaba, y no por la risa.

La rabia de Wyn desapareció. Se hizo el silencio, durante el cual solo se escuchaban los resoplidos de los caballos, que estaban pastando en la hierba al lado del camino, los gemidos del chucho que tenía al lado y la incesante lluvia. A cada momento que pasaba, se parecía menos a las muchachas malcriadas que se habían fugado de sus casas con las que había lidiado en el pasado. Era una mezcla de determinación, sinceridad e inocente sabiduría. Además, jamás había mirado a una muchacha a la cara y deseado cumplir sus deseos. De hecho, solo le había sucedido en una ocasión anterior, y también experimentó la furia que ella sentía.

Sin embargo, la señorita Lucas no estaba furiosa. Solo quería encontrar la manera de recorrer un camino en mitad de la lluvia.

Quería ver de nuevo sus hoyuelos. Ese anhelo lo golpeó con fuerza.

—¿Tiene al menos un paraguas?

Ella mantuvo la vista apartada.

—Admito que pasé por alto ese detalle.

—¿También se le olvidó preguntarle al cochero que la dejó aquí dónde se encuentra la siguiente parada?

—Pues sí. —Torció el gesto—. Nuestro apeo fue bastante abrupto, la verdad.

—Me lo creo.

Por fin lo miró.

—¿Sabe dónde está la siguiente parada?

—Sí. Está a menos de medio kilómetro más adelante.

La cara de la señorita Lucas se iluminó.

—¿Eso quiere decir que ya ha recorrido este camino antes?

—Unas cuantas veces. —Se conocía ese camino y los caminos que llevaban al este y al sur como la palma de su mano, tal vez mejor.

Tras dejar Gwynedd a los quince años, al principio no se había alejado demasiado, no durante tres años, hasta que al final llegó a Cambridge. Los caminos principales, las veredas, las colinas y las granjas de la frontera galesa y la zona más occidental de Shropshire, hasta la propiedad de su tía abuela, eran su hogar en mayor medida que lo había sido nunca la casa de su padre.

Ella se puso en pie de un brinco.

—En fin, pues debo ponerme en marcha. —Miró de reojo el baúl de viaje, soltó un suspiro rápido tras tomar una decisión y cogió la sombrerera antes de echar a andar. Sus botas se hundían en el barro con cada paso, pero ella no parecía darse cuenta.

—Señorita Lucas, le aconsejo que vuelva junto a su baúl y que se lleve todos los objetos de valor y cualquier útil imprescindible antes de continuar.

—Enviaré a alguien a buscarlo cuando llegue a la casa de postas. —Su capa estaba empapada e incluso el ala del bonete estaba lacia, mientras que los rizos castaños se pegaban a sus mejillas y a su garganta, trazando delicados tirabuzones sobre su piel de alabastro.

Miró al chucho que meneaba la cola a su lado y murmuró:

—No tiene la menor idea de lo peligrosa que es esta escapada. —A continuación, en voz más alta, dijo—: Insisto.

Ella se detuvo y se volvió para mirarlo, con la cabeza ladeada.

—A veces su voz suena distinta. Ahora mismo, cuando ha dicho eso, sonaba...

Esperó a que continuase.

La vio sonrojarse.

—Sonaba como anoche en el establo. Y como sonó la noche del baile tras la boda de lord y lady Blackwood, cuando me rescató.

Ah. A todas luces era proclive al dramatismo. Recordaba el incidente, por supuesto: una muchacha asustada, un grupo de jovenzuelos alborotadores no menos borrachos que él en aquella ocasión y un buen sermón. O tal vez alguna que otra palabra, pero los muchachos se fueron enseguida. «Rescate» era exagerar el episodio.

—Sus objetos de valor, si no le importa. —Señaló el baúl.

—Me pregunto si es eso lo mismo que les dicen los salteadores de caminos a las damas.

—Lo dudo.

—¿En serio?

—Señorita Lucas.

—Mis objetos de valor. —Abrió el baúl y lo dispuso todo en la sombrerera—. ¿Vamos a andar? —preguntó ella cuando lo vio sujetar la sombrerera a la silla de *Galahad*.

—A menos que tenga una alfombra mágica escondida en el baúl.

—Si tuviera una alfombra mágica, ya estaría en Calais. —La señorita Lucas tenía una expresión atormentada en los ojos.

Sin embargo, ya era más de mediodía y la tensión le corría por las venas, volvían a temblarle las piernas y su estado de ánimo no se encontraba en mejores condiciones. De modo que la dejó con sus pensamientos y caminaron en silencio hasta que la casa de postas apareció ante ellos.

—No es muy grande, ¿verdad? La posada del pueblo donde estuvimos ayer era muy cómoda.

—La taberna de esta no lo es menos. —Allí podían servirle whisky.

—Caminar es un ejercicio estupendo, pero la verdad es que

estoy... —Esos ojos azules se clavaron brevemente en su boca—. Estoy hambrienta.

Wyn inspiró hondo y observó su capa ajada y el bajo embarrado de su vestido. Era una joven muy inusual, o tal vez, pese a su noble linaje, solo era una muchacha de campo acostumbrada a esas caminatas. Y con las mejillas sonrojadas y la frente húmeda por el sudor, estaba preciosa.

Una vez dentro de la posada, se fue derecho a la barra y pidió comida para ella, y whisky. Al otro lado de la tosca taberna, llena de jornaleros, un cliente en concreto parecía fuera de lugar. Era un hombre delgado, vestido de marrón y con el sombrero mojado por la lluvia aún en la cabeza, y estaba sentado en el rincón más alejado, con la espalda contra la pared. Le resultaba familiar. Había visto a ese hombre mientras iba de camino para recuperar a *Lady Priscilla*.

Wyn pagó la botella y echó otra mirada. El hombre bajó la vista.

—El coche de postas de Hereford a Londres pasará pronto por aquí —anunció cuando volvió a la mesa.

—Perfecto. ¿Tendremos tiempo para comer antes? —le preguntó ella.

Consiguió contener una sonrisa.

—Señorita Lucas, debe reconsiderar su plan. Aunque me sorprende después de lo de anoche, creo que no termina de comprender los peligros que encierran los caminos.

—Para eso está usted aquí, por supuesto. Como lo estuvo anoche en el establo. —Sus ojos relucían con cierta intención muy juvenil. Después, por un instante, la confusión los ensombreció.

Wyn poco podía hacer para aliviar su incomodidad. Sus manos y sus labios todavía la recordaban, y no tenía palabras. Sus amigos se quedarían de piedra si lo vieran en ese momento, mudo por unos ojos azules y por el recuerdo de un dulce cuerpo femenino contra el suyo.

El posadero dejó un plato de comida delante de ella. Los ojos de la señorita Lucas relucieron.

—¿Cómo sabe que la empanada de cordero es mi preferida, señor Yale?

Pasaba de un silencio contemplativo a una animación desbordante sin problemas. Y ambas cosas hacían que deseara pegarla contra su cuerpo y acariciar muchísimo más que un redondeado trasero. Una sensación de lo más irritante.

—No lo sabía —consiguió contestar—. Pero temí pedir el asado por si se llevaba una decepción al compararlo.

—Es considerado. O solo se burla de mí. Pero otra vez se queda sin comer. —Entrecerró los ojos—. ¿Es que solo bebe?

—Cuando acompaño a jóvenes a través de la campiña en contra de mi voluntad, sí. —Nunca, ni siquiera cuando lo hacía voluntariamente. Pero Diantha Lucas no era una misión del Club Falcon. Al parecer, era su tortura personal.

Tuvo la sensación de que ella lo observaba mientras comía. A la postre, la vio soltar el tenedor y empujar el plato hacia él.

—Pruébelo, es excelente.

—Gracias. Me fío de su palabra.

—Parece que ha perdido al menos cinco kilos desde la última vez que lo vi. —Miró la botella de whisky—. Mi padre solía beber muchísimo. Él tampoco comía apenas.

—Ah. Entonces usted y yo tenemos algo en común. —Las palabras le salieron solas. Otro caso de comportamiento inusitado.

Ella enarcó las cejas.

—¿Su padre también?

—Muchísimo —contestó Wyn.

—El mío murió de una úlcera estomacal.

El dolor se clavó en el vientre de Wyn.

—La acompaño en el sentimiento.

—Fue hace doce años. Yo tenía unos siete. Creo que mi madre lo condujo a la bebida. —El azul de sus ojos parecía más intenso—. ¿Me ayudará, señor Yale? Por favor. ¿Voluntariamente?

—No, señorita Lucas. No la ayudaré voluntariamente. Me gustaría que volviera a casa y que encontrase un modo de reunirse con su madre que cuente con la aprobación de su familia.

Su sonrosada boca adquirió un rictus pensativo, muy sensual y ciertamente tentador. Wyn habló de nuevo porque, al mirar esa tentadora boca que pertenecía a una muchacha en la que no debería pensar de esa manera, deseó con todas sus fuerzas otro vaso de whisky. Sin embargo, no volvería a cometer ese error, no mientras ella siguiera teniendo unos lóbulos sedosos, un cuello de alabastro y un trasero que pedía a gritos que lo tocaran. La tentación era mejor sobrellevarla sobrio. Se sacó un puro del bolsillo del gabán.

—Debe permitirme que la acompañe a casa.

—No puedo. Tengo que proseguir camino.

—¿Tiene pensado recurrir a subterfugios una vez más?

—Sí. Estoy segura de que si sigue presionándome, volveré a escaparme. Sin embargo, en vez de fugarme en mitad de la noche, algo que demostró ser muy inconveniente y que mereció el sermón de la mujer del posadero, seguramente declararé ante todos los presentes que me ha secuestrado y que me ha obligado a fugarme con usted. Exigiré que llamen al alguacil.

—¿Una fuga? —El puro se quedó a medio camino de su boca—. ¿Un secuestro con aviesas intenciones?

—Sí.

Soltó el puro.

—Señorita Lucas, ¿qué sabe sobre ese tipo de fugas?

Ella golpeó el plato con el tenedor.

—Verá, Teresa me ha contado historias.

—Empiezo a hacerme una idea.

—Con su gabán negro, sus botas y su sombrero, es el candidato ideal.

—Tal parece que mi halo de héroe desaparece a marchas forzadas.

—¿Usted también lo cree?

—Evidentemente, me estoy convirtiendo en el villano de esta obra.

—Supongo que sí.

—La verdad es que no me molestaría en lo más mínimo. —Todos los alguaciles eran iguales—. Pero involucrar a las autoridades garantizará su regreso a casa.

—Bueno, yo no lo veo así. Mientras todos están ocupados culpándolo y usted se ve obligado a defenderse, me marcharé.

—Por supuesto, ahora que sé cuál será su plan, estaré prevenido.

—Idearé otro. No puede ganar, señor Yale. Estoy decidida.

Tenía un brillo feroz en los ojos, aunque parecía un poco exacerbado. No era una niña. Su voluptuoso cuerpo y las líneas definidas de su rostro lo dejaban bien claro. Demasiado claro para la lucidez mental que dos copas de whisky acababan de provocarle. Cuando los hoyuelos aparecieron, tuvieron justo el efecto que ella deseaba... en el hipotético caso de que ella conociera a los hombres. Algo que posiblemente no hiciera, al menos no hasta ese punto, por más que le hubiera contado la señorita Finch-Freeworth. Claro que su madre, que había desaparecido cuatro años antes, regentaba un burdel, o eso parecía, aunque no tenía muy claro que la hija de la baronesa comprendiera muy bien qué quería decir eso.

Era inocente, una ingenua inocente con demasiados arrestos, muy poco sentido común y muchísima terquedad. El impulso que la llevó al establo la noche anterior lo demostraba. Sin embargo, el brillo de esos ojos azules sugería que su necesidad era sincera... que ese asunto era, de hecho, algo muy serio para ella.

En el exterior, se escuchó el estruendo de un carruaje y de seis caballos, y la voz de alguien gritaba por encima del jaleo:

—¡Coche de Hereford a Londres!

—¿Se niega a cambiar de idea?

Ella asintió con la cabeza.

—Ah, sí.

—¿No puedo convencerla de ninguna manera? ¿Tal vez para volver a casa y pedirle ayuda a su cuñado, el conde?

—Desde luego que no. Alex desprecia a mi madre y no podría pedírselo a mi hermanastra. Serena es una santa y quiere a todo el mundo, salvo a mi madre.

—¿Por qué?

Ella ladeó la cabeza.

—¿Sabe, señor Yale? Creo que intenta distraerme para que pierda el coche de postas. —Recogió su bonete y se puso en pie—. Así que le deseo que tenga un buen día y un buen viaje, aunque preferiría que me acompañara para ayudarme en mi búsqueda y cumpliera los deberes de un héroe. Por desgracia, ese sueño no se cumplirá. —Le lanzó una sonrisa tristona muy desconcertante antes de echar a andar hacia la puerta.

Wyn la siguió.

La cogió del codo para detenerla y se inclinó sobre ella, momento en el que su olor a sol y a naturaleza lo acarició.

—Señorita Lucas, permítame ser franco —dijo en voz baja, con apenas una nota ronca en su tono—. Me ha pedido que interprete un papel cuando usted no está dispuesta a hacer lo propio. Debe admitir que, dados su determinación y sus ademanes, no se parece en nada a una damisela en apuros.

Ella pareció tensarse. Cuando le contestó, lo hizo en un susurro.

—Señor Yale, no soy tonta. Sé que lo que estoy haciendo es peligroso y que me acarreará un castigo, tal vez incluso la ruina. Pero... —Su voluptuoso labio inferior tembló, aunque dio la sensación de que ella quería controlarlo—. Pero tengo que hacerlo. Cuando tenía quince años, mi madre me abandonó sin despedirse y sin darme una explicación. Mi padrastro, mi hermano y mis hermanas se niegan a hablar de ella. Aunque me gustaría fingir que no existe, y lo he intentado durante años, no lo consigo. Y, verá, me duele tanto que no lo soporto. —Lo miró a los ojos, con el anhelo sincero pintado en su mirada—. Me ha encontrado por casualidad. Pero ahora debe permitir que me vaya y que trace mi camino. Olvídese de que me ha visto. Le doy permiso para hacerlo sin que le remuerda la conciencia.

Era imposible. No podía hacer lo que le pedía.

—No le permitiré ir sola. —Le soltó el brazo, ya que tocarla, según se acababa de dar cuenta, era un error garrafal—. La ayudaré.

La transformación de su cara le provocó un enorme vacío en los pulmones. La señorita Lucas le cogió la mano, con los ojos brillantes y abiertos de par en par, y, pese a todo, llenos de confianza.

—Es usted un héroe. Y un caballero.

En ese momento, Wyn sabía que no era ninguna de esas dos cosas. El ansia de la venganza alimentó la impaciencia por emprender su propia misión, una que no tenía nada de heroica. Y el calor de su caricia a través del cuero húmedo se le coló bajo la piel de tal modo que no le hizo falta mucha imaginación para quitarles el guante a esos delgados dedos e imaginar su tacto. Una vez que los guantes desaparecieron en su imaginación, los siguieron otras prendas femeninas. Deprisa. Era demasiado guapa y él llevaba demasiado tiempo sin una mujer. Llevaba demasiado tiempo sin tocar la piel de otra persona. Salvo la de Diantha Lucas, durante un momento demasiado breve.

No, sus pensamientos eran muy poco caballerosos en ese instante.

5

Wyn apartó las manos de ella.

—¿Ve al hombre que está atendiendo la barra detrás de mí? No cree que sea usted mi hermana.

—¿Y por qué no?

—Por su falta de moral, sin duda.

La señorita Lucas sonrió, dejando a la vista sus hoyuelos.

—¿Sospecha que esa falta de moral lo lleva a sacar conclusiones depravadas?

¡Por el amor de Dios!, exclamó Wyn para sus adentros. ¿Qué había hecho él para merecer eso? Aunque, claro, los pecados debían expiarse de alguna manera.

—El hombre se negaba a atender a una joven con su apariencia que ha llegado a pie a su establecimiento y que carece de la compañía de una doncella y de equipaje. Me he visto obligado a convencerlo de que le convenía atenderla.

La señorita Lucas esbozó una sonrisa.

—Lo ha sobornado.

—Podría decirse que sí. —Las amenazas también funcionaban y eran más baratas.

Ella echó un vistazo por la taberna.

—Si contara con una doncella o con una dama de compañía, ¿cree usted que las personas con las que nos encontremos durante el viaje llegarían a ese tipo de conclusión?

Wyn siguió su mirada hacia un rincón, donde una mujer dormía apoyada en la pared. Una mujer de mediana edad y vestida de forma casi desastrada, con una bufanda de lana en torno al cuello. La señorita Lucas la observaba con el ceño fruncido.

Wyn se descubrió sonriendo.

—Imagino que está trazando un plan ahora mismo.

Ella le sonrió al punto.

—Esa señora iba en el coche de postas. Estuvimos charlando amigablemente antes de subirme al techo con el perro. Me dijo que se dirigía a Stafford, pero supongo que ha perdido la oportunidad.

—¿Y por qué lo supone?

—Por el horario. —Señaló el cartel que colgaba junto a la puerta y rio por lo bajo. Su risa era musical, alegre y fresca—. Por el amor Dios, ¿y presume usted de haber viajado?

Wyn tragó pese a la sequedad que sentía en la garganta y echó un vistazo al hombre vestido de marrón.

—Pongamos en marcha su plan, señorita.

Una vez que estuvieron delante de la mujer dormida, la señorita Lucas se inclinó hacia ella para decirle:

—Señora, despierte. Creo que ha perdido el coche de postas.

La mujer movió la nariz y abrió los ojos, que eran saltones.

—¿Ah, sí? ¡Válgame Dios! —Se espabiló de repente y se enderezó la bufanda—. Hola, señorita. Me dio muchísima pena que el cochero la echara. Ese perrito no molestaba en absoluto.

—¡Gracias! Le presento al señor Yale. Estamos aquí para ayudarla.

—¿Ah, sí? Es usted un ángel. Buenos días, señor. —El escrutinio al que lo sometió acabó borrando la sonrisa de sus labios.

—Dígame, ¿qué planea hacer ahora? —le preguntó la señorita Lucas—. ¿Cogerá el siguiente coche de postas a Stafford? No pasará hasta mañana.

—Bueno, señorita, me advirtieron de que si no llegaba hoy, perdería el puesto.

—Pues no parece usted muy preocupada —terció Wyn.

—No lo estoy, señor. Me pasa a menudo. No puedo evitarlo. Me quedo dormida así. —Chasqueó los dedos—. Y eso me hace perder un trabajo tras otro.

—Ella iba a Stafford para trabajar como dama de compañía

de una anciana —explicó la señorita Lucas—. Pero me parece una falta de consideración esperar que haga usted el trayecto en tan poco tiempo. ¿Esperará a que pase el coche de postas que va a Londres?

—Lo haré, aunque no tengo ni un penique porque llevo un tiempo sin trabajar. Mi antigua señora no tenía buen corazón y se dedicó a decir por ahí que yo no era apta para asistir a las damas.

La señorita Lucas miró a Wyn con los ojos relucientes.

—¿Señora...?

—Polley, señor. Me casé con el señor Polley en el año 1792 y lo perdí por culpa de Napoleón en 1813.

—Señora Polley, ¿estaría dispuesta a ayudarnos y a ganarse el dinero para pagarse el viaje de vuelta a Londres?

—Lo haré siempre y cuando sea un trabajo honesto, señor. —Los miró con recelo en esa ocasión.

—Mi hermana necesita una carabina para proseguir el viaje, ya que carece de la compañía adecuada. Nos hemos visto obligados a abandonar nuestra residencia a toda prisa y no hemos podido planear bien las cosas. Así que, como verá, necesitamos la ayuda de alguien como usted.

La mujer los miró con los ojos entrecerrados.

—A ver, señor. Tenga usted muy claro que no me he caído de un guindo a mis cincuenta y cinco años de edad, y tengo la firme sospecha de que ustedes dos no son familia.

La señorita Lucas se echó a reír.

—¡Desde luego que no! Además, estoy comprometida con el señor Hache, un caballero que aunque es mucho menos apuesto, me admira muchísimo y con el que compartiré una buena vida. Pero antes debo concluir una tarea. Debo rescatar a mi madre de un antro de perversión. De ahí que me haya puesto en camino. Mi encuentro con el señor Yale, un amigo de la familia, ha sido fortuito, y él se ha ofrecido amablemente a ayudarme.

La actitud recelosa de la señora Polley no varió ni un ápice.

—¿Ah, sí, señor?

—Me ha parecido lo mejor, dadas las circunstancias.

—Le aseguro que no me ha secuestrado ni me ha convencido de que me fugue con él hasta Escocia ni ninguna tontería del estilo.

—Desde luego que no estamos cometiendo ninguna tontería del estilo —murmuró él con esa sonrisa torcida que le provocaba a Diantha el hormigueo en el estómago.

—Además, hace apenas un instante, el señor Yale insistía en que debía buscarme una carabina y aquí está usted, varada en una casa de postas y sin trabajo. Parece obra del destino.

La señora Polley no le quitaba los ojos de encima al señor Yale.

—No sé yo si el destino tendrá algo que ver, pero me parece que ha sido una suerte que nos hayamos encontrado. —Miró a Diantha con seriedad—. ¿Dice usted que este caballero es amigo de su familia?

—Un amigo íntimo, sí.

La señora Polley se mordió la parte interna de la mejilla mientras reflexionaba.

Diantha era incapaz de esperar.

—Bueno, ¿nos iremos todos juntos a Bristol?

La señora Polley la miró de nuevo.

—¿Ha dicho usted «un antro de perversión»?

—Señora, una vez que lleguemos a nuestro destino, no tendrá por qué seguir al servicio de la señorita Lucas si no desea verse involucrada con dicho establecimiento.

La señora Polley se puso en pie con la papada bien firme una vez que enderezaba su cuerpo... que no mediría más de un metro y cuarenta centímetros de altura.

—Seguiré a su servicio el tiempo que me parezca oportuno, caballero, y será el mismo que usted decida seguir a su lado por estos caminos del Señor. Es una buena chica. —Le dio unas palmaditas a Diantha en un brazo—. Y no voy a permitir que un hombre que afirma ser amigo de la familia se aproveche de ella. Me quedaré a su lado hasta que me asegure de que ya no me necesita.

—Excelente. Gracias, señora —replicó Wyn al tiempo que hacía una reverencia.

Diantha sonrió. Lo miró de reojo mientras la señora Polley recogía sus pertenencias, pero descubrió que él la estaba mirando con una expresión muy seria. Eso la sobresaltó. Cuando el señor Yale la miraba de esa manera, tan serio y circunspecto, recordaba lo poco que sabía de él, y esa idea llevó consigo el pensamiento de que tal vez el verdadero señor Yale fuera el hombre peligroso que había atisbado durante aquel momento en el camino y el resto fuera tan solo fachada.

Ordenaron que fueran en busca del baúl de viaje y una vez que todo el equipaje estuvo listo, Wyn se encargó de ayudar a las señoras a subir al siguiente coche de postas que se dirigía al sur. Sin embargo, antes de marcharse, mantuvo una discreta conversación con un muchacho poco hablador que estaba ocupado llevando sacos de grano al establo. Un muchacho alto al que la ropa le quedaba grande y que delató el hambre que lo corroía al mirar el hueso que se estaba comiendo el perro.

Wyn se acercó a él embargado por una triste satisfacción. Llevaba años realizando su trabajo. Sabía muy bien cómo elegir a su hombre.

Después de unas monedas y de unas cuantas palabras, el muchacho asintió con la cabeza.

—Lo haré encantado, señor. Mi padre se fue a luchar contra los franchutes y no volvió. Mi madre y yo intentamos que a mis cinco hermanos no les falten zapatos ni gachas, aunque no nos va muy bien. Le llevaré esto —dijo, levantando el puño con el que aferraba la moneda— y partiré hacia Devonshire ahora mismo. El pequeño Joe ya está casi tan grande como yo. Se encargará de los demás mientras yo no estoy.

—El contenido de esa bolsa debería bastarte para alquilar un caballo y para pagar el alojamiento y la comida durante el trayecto, William.

—Solo necesito un montón de heno para dormir, señor.

—Como gustes. Quédate con lo que no te gastes y te entregaré la cantidad acordada cuando regreses. Pero es esencial que te des prisa. Y que mantengas el pico cerrado. La carta que te he entregado solo deben leerla el barón o los condes de Savege, y no puedes contarle a nadie el propósito de tu viaje.

—Sí, señor. Entendido.

—Buen chico.

Wyn se marchó, reconfortado por la responsabilidad y el alivio que había atisbado en los ojos del muchacho. El pago que le había ofrecido a William sería un golpe de buena suerte para la pobre familia. El muchacho se aprestaría a llegar a Glenhaven Hall, el hogar del barón Carlyle, que era el padrastro de la señorita Lucas. Si no localizaba al barón, William debía proseguir camino hasta la cercana propiedad de Savege Park, el hogar de la hermanastra de la señorita Lucas, la condesa de Savege. Si no tenía noticias de Alex y Serena en los próximos quince días, enviaría a otro mensajero, pero en ese caso lo haría a Londres, para poner sobre aviso a Kitty y Leam Blackwood. Kitty, la hermana del conde de Savege, también conocía a la señorita Lucas. Si se encontraba en la ciudad, se aprestaría a ayudarla sin dudarlo.

También podía recurrir a Constance, que acudiría en su ayuda en cuanto le enviara una carta. Pero no quería verla hasta haber completado su misión. Tampoco quería ver a Leam, un hombre que había pasado seis años de su vida recorriendo el Imperio británico y trabajando en secreto para la Corona.

Constance y Leam eran lo más parecido que Wyn tenía a una familia, seguidos por Jin Seton y Colin Gray. O más bien lo habían sido. Porque desde que Leam abandonó el club cuatro años antes, el grupo había cambiado. El vínculo secreto que los unía se había roto.

Aunque la verdad era que el cambio había empezado mucho antes para Wyn, más de un año antes, en un callejón de Londres durante un lluvioso día, cuando miró el rostro sin vida de una joven destrozada y vio su propia muerte. Cuando empezó a mentirles a las personas que más le importaban en el mundo.

Y, en ese momento, otra joven volvía a confiar en él. Una joven que había acudido a él por voluntad propia y que le había suplicado ayuda.

Que el Señor ayudara a Diantha Lucas por ver un héroe donde no lo había. Pero algunas jóvenes, suponía, estaban así de ciegas.

Diantha no estaba en absoluto molesta por el hecho de que un hombre la hubiera tocado de un modo tan íntimo. Lo que le molestaba era que no la hubiera besado antes.

Teresa le había dicho que los hombres besaban a las mujeres antes de tomarse más libertades, y ella había reflexionado al respecto. Antes de que su hermanastra Viola se casara, la había visto besarse de forma apasionada con su prometido, el señor Seton, cuando pensaban que nadie los veía. La imagen la emocionó muchísimo. Puesto que después de dichos besos Viola sonreía como si estuviera aturdida y el señor Seton parecía muy satisfecho, Diantha supuso que los besos debían de ser algo deseable en vez de temible.

Sus padres jamás se habían besado. Su padrastro, un hombre amable pero bastante distraído y débil, apenas había salido de su despacho mientras su madre vivía en Glenhaven Hall. Su verdadero padre siempre estaba borracho. Como también lo estaba el señor Yale en el establo. Lo que quizás explicara el motivo de que no la hubiera besado antes de tocarle el trasero.

La soltó con brusquedad, sin duda porque no le había gustado tocarla de esa forma. ¿Cómo iba a gustarle? La simple idea le resultaba mortificante. Si fuera como la mayoría de las muchachas, como las otras chicas que conoció en la Academia Bailey, delgada y delicada, tal vez al señor Yale le habría gustado tocarla. Tal vez no se habría detenido. Tal vez la habría besado.

El carruaje traqueteaba sobre el camino que atravesaba la campiña de Shropshire. La señora Polley dormía a su lado. Era una mujer muy afable, aunque no se mostraba agradable con el señor Yale. Algo que no era sorprendente. Todo lo contrario que el tema de los besos. Las elegantes damas londinenses seguro que besaban a los hombres a diestro y siniestro, razón que posiblemente fuera la causa de que la señora Polley desconfiara del señor Yale, un elegante caballero londinense.

La noche anterior, mientras yacía en la cama sin pegar ojo, Diantha había imaginado que lo besaba, y eso hizo que se sintiera muy acalorada, como cuando él la abrazó en la oscuridad. Sospechaba que ese acaloramiento era algo malo, pero al fin y al cabo ella era la indecente y díscola hija de una mujer indecente y díscola.

Siempre había sido díscola, desde que era pequeña. Su madre se lo había dicho de forma incesante. Eclipsada por su guapa y dulce hermana mayor, Charity, su madre jamás le había hecho mucho caso, ya que en comparación ella era feúcha y desobediente.

La indecencia, sin embargo, era algo reciente.

Quería besar al señor Yale.

Dicho caballero viajaba a caballo junto al carruaje, acompañado por la yegua marrón tal como hiciera antes. El perrito estaba con él en ese momento, aunque el cochero era más amable que el del día anterior y no le importaba que de vez en cuando viajara sentado en el interior. Diantha no tenía motivo alguno para quejarse. Sin embargo, cuando vio que el señor Yale fruncía el ceño en la siguiente parada, se alarmó.

—Está enfadado conmigo por haberlo obligado a hacer esto —comentó al tiempo que caminaba a su lado mientras él llevaba a los caballos hasta un abrevadero.

Ya apenas llovía y el sol comenzaba a asomar entre los nubarrones.

—Estoy enfadado, pero más conmigo mismo por no haber previsto el problema al que nos enfrentamos.

Diantha contuvo el aliento.

—¿Tenemos problemas?

—Señorita Lucas —dijo él en voz baja—, a lo largo de mi vida he molestado a ciertas personas que a su vez se han sentido motivadas a molestarme a mí en respuesta.

—¿A qué se refiere con eso de que las ha molestado?

—Las he disgustado.

—Pero, ¿cómo...?

—Me temo que no puedo explayarme en los motivos ni en las circunstancias. Por desgracia, sin embargo, ahora me persigue un hombre que alberga malas intenciones hacia mi persona. Como podrá suponer, supone un impedimento para nuestro viaje.

Ella observó su perfil.

—Le preocupa mi seguridad y la de la señora Polley. No la suya.

El señor Yale no replicó. Su seguridad, evidentemente, era el motivo por el que se había prestado a acompañarla.

—¿Adónde lleva esta yegua, señor Yale? —le preguntó mientras acariciaba el cuello del animal.

El señor Yale se volvió hacia ella con esa sonrisa torcida en los labios que tanto deseaba besar.

—Señorita Lucas, es usted una joven muy inusual.

—Simplemente soy curiosa.

—La yegua pertenece al duque de Yarmouth, cuyo heredero, el marqués de McFee, la perdió en una partida de cartas. El ganador es un caballero de dudosa honorabilidad a quien se la he arrebatado hace poco. Mi cometido es llevarla de vuelta con su legítimo dueño.

Diantha sentía en las manos el calor del pelaje del animal.

—¿Eso es lo que espera hacer conmigo al final? ¿Supone usted que me cansaré antes de llevar a cabo mi misión?

—Es obvio que usted no es una yegua. Pero si pertenece a alguien, le ruego que me informe de la identidad de dicha persona a fin de evitar que me acusen de latrocinio.

—Tiene la costumbre de no responder mis preguntas.

—¿En serio?

Diantha alzó la vista. El señor Yale ya no sonreía, sino que la observaba con una mirada penetrante y el cambio en su expresión le provocó una deliciosa tensión en el estómago.

—¿Cómo propone que evitemos a este hombre que lo persigue?

—Aún no lo he decidido. Pero no permitiré que sufra usted daño alguno por culpa de mis enemigos.

—¿Tiene usted enemigos? Bueno, como todo el mundo, supongo.

Los ojos plateados del señor Yale relucieron.

—No todo el mundo, según parece. Usted traba amistad con todas las personas con las que se encuentra. Me reitero en la idea de que es una joven inusual, señorita Lucas.

—En ese caso, ¿qué tipo de hombre es un caballero que hace las veces de mozo de cuadra de un duque y al que persigue un hombre con malas intenciones mientras él ayuda a una dama fugada a encontrar a su madre? ¿Un hombre normal?

El señor Yale le regaló su sonrisa torcida y después señaló con la cabeza la puerta de la taberna.

—Nos queda un cuarto de hora hasta que el coche de postas vuelva a ponerse en marcha.

—Le he pedido a la señora Polley que pida un almuerzo frío. ¿Va a comer hoy, señor?

—¿Va a dejar de incordiarme con la comida, señorita?

—Seguramente no.

—Lo imaginaba.

Wyn la observó alejarse hacia la puerta, junto a la que el perro estaba sentado. Al verla acercarse, el chucho empezó a mover el rabo. Ella se detuvo y lo miró por encima del hombro.

—Le gusta usted —dijo la señorita Lucas.

—Más bien es usted quien le gusta.

Como al resto del mundo. Su sonrisa, sus relucientes ojos y su calidez se habían ganado el afecto de todos los pasajeros del coche de postas, del cochero e incluso del antipático posadero que regentaba la última casa de postas en la que se habían detenido. Con independencia del deseo de volver a tocarla, a Wyn también le gustaba. No permitiría que la amenazara el nuevo peligro que se cernía sobre él. El hombre vestido de marrón que había visto ya en dos ocasiones había despertado su curiosidad. Si aparecía de nuevo, descubriría cuál era su propósito.

Sin embargo, la amenaza que había descubierto ese mismo día le preocupaba mucho más. Un antiguo conocido, Duncan Eads, había aparecido en el camino detrás del carruaje a primera hora de la mañana. Aunque había mantenido las distancias, no era un hombre al que debiera perderse de vista. Hacía ya unos meses que Wyn había hecho algo en su perjuicio al arrebatarle una chica al jefe de Eads, un hombre llamado Myles que controlaba una buena parte del hampa londinense. Puesto que lo hizo con una soberana borrachera, el episodio fue bastante sonado, Wyn dejó en ridículo a Eads y enfureció a Myles.

Sin duda, Eads iba tras él para vengarse de todo aquello. Había pensado decirle que se pusiera a la cola.

—Deberíamos ponerle nombre. —La señorita Lucas se agachó para acariciarle la cabeza al perro, un movimiento que le tensó la capa alrededor del trasero.

Wyn contuvo el aliento, si bien fue incapaz de apartar la mirada de esas generosas curvas tan femeninas que ya había tocado en una ocasión.

—Como desee.

La señorita Lucas le ofreció una sonrisa fugaz antes de entrar en la taberna.

Tras conducir a los caballos hasta una zona con hierba, los ató de forma que pudieran pastar a gusto. La calle principal del pueblo estaba muy concurrida. En cuestión de minutos, vio pasar carromatos cargados con niños y adultos, una carreta y un carruaje de cierta calidad, junto con un buen número de personas caminando. Eads no apareció, pero sospechaba que lo vería de nuevo en el momento más inoportuno. Tal vez a lo largo del camino. Eads podía haber continuado el viaje mientras el coche de postas se detenía, a fin de planear una emboscada.

El cochero salió por la puerta de la taberna, seguido por el resto de los pasajeros, y saludó a Wyn llevándose la mano a la gorra. La señorita Lucas salió de repente.

—¡Señor Yale! Acabo de enterarme de una noticia maravillosa. —Tenía las mejillas sonrosadas. Le hizo un gesto a la señora Polley para que se acercara y siguió, bajando la voz—: El magistrado de este distrito ha abierto hoy las puertas de su propiedad para que la visite todo aquel que quiera. Al parecer, sir Henry es un hombre muy agradable al que le gusta celebrar grandes fiestas. —Echó un vistazo hacia la calle, evidentemente emocionada.

—Me alegro por el tal sir Henry y por sus invitados —replicó Wyn. Eso explicaba el trasiego de gente por la calle—. Pero no entiendo muy bien qué tiene que ver la generosidad de ese caballero con usted.

—Bueno, no conmigo, o más bien lo mío es algo circunstancial, si no con usted. Y con el hombre que lo persigue.

Wyn miró a la señora Polley, que había apretado los labios. Después, devolvió la vista a la señorita Lucas, que lo miraba con una expresión emocionada.

—Señorita Lucas, si me permite sugerirle que se suba de nuevo al...

—No. ¿No lo entiende? ¡Esta es la distracción perfecta! —Lo agarró de un brazo, sumiéndolo en un silencio absoluto ya que lo dejó totalmente mudo por la sorpresa.

No había olvidado lo voluptuoso que era su cuerpo ni el calor que irradiaba, aunque había pasado toda la mañana tratando de hacerlo. A pesar de llevar diez años como agente secreto de la Corona, bastaba que apareciera la señorita Diantha Lucas para convertirlo de nuevo en un adolescente sin control. La señorita Lucas tenía una bonita figura. El adjetivo «bonita» se quedaba corto. Tenía unos pechos perfectos, turgentes y cubiertos de forma recatada por su vestido de viaje, algo que, sin embargo, no evitaba que se la imaginara desnuda.

—¿Una distracción? —logró preguntarle.

—Debemos ocultarnos a plena vista. —Sus ojos tenían un brillo alegre y esos labios sonrosados esbozaron una sonrisa que Wyn se moría por saborear—. Habrá cientos de personas en ese lugar y su... amigo no está aquí ahora. —Su mirada se desvió hacia la calle principal—. No sabrá que ha ido usted en otra dirección. Después, podemos alquilar un carruaje y tomar otra ruta distinta. ¿No lo ve? ¡Es perfecto!

—No. —Wyn no veía la perfección del plan, pero comenzaba a atisbar la idiotez de sus deseos.

—Sí.

Wyn se volvió hacia la acompañante de la señorita Lucas.

—Señora Polley, sospecho que usted desaprueba el plan que me acaban de proponer.

—Bueno, no sé por qué no puede resultar efectivo. Si ese rufián puede ocasionarle algún daño a esta agradable señorita, debe usted encontrar una solución. El plan de mi señora puede ser tan apropiado como cualquiera que ideara usted.

—Si no se sube al coche de postas y después nos resulta imposible alquilar un carruaje, estaremos atrapados aquí cuando llegue «mi amigo», señorita Lucas.

Ella le examinó la cara con atención.

—En realidad, usted no espera que aparezca. No espera que venga a este lugar. Cree que nos ha adelantado para tenderle una emboscada en algún punto del camino.

Era tan asombrosa que Wyn se echó a reír.

Ella esbozó una sonrisa que se le antojó tan fresca como la brisa primaveral. Era una mujer clara, directa y sincera, salvo por el hecho de haberse escapado para ir en busca de su madre. Sin embargo, sus ojos lo miraron con regocijo. La satisfacción y la emoción del plan que había ideado hacían que sus iris azules resplandecieran bajo la errátil luz del sol. Fue incapaz de negarse.

«Regla número uno: Si una dama es amable, generosa y virtuosa, un caballero debe cumplir todos sus ruegos. No debe negarse a complacerla.»

Dicha regla, sumada a la posibilidad de alquilar un carruaje en la casa de postas convertía su plan en una oportunidad mejor que cualquiera que pudiera ocurrírsele a él.

La señorita Lucas miró a un punto situado por detrás de Wyn.

—¡Mire! Quizá ni siquiera tengamos que alquilar un vehículo. —Señaló un carruaje que avanzaba a paso de caracol, un cabriolé tan ancho como largo, conducido por un cochero marchito ataviado con un gabán descolorido y tirado por un par de caballos tan viejos como él. En el carruaje viajaban dos damas rodeadas por metros y metros de gasa, vestidas con un estilo que estaría de moda unos cincuenta años antes, protegidas por sombrillas y guantes que parecían sacados de otro siglo.

La señorita Lucas corrió hacia el vehículo. Wyn no pudo escuchar sus palabras exactas, pero sí escuchó su voz tan clara y musical como de costumbre. Las damas le respondieron con sendas sonrisas. Una de ellas le ofreció una mano muy frágil cubierta por un antiguo guante de encaje que la señorita Lucas se aprestó a tomar a modo de saludo. Acto seguido, la dama levantó la otra mano para indicarles a la señora Polley y a él que se acercaran.

Ese fue el momento justo en el que Wyn comenzó a sospechar que, después de haber rescatado a nueve jovencitas, por fin había encontrado la horma de su zapato.

6

—Les he dicho a las hermanas Blevins que somos recién casados.

—Me lo he supuesto.

—En fin, no podía decirles que llevamos muchos años casados. Acabo de cumplir los diecinueve.

—Podría haberse casado siendo una niña.

Ella se echó a reír. Unos cuantos rayos de sol jugaban con los mechones de cabello castaño que se escapaban de su bonete y con sus ojos azules, y por un instante pareció muy joven. «Casi ingenua», había pensado en su momento.

Pero ya sabía la verdad.

—Por supuesto, no tenemos hijos, y no estaba preparada para inventármelos en un abrir y cerrar de ojos. —Cogió unos trocitos de carne del plato que había en la mesa y fue alternando entre darle de comer al perro que tenía a los pies y llevárselo a sus tentadores labios—. Aunque supongo que podría haberlo hecho, tal vez no me habrían creído. No nos conocemos lo suficiente como para hacer la clase de cosas que hacen las parejas que llevan casadas mucho tiempo, como...

—¿Terminar las frases del otro?

Sus hoyuelos hicieron acto de presencia y la mano de Wyn regresó al cucharón del ponche. El mayordomo de sir Henry preparaba una mezcla potente, aunque agradable al gusto.

Habría dado lo mismo que sirviera ginebra de garrafón. Después de pasar dos horas sentado en las sillas que decoraban el prado, bebiendo té mientras ella se inventaba una historia tras otra de aventuras infantiles (de ella y de él) con las que regaló los oídos de las hermanas Blevins, de sir Henry y de media docena de septuagenarios que no habían pisado un salón londinense desde la época de Jorge II y que, por tanto, no sabían que los recién casados señores Dyer eran unos farsantes, Wyn había estado a punto de ponerse en pie y proclamar que quería anular el matrimonio. En cambio, les había pedido a su anfitrión y a las encantadoras damas que los habían invitado que los disculparan mientras su esposa y él daban un paseo por los jardines.

La llevó directa a la mesa de refrigerios.

En el prado que descendía con una suave pendiente hacia los pastos situados más abajo, los niños jugaban a la pelota y al tenis, mientras que sus padres (campesinos, habitantes del pueblo y una representación de la nobleza local más que pobre) disfrutaban de los productos de la cosecha. Todos estaban contentos por el respiro que les daba la lluvia y por la generosidad anual de sir Henry. Un violín comenzó a tocar una melodía, y un numeroso grupo de muchachos y de muchachas empezó a bailar sobre la hierba, en una mezcla de risas y de miradas tímidas: el incómodo flirteo de los jóvenes y la inocente coquetería de las jovencitas.

Wyn no tenía recuerdos de esa época de su vida. Había pasado de ser un niño a ser un hombre en cuestión de meses. De semanas. No lo lamentaba. Había visto el mundo en todo su esplendor. Aun así, le dio la espalda a esa escena y apuró el contenido de su copa.

La mirada de la señorita Lucas seguía clavada en los bailarines.

—No creo que la señora Polley apruebe la historia que me he inventado.

—Yo más bien diría que no aprueba el marido que ha escogido.

—Pero usted es un caballero excepcional.

—Un caballero que ha accedido a acompañarla por toda Inglaterra sin una carabina adecuada, sin ser familia y sin contar con una licencia matrimonial, reciente o de cualquier otra fecha.

—Humm. De todas maneras, es una dama de compañía ideal.

Salvo por ese hábito de quedarse dormida de repente. —Su mirada voló por el prado hacia el lugar donde se encontraba la señora Polley, recostada en un diván a la sombra de un sauce llorón. Frunció el ceño—. Espero que no esté enferma.

—Ya lo he visto antes. —En las Indias Orientales, hacía años—. El cuerpo se apaga como si estuviera dormido, aunque no sea así. No puede controlarlo, pero no le hace daño.

La señorita Lucas lo miró con expresión curiosa antes de morderse el labio inferior. En esa ocasión, Wyn no apartó la vista.

A la postre, ella le preguntó:

—¿Cree que le hemos dado esquinazo a su... amigo?

—De momento. Pero volverá a la carga.

—¿Tanto lo disgustó usted?

—A su jefe, que es un hombre poderoso. Debemos encontrar un carruaje para tomar una ruta alternativa al sur. Sin dilación.

—En fin, yo...

—Silencio, bruja. Estoy pensando.

—Planeando. —Le dio un trocito de queso al chucho—. Sí, yo también necesito silencio cuando estoy ideando un plan.

—Pues ahora sería un buen momento para hacerlo. Por ejemplo, podría idear un plan de contingencia sobre qué hacer con su dama de compañía si nos vemos obligados a marcharnos a toda prisa de esta reunión porque Eads aparece.

—¿Se llama señor Eads? ¿Quién es?

—Un escocés de las Highlands, y tan fuerte como un toro.

—Corpulento, supongo. La señora Polley pesa demasiado para que yo la lleve en brazos. Pero sin duda usted podría hacerlo.

Wyn enarcó una ceja.

Ella asintió con la cabeza.

—Podría echársela al hombro como haría un auténtico villano y llevársela mientras yo corro detrás, rogándole que tenga piedad de ella, como una auténtica damisela en apuros.

Él le hizo una reverencia.

—La ingratitud le sienta de maravilla, señorita Lucas.

Ella se echó a reír. Y Wyn la miró con el ceño ligeramente fruncido.

La señorita Lucas cerró sus labios sonrosados. Pero parecía mecerse sobre las puntas de los pies, como si permanecer inmóvil le supusiera demasiado esfuerzo, y tenía las mejillas, con esos hoyuelos bien a la vista, sonrojadas. Wyn no podía pensar cuando ella estaba tan cerca. El ponche había detenido el ansia que corría por sus venas, y en ese momento lo envolvía una cómoda y conocida languidez, limando los bordes de su ansiedad.

El escocés lo buscaría por el camino hacia el norte en primer lugar. Debían tener cuidado. Pero durante ese día, no tenía nada que temer. Salvo a sí mismo. Ella seguía demasiado cerca y el licor le alteraba la sangre.

—Señorita Lucas, ¿qué pensaría si le dijera que para continuar con su misión tendríamos que sustraer un medio de transporte perteneciente a una de las familias que disfrutan de la hospitalidad de sir Henry?

—¿Sustraer? —Se acercó más a él, una reacción que no había deseado del todo. No del todo—. ¿Se refiere a robar un carruaje?

Wyn se volvió una vez más hacia el cuenco del ponche, para alejarse de ella y también para rellenarse la copa.

—¿Ya...? —Ella desvió la mirada del cuenco a su cara—. ¿Ya lo ha hecho antes?

—Cuando es necesario. —Se apoyó en la mesa—. ¿Es necesario ahora, señorita Lucas? Estoy a sus órdenes.

—Señora Dyer. —Sus labios esbozaron un mohín—. Debería llamarme señora Dyer mientras estemos aquí. Por si alguien lo escucha.

—Es usted una bruja.

—Seguramente lo sea. Y usted bebe demasiado.

—¿Cómo dice?

—¿Por qué bebe tanto? ¿Tan agradable le resulta el sabor?

—Bastante, y también me calma los nervios. —Ah. Eso era verdad. Siempre necesitaba varias copas para pronunciar medias verdades, después de todo. Al parecer, sus enormes ojos azules habían conseguido arrastrarlo hasta decir toda la verdad.

Nada de mentiras con Diantha Lucas, salvo una. Si supiera que tenía la intención de devolverla a casa, intentaría escaparse de nuevo. Con Eads siguiéndoles el rastro, y tal vez con el hombre vestido de marrón, no podía permitirse más retrasos.

76

—En fin, yo ahora mismo estoy muy nerviosa —confesó ella, que irguió sus elegantes hombros—, así que tal vez también debería tomar algo.

—No me parece muy nerviosa.

—Soy una excelente actriz. De verdad, señor Dyer, a estas alturas ya debería tenerlo claro. —Cogió una copa y se la llevó a los labios.

Wyn la observó oler el líquido y fruncir la nariz, una nariz respingona que lucía dos diminutas cicatrices redondas, tan pequeñas que no eran visibles a menos que se observaran muy de cerca, como él se vio obligado a hacer en ese momento. Había más cicatrices en su frente y en sus mejillas, diminutas imperfecciones que hacían que la elegancia de sus facciones resultara más palpable.

Ella entera era muy palpable, la muy pécora.

Los músicos comenzaron a tocar una tonada campestre. Sus ojos, dos pozos azules a la luz del atardecer, lo miraron por encima del borde de la copa.

—¿Tendrá un sabor espantoso?

—Eso lo tiene que decidir usted.

—Mi padrastro y mi hermana Charity dicen que no debería beber alcohol. No lo he hecho antes, por cierto. Ni siquiera una copa de vino. —Miró la copa antes de volver a mirarlo—. ¿No me va a decir que no beba?

—Me parece que eso sería muy hipócrita por mi parte.

Ella dio un sorbo. Parpadeó con rapidez. Y dio otro sorbo. A continuación, bajó la copa.

—No es espantoso —dijo.

Él meneó la cabeza.

—Todavía no me ha calmado los nervios —añadió la señorita Lucas.

—Necesita varios minutos.

Ella volvió a llevarse la copa a los labios.

—Está tibio —dijo en esa ocasión, con los ojos como platos—. De hecho, está caliente. —Se llevó la mano enguantada a la garganta antes de colocarla entre sus pechos.

Sus pestañas se agitaron y Wyn creyó ver algo en sus ojos que ya había visto antes, cuando la tomó de la mano para ayudarla a apearse del carruaje: deseo femenino.

Como era un imbécil egoísta, en ese momento, y por el bien de ella, no interpretó el papel de hipócrita y le quitó la copa de las manos. Porque quería ver ese brillo en sus ojos, quería ver cómo esa mirada de deseo se concentraba en él. Quería ser, por primera vez en años, tal vez por primera vez en su vida, totalmente irresponsable con una mujer. Con una dama. Con esa dama en concreto.

Deseó lo que deseaba cada vez que cogía una botella de brandy, una copa de whisky o un pichel de cerveza. Deseó olvidar.

Diantha no se sentía los labios. Sin embargo, sí veía al señor Yale pese a la oscuridad de la noche y a la luz mortecina del farolillo. De hecho, era incapaz de apartar la mirada de su boca. De su intrigante boca. De una boca que parecía absolutamente deliciosa.

Pero se encontraba demasiado lejos en ese momento. Su boca. Y el resto de su persona. Lejísimos. Se había marchado al otro lado del camino. Recordaba que le había dicho con bastante firmeza que por ningún motivo debía seguirlo. Y no lo había hecho. Se había portado muy bien y seguía en el mismo lugar donde él la había dejado, apoyada contra la parte trasera de las cocheras de sir Henry, junto a una hilera de altísimos árboles negros.

Pero quería seguirlo. Quería estar allá donde estuviera él. Quería... Ay, quería...

Abrió los ojos, que se le habían puesto bizcos. Él estaba delante de ella. La luz del farolillo lo envolvía.

—Parece que lleva una corona. —Entrecerró los ojos—. ¿Es usted un príncipe, señor Yale?

—Sí. A partir de ahora, puede llamarme Su Alteza Real.

Le colocó una mano en el pecho.

—Ya me parecía. Creía que tal vez era un príncipe. Pero en ese caso está muy por encima de mí. Yo solo soy la hermana de un baronet. No soy lo bastante importante para bailar con usted.

—No habrá baile esta noche, así que no tiene que preocuparse por eso.

—Menudo alivio. Por el amor de Dios, ¡qué tela más maravillosa! —Acarició la seda de su chaleco con la punta de los dedos.

—Solo lo mejor para mi noche de bodas. —Su voz sonaba ronca.

—¿Noche de bodas? —Le apartó la mano a toda prisa, pero de algún modo la mano del señor Yale se apoderó de su hombro, y menos mal, porque se tambaleó ligeramente y cayó sobre la pared de la cochera, en vez de encontrarse con aire. Recuperó el equilibrio—. ¿Se ha casado hoy?

—Sí, señora Dyer. —La soltó—. Con usted, según todas las personas con las que ha estado hablando esta noche.

—Oh. —Sintió que sus labios esbozaban una sonrisa. ¡Sentía los labios! Pero se le había dormido la nariz—. Menudo alivio. Porque yo deseaba expresamente... —Agitó una mano en el aire hasta que aterrizó en su pecho—. Tocarlo. —Suspiró—. Si estuviera casado, no lo haría, por supuesto.

—Aunque no lo estuviera, no debería hacerlo.

El señor Yale le rodeó la muñeca con los dedos, unos dedos largos y cálidos, y de repente su mano quedó suspendida en el aire, sin tocar ninguna parte de su persona. Y eso sí que fue una decepción real. Se miró los dedos con el ceño fruncido antes de desviar la vista hacia su cara y su intrigante boca. Su deliciosa boca.

—La señora Polley todavía no se ha despertado —dijo el señor Yale con esa boca, y Diantha tuvo que parpadear para verla bien—. Tenemos que esperar a que se despierte antes de partir. Si la despertamos con brusquedad, podría asustarse y alertar a los demás, aunque parece que los criados de sir Henry y el resto de los invitados o se han acostado o están demasiado borrachos como para darse cuenta de nada.

—Ah, sí. Podría creer que la están secuestrando y ponerse a gritar. Yo lo haría —le aseguró ella.

—Lo dudo. Seguramente usted golpearía a su secuestrador en la cabeza con lo primero que encontrase y se haría con las riendas.

—Supongo que no me permitirá conducir. Papá nunca me deja conducir, aunque soy bastante buena con las riendas para ser una dama. Por Dios, creo que eso suena muy petulante.

—Es de esperar. Y no, bruja, no permitiré que conduzca. No en su estado.

—¿Qué estado? —Tomó una honda bocanada de aire y meneó la cabeza—. Señor Yale, señor Yale, solo estoy en estado de hacer una cosa.

—¿El qué? —le preguntó él con voz risueña.

Le encantaba que su voz tuviera un matiz risueño, porque revelaba muchas cosas. Le decía que él la consideraba graciosa, y tal vez que le resultara placentera su compañía. Los caballeros no sentían eso por ella. Oh, todos los demás sí, pero solo porque a ella le caían bien, y a la gente le gustaba caer bien, por supuesto. Pero los jóvenes no se fijaban en ella. Los hombres apuestos no se fijaban en ella. Todo lo contrario. Ella era la muchacha gorda y con espinillas con la que nadie quería bailar a menos que fuera para burlarse y reírse de ella, para tirarle del pelo y de las cintas, para pellizcarla hasta hacerla llorar.

Salvo él. Él había bailado con ella, con espinillas, mejillas regordetas y todo lo demás.

—Me encuentro en el estado perfecto, señor Yale, para que me ponga las manos encima. —Cerró los ojos y dejó que el aire nocturno le acariciara los labios y los párpados y... Estaba acalorada—. Estoy acalorada. —Se dio un tirón del cierre de la capa. Sin embargo, tenía los ojos cerrados y no podía verlo. O tal vez los guantes le impedían soltárselo. Intentó quitarse los guantes, pero descubrió que no los llevaba puestos—. ¿Dónde están mis guantes?

—Se los quitó hace un rato. Los tiene en el bolsillo.

—Ah, estupendo. Mi padre me los regaló... me los regaló las pasadas Navidades. Son muy elegantes. De Londres, ¿sabe? Como usted.

—Yo no soy de Londres, señorita Lucas.

Lo cogió de las solapas de la chaqueta y pegó la mejilla a su torso. Tan fuerte. Tan cálido. Tan propio del señor Yale. Olía muy bien, a lino limpio y a algo que era muy agradable.

—Deje de llamarme señorita Lucas. —Cerró los ojos con fuerza—. No me gusta, pero sí que me gustaría quitarme la capa. Me estoy asando.

Su espalda rozó la pared de la cochera antes de que él le desabrochara la capa, y se alegró tanto que casi se echó a llorar. Se la quitó con movimientos rápidos.

—¡Ah, gracias, gracias y mil gracias!

—Con una vez me basta. —La siguió por el maltrecho camino, internándose en la oscuridad.

Ella extendió los brazos a los lados.

—¿Estoy borracha, señor Yale?

—Ciertamente, señorita Lucas.

Se volvió para mirarlo a la cara y el frío aire nocturno le agitó las faldas y le rozó el cuello, provocándole una sensación maravillosa.

—¿Y usted está borracho, señor Yale?

—Se podría decir que no, señorita Lucas.

—Oh. —Se detuvo en seco. El mundo giró a su alrededor y la decepción la abrumó—. Porque si lo estuviera, seguro que volvería a ponerme las manos encima.

—En ese caso, ambos debemos agradecer que no lo esté.

Su cabeza era un hervidero de pensamientos. Tenía la boca pastosa. Era incapaz de ver con claridad los montículos de hierba iluminados por los farolillos. Estaba demasiado oscuro y un enorme círculo negro le enmarcaba la visión.

Miró el edificio.

—¿De quién es el carruaje que vamos a robar?

—De sir Henry.

—Eso parece muy grosero después de haber disfrutado de su hospitalidad toda la tarde.

—Pero es inevitable. A estas horas de la noche, es el único carruaje que queda capaz de albergar su baúl de viaje y a nosotros tres. A menos que desee hacer el viaje en un carromato de heno.

Diantha se echó a reír al escucharlo. Después suspiró. Podría suspirar durante toda la eternidad si él se quedaba delante de ella.

—Cuatro.

—¿Cuatro?

—*Ramsés.*

—¿*Ramsés?*

Señaló a su espalda.

—¡Nuestro perro, señor Yale!

—Ah. —Él asintió con la cabeza.

—O lo llamaba así o lo llamaba *Araña*. Porque tiene los ojos negros. A diferencia de usted. Admiro muchísimo sus ojos. Dejaré mi collar.

—¿Su collar?

—Como compensación.

—No lleva collar, señorita Lucas.

—Me dijo que sacara mis objetos de valor del baúl de viaje y eso hice. Está en la sombrerera. Tenemos que dejarlo en la cochera para pagar a sir Henry por el carruaje y por los caballos. Es muy valioso.

—Eso no será necesario.

—¡Insisto! Verá, lo escondí, de modo que cuando mi madre robó las joyas de mi hermana, no lo encontró. —Agitó un dedo—. Robar no está bien, señor Yale, aunque se haya acostumbrado a hacerlo en el pasado.

Él tenía su capa doblada sobre un brazo y se encontraba a unos tres metros de distancia. El camino se agitó de un lado a otro, haciendo que tanto él como el farol anaranjado se zarandearan. Se sentía fatal.

Puso los ojos como platos.

—Creo que voy a vomitar.

El señor Yale se acercó.

Al tiempo que ella empezaba a vomitar. Con violencia.

Fue espantoso.

7

Diantha se despertó cubierta por un sudor pegajoso y con la boca pastosa. Una sensación muy desagradable. Al tragar, tuvo la impresión de que le había crecido la lengua. Además de los párpados, el estómago y la cabeza. Gimió e intentó respirar.

—¿Ya está despierta? —le preguntó la señora Polley, que se encontraba cerca de ella—. Seguro que se siente como el mismísimo Belcebú. Al señor Polley le sucedía lo mismo siempre que se pasaba de la raya bebiendo cerveza los domingos en casa del molinero.

Diantha abrió los ojos.

—¿Bebía los domingos? ¿En un molino? —La estancia era diminuta y solo había espacio para una cama estrecha, la silla que ocupaba el pequeño y orondo cuerpo de la señora Polley y un tocador rústico. La cortina que cubría la ventana era de rayas y estaba descorrida a fin de que entrara la luz grisácea—. ¿No es un pecado?

—El señor Polley dejaba los rezos para las mujeres, señorita, eso es lo que hacen los hombres de bien. —Se colocó a los pies de la cama—. Ese hombre, y no voy a referirme a él como un hombre de bien, querrá hablar con usted. Pero antes de permitirle la entrada, tendrá que vestirse.

Diantha parpadeó a fin de aclararse un poco la cabeza y el estómago, pero fue en vano.

—¿Por qué va a permitirle que entre en mi dormitorio?

Su dama de compañía cogió su corsé y sus enaguas.

—Necesitábamos alguna explicación que ofrecerles a estas personas tan amables sobre su repentino desmayo, así que les dije que estaba esperando un bebé y que no lo llevaba muy bien. He visto a muchas mujeres pasarlo muy mal durante los embarazos. Puesto que la familia lo creyó a pies juntillas, seguramente les extrañaría que no le permitiera pasar a su dormitorio.

«¡Por el amor de Dios!», pensó. No estaban en una posada. Colocó los pies en el suelo al tiempo que enterraba la cara en las manos.

—¿Quiénes son estas personas tan amables, señora Polley? —preguntó, sin apartar las manos de la cara. Las náuseas eran cada vez más desagradables.

La señora Polley le colocó el corsé.

—Un granjero, su esposa y una caterva de niños. —Frunció el ceño—. Ese hombre los ha conquistado a todos con su galantería londinense.

Diantha se llevó una mano a la frente mientras se presionaba el abdomen con la otra.

—¿Ah, sí?

—Esta mañana ha llevado a los cuatro más pequeños a la colina para ver las ovejas y los ha traído de vuelta tan felices y agotados que se han quedado dormidos al acabar el almuerzo.

Le pasó las enaguas por la cabeza.

—¿Ya es más de mediodía?

—Son casi las cuatro, señorita. —La señora Polley le colocó el vestido y la instó a ponerse en pie aferrándola por los brazos.

Diantha tuvo que agarrarse al poste de la cama. Poco a poco comenzaba a recordar retazos de la noche anterior. Retazos horribles, vergonzosos y abrumadores. Esperaba sinceramente que las partes que no lograba recordar fueran algo mejores que las que sí recordaba. Sintió el regusto amargo de la bilis en la garganta.

—Creo que voy a vomitar.

—Es imposible que le quede algo dentro que echar, señorita.

¿Su pudor? ¿Su orgullo? No, por supuesto que no. Había arrojado ambas cosas por la ventana.

Se aferró al poste de la cama mientras la señora Polley le abrochaba el vestido para después recogerle el pelo con la misma eficiencia con la que llevaba a cabo ese tipo de cometidos. Era asombroso que hubieran dejado escapar a una persona tan eficiente. Aunque claro, la señora Polley había hecho bien poco para salvaguardar su pudor y su orgullo, ya que se había pasado la tarde durmiendo mientras ella bebía una copa de ponche tras otra.

—Ahora, señorita, saldrá con la cabeza bien alta. —Chasqueó la lengua—. Usted no ha tenido la culpa de que ese hombre la llevara por el camino del desenfreno.

—Él no me llevó por ningún sitio, señora Polley. Me bebí el ponche porque quise.

Su dama de compañía la miró con los ojos saltones entrecerrados.

—Yo sé muy bien lo que ha pasado.

Pues se equivocaba, pensó Diantha. Uno de sus recuerdos más claros de la noche era el del señor Yale apartándole las manos de su persona. En varias ocasiones. Así que el desenfreno fue solo suyo.

Miró la puerta y tuvo la impresión de que el corazón le latía al compás de las oleadas de náuseas que la asaltaban. Sin embargo, no podía esconderse y tampoco le apetecía hacerlo. La noche anterior había vivido el momento y se había entregado a él con abandono. Al menos, según lo recordaba. No pensaba pasar ni un momento más acobardada en el interior de la diminuta habitación de una granja emplazada en algún lugar de Shropshire, independientemente del bochorno al que tuviera que enfrentarse cuando saliera.

Aferró el pomo de la puerta y salió.

Descubrió una estancia alargada y sencilla, con una mesa de madera flanqueada por dos bancos y un hogar enorme delante del cual se encontraban una mujer ataviada con un delantal y una niña. *Ramsés* se levantó del lugar que ocupaba junto al fuego y se acercó a ella, moviendo el rabo con alegría. El señor Yale, que estaba frente a la ventana más alejada, se volvió para mirarla.

Al verlo esbozar su sonrisa torcida, un gesto que no delató burla ni tampoco puso de manifiesto un cambio de opinión sobre ella, parte del temor la abandonó. Lo saludó con una genuflexión y estuvo a punto de caerse de bruces al suelo. La sonrisa del señor Yale se ensanchó un poquito mientras la saludaba con una reverencia.

—Buenos días, señora. ¿Cómo se encuentra?

—No excesivamente bien. —«Me siento fatal», añadió para sus adentros.

Y también olía fatal. Su piel emanaba un olor ácido que le resultaba muy desagradable. Posiblemente su aspecto sería igual de espantoso. Sin embargo, la habitación carecía de espejo, algo que era de agradecer. Le parecía mejor desconocer el aspecto que tenía.

Porque lo que veían sus ojos era la perfección. Sintió un nudo en la garganta a pesar de que el señor Yale llevaba su atuendo habitual: chaqueta, pantalones de montar y botas negras; chaleco de exquisito bordado y magnífica seda; y camisa blanca y corbata almidonada. No obstante, su aspecto era distinto porque le brillaban las mejillas aun a la grisácea luz del día que se filtraba por la ventana, y sus ojos la miraban con una expresión inusualmente clara.

—Señora Dyer, tengo el gusto de presentarle a nuestra anfitriona, la señora Bates. Esta es su hija mayor, la señorita Elizabeth Bates, una magnífica cocinera que va a encargarse de prepararnos la cena esta noche.

—¿Cómo está, señora? —La dueña de la casa la saludó con una genuflexión, provocando un frufrú procedente del delantal—. Es una lástima que se encuentre mal. A mí me pasó con mi primogénito, Tom. Y con Betsy, aquí presente. —Asintió con la cabeza—. Con el tercero se le pasará.

—Gracias por su hospitalidad. —Diantha se adelantó un poco y el vapor que surgía del caldero le llegó a la nariz, lo que le revolvió de nuevo el estómago. Tragó saliva y sonrió—. No me imagino qué debió de pensar cuando nos vimos obligados a detenernos aquí en plena noche. Usted y su marido son muy amables por habernos permitido pernoctar en su casa.

—El Señor nos dice que cuando damos cobijo a un desconocido le damos cobijo a Él, señora. Y la caballerosidad del señor Dyer tranquilizó cualquier temor que pudiéramos tener.

La niña hizo una genuflexión, resaltando de esa forma su esbelta y delgada figura, todo lo contrario al aspecto que Diantha tenía a su edad. Sin embargo, había algo en lo que se parecían mucho. Las mejillas y la frente de Elizabeth estaban cubiertas de un sinfín de espinillas. El rubor las hacía resaltar todavía más.

—Puede llamarme simplemente Betsy, señora. Y no soy tan buena cocinera como dice el caballero. —Miró al señor Yale con expresión arrobada.

—Betsy, estoy segura de que te mereces el cumplido. —Diantha también estaba segura de que la noche anterior ella había mirado al señor Yale con el mismo arrobamiento.

Puesto que sentía la terrible curiosidad de ver cómo se tomaba la admiración de las jovencitas tímidas que no tenían edad para relacionarse con adultos, reunió el valor suficiente para mirarlo. Sin embargo, descubrió que él no estaba mirando a Betsy. La estaba mirando a ella, algo que no le sentó nada bien a su ya de por sí revuelto estómago.

—¡Dios mío, Betsy! —exclamó la señora Bates al tiempo que soltaba el cucharón y miraba por la ventana—. Corre a cerrar la verja antes de que esa cabra se escape y yo voy a buscar... los huevos. Señora Dyer, le he preparado un poco de té. —Miró a Betsy con muy poco disimulo y la obligó a salir.

El señor Yale se acercó a un robusto aparador de roble emplazado contra la pared en el que se exponía un juego de tazas y platillos decorados con una guirnalda de flores rosas en los bordes.

—¿Puede tolerar la comida?

—No. —Lo observó servir una taza y después cruzar la estancia para acercarse a ella—. Pero comeré si usted lo hace.

—Yo he comido con nuestros anfitriones mientras usted se pasaba el día durmiendo. —Le ofreció la taza.

Diantha la aceptó y se la llevó a los labios.

—Creo que tendremos que... ¡Uf! —Escupió en la taza el sorbo de líquido que acababa de tomar—. ¿Qué se ha creído dándome esto? ¿Quiere verme vomitar otra vez?

Él enarcó las cejas.

—En absoluto. —La tomó de la mano y la obligó a llevarse la taza otra vez a los labios—. Debe confiar en mí.

—No. —Diantha se resistió.

Sentía el gusto amargo de la bilis en la lengua y un espasmo en el estómago. Sin embargo, esa mano aferraba la suya con firmeza y calidez. Al parecer, si se resistía, lograría que él la tocara. De modo que decidió resistirse. Era evidente que no había aprendido lección alguna después de su incursión en los caminos de la indecencia la noche anterior.

El señor Yale empujó su mano con delicadeza. A fin de no derramar el líquido sobre su vestido, Diantha claudicó y por fin se llevó la taza a los labios.

—Es un remedio tradicional para aliviar la resaca. —El señor Yale se mantuvo muy cerca de ella mientras bebía.

Aunque el sabor le resultó repulsivo, logró tragar.

—¿Una superstición? —consiguió mascullar.

—Posee un efecto reparador.

Diantha dejó la taza vacía en su mano.

—Me resulta increíble que usted se pase la vida así. Me refiero a que es... incómodo. Con razón ha perdido tanto peso desde la última vez que lo vi.

—No he vomitado desde que era pequeño.

—¿Ah, no?

—Un hombre sabe cómo beber si es listo.

—¿De verdad ha comido hoy?

—Sí. ¿Le gustaría saber el tamaño de las porciones y en qué consistía exactamente el menú?

Diantha rio entre dientes y él sonrió en respuesta. Acompañada por esa sonrisa ni siquiera sintió el malestar estomacal, su estado maloliente ni la repentina flojera de sus rodillas.

—Tengo hambre. Y como parece que vamos a tener niños después de todo, creo que debería comer para mantenerme saludable.

Él se echó a reír.

—Sí, es una mujer inusual.

—Bueno, mi plan no incluía afirmar que me encuentro en estado interesante. —En ese momento, no solo sentía flojas las rodillas, sino también las piernas. Rodeó al señor Yale y se acercó a la mesa, donde se había dispuesto la tetera junto con una bandeja de galletas—. No sé en qué estaba pensando la señora Polley cuando se inventó eso.

—Sin duda pensó que nuestros anfitriones encajarían mejor esa explicación que la de la borrachera. O una enfermedad. Y creo que lo hizo para obligarse a cumplir con su responsabilidad en todo este asunto. —Hizo una pausa—. Y para obligarme a mí.

Diantha se detuvo con la mano en el asa de la tetera.

—¿A usted?

—El ceño fruncido con el que me miraba ayer la señora Polley aumentaba con cada copa de ponche que usted bebía.

—¿Y por qué?

—Tengo la impresión de que me responsabiliza de la ingesta excesiva de alcohol.

—Bueno, pero yo sé que no es así. —Se sirvió una taza de té y la apuró casi de golpe. Apenas le temblaban las manos, toda una hazaña porque él la estaba observando y había un sinfín de cosas que ambos podían decir y que resultarían terriblemente incómodas. Al menos para ella—. ¿Cómo llegamos hasta aquí y dónde estamos exactamente?

—En algún lugar entre Shrewsbury y Bishops Castle.

—¿Bishops Castle? ¿No queda al...?

—¿Al este? Sí. Pensé que era mejor mantenernos alejados del camino principal en aras del sigilo y de la seguridad.

—Recuerdo que dijo usted algo sobre continuar el viaje hasta alejarnos lo bastante como para que nadie reconociera el carruaje y los caballos de sir Henry, así que supongo que esta familia no los ha reconocido. Han sido muy amables al darnos alojamiento. —Le dio un mordisco a una galleta y, al cabo de un instante, dijo—: ¡Oh! ¿Dejó usted mi collar?

Los ojos del señor Yale relucieron.

—No me permitió hacer otra cosa.

—Era lo más honorable.

—La verdad, es una lástima que en esta búsqueda no pueda interpretar usted misma el papel de héroe.

—No lo necesito. Ya lo interpreta usted. Y... —Comenzó a desmigajar una galleta entre los dedos—. Le agradezco mucho que sea honorable. —Estaba muy abochornada. Además de desilusionada.

Por suerte, él entendió a lo que se refería.

—Diremos que estamos en paz, ¿le parece? —replicó el señor Yale en voz baja, aunque no parecía en absoluto abochornado.

Acto seguido, y temerosa de estar colorada como un tomate, Diantha levantó una mano y dijo con fingida despreocupación:

—En todo caso, debe interpretar el papel de héroe porque

vamos hacia el sur y resulta que Escocia está en el norte, por supuesto.

—¿Escocia?

—El lugar al que los villanos llevan a las inocentes jovencitas cuando se fugan de casa.

—Ah, claro. —Se alejó de ella para acercarse al aparador, donde se sirvió una taza de licor—. Sospecho que su señor Hache tendría algo que decir si acabara usted en Escocia para casarse con otro.

Ella asintió con la cabeza.

—¿Por qué llama a su prometido solo por su inicial?

—Porque su nombre es demasiado ridículo como para decirlo en voz alta.

El señor Yale guardó silencio.

Diantha soltó un suspiro.

—Se llama Hinkle Highbottom. Sí, ya sé que deberían haber arrestado y ahorcado a sus padres por ponerle ese nombre con semejante apellido. Pero... —apretó los labios.

—Me temo que estoy siendo impertinente, pero soy incapaz de refrenar la curiosidad. ¿Pero...?

—Pero... encaja con él. No quiero decir que sea engreído ni nada de eso. Es que... —Se volvió para darle la espalda al señor Yale y se acercó a la cocina porque sospechaba que si volvía a mirarlo, lo haría con el mismo arrobamiento que Betsy—. Es un buen hombre y estoy segura de que seré muy feliz con él.

—¿Y qué opina él de esta misión en la que se ha embarcado?

Diantha cogió el cucharón para remover el guiso. A veces, ayudaba a la cocinera a realizar tareas sencillas mientras ella entretenía a Faith haciendo galletas o pan. Inmersa como estaba en esa aventura tan alocada, la tarea le resultó familiar. Lo mismo que le sucedía con ese hombre. Pese a los momentos de claridad absoluta en los que veía que no era un hombre de fiar, el señor Yale había conseguido que la escapada para encontrar a su madre pareciera sensata.

—No lo sabe ni lo sabrá —contestó—. Nadie lo sabrá. Salvo usted. Y la señora Polley, por supuesto. ¿Nos marcharemos pronto?

—De momento, hemos escapado a la vigilancia de Eads. Ya

es tarde y ayer estuve media noche conduciendo. De modo que, pese a mi heroico papel, necesito descansar antes de ponernos de nuevo en camino. Mañana partiremos.

—¿Mañana? —El corazón le dio un vuelco—. Pero... —Sintió que el pulso se le disparaba. Bajó la voz y miró hacia la ventana—. Creen que estamos casados.

El señor Yale pareció esbozar una leve sonrisa. Tras cruzar los brazos por delante del pecho, apoyó un hombro en el aparador.

—Si no recuerdo mal, fue idea suya.

—Mi idea era fingir delante de las hermanas Blevins y de sir Henry. No pretendía incluir a toda la población de Shropshire.

El señor y la señora Bates esperarían que compartieran habitación. Diantha creía poseer el valor de una verdadera heroína, pero semejante perspectiva le parecía impensable. Mucho más con los recuerdos inconexos de la noche anterior. En resumen: no se fiaba de sí misma, ni aun cuando estuviera sobria. Cuanto más lo miraba, más ansiaba sentir esa alarmante emoción que sintió cuando la tocó en el establo.

En los ojos del señor Yale atisbó un brillo que no supo interpretar, un brillo feroz y del todo desconocido.

—Está tratando de hacerme sentir incómoda —lo acusó.

—¿Y por qué iba yo a hacer eso?

—Porque piensa que soy una desobediente y una descarriada. Y una indecente.

Se acercó a ella. Diantha soltó el cucharón y se volvió para enfrentarlo. Por dentro estaba hecha un flan, pero no pensaba permitir que él lo descubriera, no después de todo lo que le había permitido la noche anterior.

—Creo que es usted una joven admirable —le dijo cuando se detuvo, muy cerca—. Pero acertó más en su otra suposición.

Diantha comenzó a tener dificultades para respirar y no pudo resistirse a mirar su boca.

—¿Acerté?

—Al creerme tan honorable como para no aprovecharme de una dama en apuros.

Diantha ansiaba extender un brazo y tocar de nuevo su chaleco para comprobar que los duros músculos que había debajo no eran fruto de su imaginación.

—Eso creo.

—En ese caso, le ruego que confíe en que solo me mueve el interés por su bienestar. Y, señorita Lucas —dijo, sosteniéndole la mirada sin flaquear—, le aseguro que dicho interés no incluye mi bienestar.

Diantha tuvo la impresión de que se le iba a salir el corazón por la boca.

—Por supuesto —consiguió decir con una voz bastante serena—. ¿Dormirá usted en el suelo, pues?

Lo vio esbozar una sonrisa torcida.

—Dormiré en el pajar. En beneficio de nuestros anfitriones, aduciremos que lo hago por el malestar que la aqueja y por la necesidad de que cuente con la ayuda de una mujer que sabe manejarse en ese tipo de situaciones. La señora Polley compartirá su dormitorio.

La voz del señor Yale era como una caricia. Estaba convencida de que él no era consciente de ese hecho, porque de lo contrario no le hablaría así. Le provocaba un hormigueo en todo el cuerpo.

La puerta se abrió y entraron la señora Bates y Betsy, que los descubrieron muy juntos, como si de verdad fueran una pareja de recién casados en estado de buena esperanza y no una joven díscola e indecente que ansiaba besar a un hombre con el que no estaba comprometida y que acababa de decirle que no podía besarlo.

Sin embargo, Diantha era una mujer práctica y razonable, no una soñadora como su hermanastra Serena, ni una dócil corderita como Charity. De modo que le preguntó a la dueña de la casa si podía ayudarla a preparar la cena, y comenzó a moverse por la estancia, intentando no reparar en el hecho de que el señor Yale no le quitaba la vista de encima... a pesar de lo que le había dicho.

8

—Es una preciosidad, señor. —El muchacho acarició el hocico de *Galahad*.

—¿Te gustan los caballos, Tom? —Wyn sujetó las riendas del caballo de tiro del carruaje y las pasó por la anilla del tirante.

Los animales de sir Henry no eran ejemplares jóvenes, pero ni mucho menos eran pencos, y habían recorrido el estrecho camino hacia el sudoeste con buena disposición a pesar de que no brillaba la luna. Wyn lamentaba el robo. Sin embargo, el collar compensaría al hombre por la pérdida hasta que él regresara a Londres y pudiera enviarle dinero. Sus fondos eran escasos, pero bastarían. Después, recuperaría el collar de la señorita Lucas y se lo devolvería.

De hecho, podría pedirle a Leam o a Jin que lo hicieran. Ninguno de los dos se negaría, porque para entonces él no estaría en situación de poder recuperarlo en persona.

Mientras tanto, esperaba que ella no lamentara la pérdida de sus joyas. Sin embargo, no parecía la clase de persona dada a lamentaciones; de hecho, parecía decidida a lograr lo que quería sin titubear, tal como había intentado conseguirlo a él.

—Son los mejores que he visto. —Thomas levantó una palada de heno—. ¿Ese es para una montura de mujer?

—No. Este se ha criado para las cacerías y pertenece a un duque.

De la misma manera que la señorita Lucas pertenecía a su padre y, después, pertenecería al señor Highbottom. Menos mal que lord Carlyle ya le había concertado un matrimonio. Con sus voluptuosos labios y esos ojos llenos de deseo, tan ardiente como ingenuo, la señorita Lucas no duraría una temporada social en Londres con su virginidad intacta. Le ofrecería esa deslumbrante sonrisa y esas inquisitivas manos al siguiente hombre en el que confiara de forma inocente, y dicho hombre no la rechazaría. ¿Dónde iba a encontrar a otro idiota como él?

El muchacho puso los ojos como platos.

—Caray, qué bueno que conozca a un duque.

—Solo lo conozco de oídas. —Por las palabras de una muchacha con cicatrices infectadas y sin curar en las mejillas y en la frente.

—¿Y cómo es?

—Vive solo en una fortaleza impenetrable.

El muchacho silbó.

—¿En un castillo?

—En un castillo del que nunca sale y en el que nunca deja entrar a nadie. El duque es un ermitaño. —Un ermitaño que valoraba su potrilla perdida por encima de todo, que le había asegurado al director del Club Falcon que no pagaría por su regreso hasta verla y que había exigido que el hombre que la recuperase se la llevara directamente. A su fortaleza.

—Dicen que muchos de esos ricachones están tocados del ala.

Wyn le colocó la almohadilla y el petral al caballo de la izquierda.

—No solo los ricachones.

—La dama parece sentirse mejor esta mañana. —Tom esbozó una sonrisa—. Mi madre y Betsy están encantadas de que una verdadera dama las esté ayudando con las tareas de la casa.

—No creo que le importe. Es una dama inusual.

Una muchacha de campo, criada en la ruda costa de Devonshire por un padrastro que apenas se relacionaba con los demás y por una madre muy desagradable. Una muchacha que, cuando bebía más de la cuenta, se volvía tan cariñosa como una gatita y tan juguetona como una cantante de ópera.

La mayor de las hermanas Bates apareció por la puerta del establo.

—Tom, papá quiere que vayas al redil.

—Ahora voy.

La muchacha miró a Wyn y luego a su hermano.

—Quiere que vayas ya.

El chiquillo dejó la horca apoyada en la pared y se llevó una mano a la gorra.

—Será mejor que vaya a ver a las ovejas, señor. —Volvió a mirar a *Galahad* con admiración antes de irse.

Betsy lo siguió tras regalarle a Wyn una tímida sonrisa. Detrás de ellos iba el perro, que se volvió al llegar a la puerta, correteó sobre las tres patas buenas de vuelta al carruaje y saltó al pescante. Wyn meneó la cabeza.

—*Ramsés* —dijo al tiempo que le colocaba el bocado al caballo—. Un nombre regio para un chucho apestoso. —El perro lo miró mientras le sujetaba la cincha al caballo exterior—. Sabes que no eres mi perro.

El animal lo miró con esos ojos negros enmarcados por el pelaje marrón y gris, tal como lo hiciera cuando se acostó en el pajar la noche anterior.

—Sospecho que no lo sabes. —Se movió para preparar el otro caballo—. Pero, verás, *Ramsés,* ahora no puedo tener un perro.

—De la misma manera que no podía tener a una muchacha de ojos azules, sonrisa preciosa y unas manos insistentes a la que había tenido el incomparable placer de quitarse de encima.

La señorita Lucas había pasado la tarde anterior en una silla de madera lejos de la chimenea, bordando un mandil. Con el ceño fruncido y mordiéndose el voluptuoso labio inferior, cosía con manos temblorosas... ya que aún sufría los efectos del ponche de la noche anterior, no le cabía la menor duda. Sin embargo, no se había quejado. En cambio, cuando terminó la labor, se la enseñó a la hija mayor del granjero con una sonrisa. A continuación, añadió una cinta de encaje al vivo de la cofia de la señora Bates.

—Le ha quitado el encaje a uno de sus vestidos —le susurró la señora Polley mientras retiraba el vaso vacío de la mesa. Wyn solo había bebido sidra, de modo que esa mañana los temblores eran peores debido a la disciplina—. Quiere darles a estas buenas personas algo de valor, como ella misma. —Sus ojos saltones

95

lo miraron entrecerrados—. Un ángel que no se cree gran cosa, así es mi señora. Se merece que la traten bien.

Wyn le daba toda la razón. Había tenido muy presente esa idea la noche de la fiesta de sir Henry, cuando ella se pegó a su cuerpo y el whisky que corría por sus venas le dijo que la abrazara aún más.

«Algo de valor», repitió. Aunque tal vez no fuera un ángel, no con su delicioso coqueteo y con su férrea determinación de cumplir su misión con éxito. Y con sus inquisitivas manos y sus pechos perfectos.

«Mejor que un ángel», pensó.

El perro lo miró con una expresión curiosa en los ojos azabache.

—Sí, soy consciente de que un hombre que piensa matar a un duque no tiene derecho a tocar a mujer alguna. —Sujetó el tiro, acercó los caballos a la vara y ciñó las riendas dobles.

Una sombra cruzó la pálida luz que procedía del patio. Conocía su sombra. Conocía el contorno de su cuello y los hoyuelos que aparecían en sus mejillas, y también cómo ponía los ojos en blanco cuando se reía de él. Sería capaz de describir la forma de cada uno de sus dedos y las tonalidades de su cabello castaño claro, así como la ubicación exacta de las cicatrices de su nariz respingona. Era la clase de detalles para los que se había entrenado a una edad muy temprana a fin de recordarlos, un entrenamiento que le había ido de perlas como agente del Club Falcon. Tal parecía que no estaba perdiendo facultades. Y conocerla de esa forma le proporcionaba una especie de satisfacción agónica y sensual.

Ella se acercó.

—Buenos días, señor.

—Buenos días, señora. ¿Cómo se encuentra esta mañana?

La vio colocar una mano en el cuello de uno de los caballos y acariciarlo, con sus delgados dedos desnudos sobre la piel del animal, como si no le molestara.

—Muchísimo mejor. Totalmente recuperada, de hecho.

Llevaba un sencillo vestido azul con una cinta bajo el pecho. La noche anterior, mientras yacía a solas sobre la paja, había pasado un buen rato imaginando dicho pecho desnudo. Se había imaginado tocándola. Se había dicho que así se distraía de la atracción que le provocaba la botella que Bates le había ofrecido, una botella que había rechazado. Se acabó el whisky mientras siguiera en compañía de Diantha Lucas. No se fiaba de sí mismo.

En ese momento, tenía sus pechos delante, aunque cubiertos. Aun así, la realidad era mucho mejor que la imaginación.

—En ese caso, me alegro por usted. —Se volvió para comprobar la sujeción de las riendas.

—Es verdad, pero no volveré a beber alcohol. ¿Nos marcharemos pronto?

—En breve.

Ella miró hacia la puerta del establo.

—Los Bates son unas personas maravillosas, muy amables. Es increíble que tuviéramos la buena fortuna de encontrarlos. —Se quedó junto a él, apoyando el peso en los dedos de los pies—. Betsy es la mayor, por si no lo sabe. Un año mayor que Tom. Este año ha participado en el concurso de horneado de la feria de la cosecha con un único plato y ha ganado. Está muy orgullosa de ese logro.

Wyn la miró. Un ligero rubor le cubría las mejillas.

—Como debe ser. —Se dirigió a la parte trasera del carruaje y cogió una cuerda para sujetar el baúl de viaje.

Ella volvió a colocarse a su lado y Wyn sintió cómo agitaba el aire. ¡Lo sintió! Era como una brisa primaveral que con una suave agresión amenazaba con poner su mundo patas arriba.

—Tiene quince años. Me ha dicho que le gusta un muchacho de la granja vecina, pero que le da miedo revelarle sus sentimientos por temor a que la rechace. —Hablaba más despacio en ese momento—. Creo que es por algo más que por timidez.

—¿En serio? —Apretó la cuerda alrededor del baúl.

—Esconde la cara cada vez que puede.

Ah. Por supuesto.

—Ya cogerá confianza con el tiempo. Todavía es joven —se limitó a decir.

—No creo que tenga que ver con su edad.

—Tal vez no.

Se produjo una larga pausa.

—¿Los hombres se fijan en esas cosas?

Wyn no podía fingir ignorancia sobre el tema del que estaba hablando. Aunque fuera una ingenua en lo que a los instintos más bajos de un hombre se refería, Diantha Lucas era muchísimo más lista de lo que aparentaba ser.

—Sí, me temo que la mayoría de los hombres se fijan en esas cosas.

Ella se quedó callada un rato.

—Ya lo sabía, claro. Le he preguntado para saber cómo... —Se le quebró la voz—. Para saber cómo...

Se volvió hacia ella.

—¿Cómo haría...?

Su barbilla le golpeó en el mentón.

Los dos se apartaron de un salto. Ella se llevó una mano a la cara. Un intenso rubor cubría sus preciosas facciones. En su caso, la tensión se había agolpado precisamente en el lugar donde menos le convenía.

Con los labios cubiertos por los dedos, la señorita Lucas retrocedió un paso. Él se agachó y enganchó la cuerda en el eje trasero, tras lo cual exhaló un largo suspiro.

—No voy a insultar la dignidad de ninguno de los dos, señorita Lucas, al fingir que no acaba de intentar besarme. —La miró por encima del hombro.

—Lo he hecho. —Otra vez ese dichoso mohín en los labios—. Me gustaría muchísimo besarlo.

Wyn apoyó el brazo en una rodilla y se volvió hacia ella.

—¿Es que no prestó atención a lo que le dije ayer por la tarde?

—Ojalá lo hubiera hecho.

—Pues parece que no —replicó antes de ponerse en pie.

Ella frunció el ceño y sus facciones cobraron vida de nuevo.

—Ay, ¿por qué no? Los Bates creen que estamos casados y la señora Polley acaba de quedarse dormida, así que no se enterará. No le estoy proponiendo matrimonio. Solo sería un beso, nadie se enteraría.

—Yo sí.

—En fin, ¿y no podría olvidarse después sin más?

—No. —Jamás. Por Dios, era guapísima. Observó su cara, que en ese momento lucía una expresión a caballo entre la indignación y la esperanza. Nunca podría saciarse de mirarla—. ¿Se da cuenta de lo que está diciendo?

—Claro. No sea tonto. Aunque supongo que no es tontería, sino caballerosidad. Admiro muchísimo esa cualidad en usted, por supuesto, pero ahora mismo es un inconveniente.

Se echó a reír, porque la alternativa era pegar ese maravilloso cuerpo al suyo y besarla hasta que ambos perdieran el sentido.

La vio fruncir el ceño.

—Ya sabe que de vez en cuando tengo pequeños lapsus de recato. Pero ¿por qué usted tiene que ser un caballero a todas horas? Menos en aquel establo, claro.

No se comportó con caballerosidad cuando la señorita Lucas lo abrazó, borracha, y estuvo a punto de darle lo que quería. Sus pensamientos tuvieron muy poco de caballerosos. Como tampoco lo habían tenido sus fantasías de la noche anterior. Como tampoco era caballerosa la reacción de su cuerpo en ese momento.

Joder, ¿dónde estaban las reglas cuando un hombre las necesitaba?

«¡Regla número ocho!», pensó.

—Un hombre solo será un caballero si jamás actúa como lo contrario. —Imitó su tono de voz sereno—. Salvo, tal vez, en un establo —admitió.

Ella abrió los ojos.

—Ahora estamos en un establo.

Que Dios lo ayudara.

—Así es.

—Solo un beso —susurró ella—. Prometo no volver a molestarlo con el tema.

¿Molestarlo? No, lo encandilaba, lo atormentaba y lo torturaba. Sus labios, sus ojos, su sedoso cuello y sus pechos perfectos lo tentaban.

«Al cuerno con las reglas», pensó. Aunque fuera por un momento.

Le tomó la cara entre las manos, deleitándose con la calidez de su piel. Piel suave. Pelo suave. Mujer suave. Casi gimió por el placer que experimentó. Tenía los ojos abiertos de par en par. Se inclinó sobre ella.

Sus labios eran muchísimo más dulces de lo que había imaginado, carnosos y sumisos. Por un brevísimo instante, se permitió oler su aroma, capturar ese olor estival a aire fresco en mitad de la neblina otoñal y sentir la caricia de su boca contra la suya.

Lo bastante para que su cuerpo cobrara vida y un ramalazo de pánico se apoderara de él. Por el amor de Dios, tenía que hacerla suya.

Era una sensación embriagadora.

Ella lo embriagaba.

Se apartó. La vio inspirar hondo al tiempo que abría los ojos. A continuación, la vio sonreír y esos pozos azules relucieron.

Contuvo un gemido mientras la miraba.

«Un error», se dijo. Una debilidad. Un tremendo error. ¿En qué había estado pensado?

—Ha sido un primer beso perfecto —murmuró ella.

—Segundo. —Tenía la voz alterada.

—¿Segundo?

Se tocó el mentón con un dedo, allí donde ella lo había intentado por primera vez. Esos labios sonrosados esbozaron una sonrisa deliciosa.

Debería matarse en ese preciso momento en vez de esperar a su fin después de matar al duque. Ni uno solo de sus pensamientos era caballeroso. Ni uno solo de sus deseos. Vio un atisbo de su rosada lengua y quiso sentirla sobre todo su cuerpo... sobre una parte en concreto. La quería en ese momento, bajo su cuerpo, sobre la paja, y al cuerno con los escrúpulos, las reglas y los planes que habían regido su vida esos últimos cinco años. Esos últimos diez años. O quince. Diantha Lucas lo hacía sentir de un modo muy poco caballeroso. Necesitaba estar en su interior.

Ella ni se lo imaginaba. Pese a sus proposiciones ebrias y a su inocente insistencia, en su cara había una expresión de satisfacción total. Ni se imaginaba lo que había más allá de los besos, lo que podía hacerle en ese momento.

Fue como si se le escapara el aire.

Tenía que recuperar el control.

—¿Tiene la costumbre de numerar los besos que comparte

con los caballeros, señorita Lucas? —Palabrería. La palabrería sin sentido ayudaría.

Porque así imaginaría que se encontraba en un salón de Londres, intercambiando comentarios coquetos con una dama de la alta sociedad. En cuestión de semanas, ella estaría allí, a salvo rodeada por la decencia y a salvo lejos de él.

—¿Numerar?

—Los cuenta con los dedos, por así decirlo, como los puntos de una partida de cartas.

—No. ¿Por qué piensa eso?

—Ese «primer» sugiere que está esperando un segundo.

—Pues ese «primer» quiere decir que es usted el primer hombre al que he besado.

¿Su primer beso? Imposible. Sin embargo, era un canalla por pensar siquiera otra cosa.

—¿Sus pretendientes no han...?

—Bueno, es que no he tenido pretendientes en Devon... salvo el señor Hache. Estaba llena de espinillas y pesaba diez kilos más el último verano, después de todo. A los caballeros no les resultaba interesante. A usted no se lo parecí. —Lo dijo al descuido, como quien hablaba de la lluvia.

—Su variedad de opiniones me resultó interesante. Y antes de eso, descubrí que bailaba usted muy bien.

—¿Se acuerda de ese momento? —La señorita Lucas bajó la cabeza, con la incredulidad pintada en sus preciosos ojos—. ¿Recuerda el episodio en Savege Park hace dos años cuando le dije que no debería beber tanto? ¿Se acuerda?

—Pues sí. Me acuerdo, por supuesto.

—Oh. —Pareció meditar la cuestión—. Pero no se acuerda de haber bailado conmigo en la terraza, durante el baile que se celebró tras la boda de lord y lady Blackwood. Estaba usted borracho.

—Me acuerdo de todo, señorita Lucas. Es mi maldición.

Ella no pareció oír el último comentario.

—¿Se acu...? —Su mirada bajó de sus labios hasta clavarse en su pecho—. ¿Se acuerda de lo que esos muchachos me estaban diciendo?

—Recuerdo que usted quería que dejaran de molestarla.

Ella añadió en voz baja:

—Me salvó.

Wyn se volvió de nuevo hacia el carruaje.

—Me limité a llamarlos al orden. —Hizo un último nudo en la cuerda y le dio un tirón—. Ya está todo listo. Podemos irnos inmediat...

La señorita Lucas lo cogió del brazo. Se le tensaron todos los músculos. No le estaba poniendo las cosas fáciles, pero no tenía claro si quería que lo hiciera. Una parte de él ansiaba anhelar algo que no podía tener y, por tanto, sufrir las consecuencias. Era la parte más tonta de su persona, la parte que había recorrido tantas veces el camino del anhelo y del sufrimiento que se lo conocía como la palma de su mano, la parte que creyó haber dejado atrás cuando se fugó de casa, y de la que creyó desprenderse una vez más al unirse al Club Falcon, pero que de todas formas se aferraba a él con fuerza.

—¿Puede...? —Se mordió el labio—. ¿Puede decirme...? ¿Cómo se respira?

Con muchísima dificultad si esos ojos lo miraban tan fijamente.

—¿Cómo se respira?

—Mientras se besa.

«Con dificultad», pensó. Intentó calmar su voz.

—Supongo que como de costumbre.

La vio fruncir el ceño.

—En los momentos oportunos —sugirió.

Sus labios adoptaron ese mohín que él tanto temía y anhelaba.

—Tal vez por la nariz —añadió, porque su única salvación era seguir hablando o marcharse.

—¿De verdad? —le preguntó ella, que no parecía muy convencida.

Y dado que su escepticismo le resultaba muy conveniente para saciar la necesidad de sentir de nuevo sus labios, le demostró cómo respirar mientras se besaba. Al escuchar su jadeo de sorpresa, le tomó la cintura entre las manos, se pegó a su boca y la besó de verdad en esa ocasión. Sus labios estaban cálidos e inmóviles, pero comenzaron a moverse a medida que él saboreaba su belleza y la alentaba a responder.

Al principio, ella se contuvo, pero después se dejó llevar. Sus labios se separaron para él como si fuera algo natural, ofreciéndole el cálido aliento de la tentación que encerraban. No habría encontrado a una inocente más sensual y dispuesta a entregarse al placer ni aunque la hubiera buscado a propósito. Sin embargo, no la había buscado. No había buscado a nadie, pero allí estaba, con las manos sobre una muchacha a la que no podía soltar, acariciando con la lengua los labios dulces y carnosos que ella había separado para él.

—Ahora respira —susurró contra dichos labios antes de sumergirse en su boca. Ella anunció su rendición con un gemido ronco. Se moría por explorar ese cuerpo con las manos, por pegarla a su cuerpo y demostrarle cómo podía ser un beso de verdad—. Respira.

Por Dios, olía de maravilla. Sería capaz de enterrarle la cara en el cuello y permanecer allí sin hacer más que inhalar su aroma. Pero se temía que si disfrutaba mucho más de Diantha Lucas, se quedaría destrozado cuando llegara el momento de entregarla a su padre y, después, a su prometido. Destrozadísimo. Y ella no se lo merecía.

«Regla número nueve: Un caballero siempre debe anteponer el bienestar de una dama al suyo propio.»

Ella le acarició la lengua con la suya y gimió de placer, y en respuesta él la instó a separar más los labios y procedió a demostrarle con más detenimiento cómo respirar. Le demostró cuánto la deseaba.

Por el bien de la señorita Lucas era una lástima que no hubiera un caballero en ese establo.

Diantha quería que continuara, que no se detuviera jamás.

Su primer beso no había sido lo que ella se esperaba. Que un hombre le tocara la cara le resultó raro. No fue una caricia suave como cuando una mujer le daba un besito en la mejilla, sino un contacto firme; además, olía a cuero, a caballo y a una colonia sutil. Pero al cabo de un momento, la experiencia le resultó bastante agradable. Bastante. Hizo que su corazón latiera con fuerza y que dejara de respirar. Se alegraba de haber logrado la colaboración de Betsy para que vigilara a la señora Polley a fin de que esta no se enterase.

Ya no le parecía raro y «alegrarse» se quedaba muy corto para lo que sentía.

Nunca había permitido que le tocaran la cintura, ni siquiera a sus hermanas cuando se abrazaban. Dado que tanto su madre como en la academia para señoritas le habían repetido hasta la saciedad que era más ancha que el tronco de un árbol, había aprendido a usar vestidos plisados para ocultar la barriga. Cuando el señor Yale la sujetó por la cintura, intentó apartarse. Pero sus manos eran muy grandes, fuertes y firmes, y sus labios lograron que se olvidara por completo de su cintura, por la sencilla razón de que no podía pensar. Se aferró a sus brazos, que poseían una dureza increíble, a diferencia de su boca, que seguía abierta sobre la suya. Una boca ardiente que la estaba abrasando. Y no solo le abrasaba los labios, sino otras partes del cuerpo que ni siquiera le estaba tocando, ya fuera con los labios o con las manos; en especial por debajo del abdomen, un lugar donde sentía un delicioso calorcillo y una extraña sensación de necesidad. No se parecía a lo que había imaginado, en absoluto. Siempre había supuesto que los besos serían una caricia húmeda y desagradable, pero si había algo húmedo en ese momento era el lugar situado entre sus muslos, y él parecía encontrar el beso más que agradable.

Le deslizó los dedos por la manga de la chaqueta para sentir más. Sus músculos se contrajeron bajo la caricia y la calidez que sentía ella se acrecentó.

—Respira —repitió el señor Yale, con la voz un poco ronca, y ella hizo otro intento, más un jadeo que otra cosa, antes de que él volviera a cubrirle la boca.

Aunque solo se rozaban sus labios, Diantha tenía la sensación de que él la tocaba más con cada beso. Sus manos se deslizaron por sus costillas, muy cálidas, fuertes y seguras, y se detuvieron justo por debajo de sus pechos.

«Sí», pensó. Le gustaban las manos de un hombre tan cerca de sus pechos. La hacían sentirse acalorada, en absoluto incómoda. Un poco desenfrenada, cierto, ya que sentía una deliciosa tirantez en los pezones. Se aferró a sus brazos cuando él la instó a separar los labios todavía más.

Cuando la acarició con la lengua, jadeó.

Eso, esa caricia perfecta, no podía ser un beso normal y corriente. Diantha separó los labios, invitándolo a acariciarla de nuevo de esa forma. Él lo hizo, y lo repitió otra vez, haciendo que sus lenguas se entrelazaran en un baile ardiente y lento que la volvió un poco más desenfrenada. Aceptó su invasión y lo recibió gustosa en su interior. Era una sensación maravillosa, indescriptible, como si estuviera tocándole el alma. Aunque la debilitaba, ansiaba más. Más de él. Su piel. Y deseaba estar más cerca de él.

Le rodeó los hombros con las manos y se pegó a él. Sintió que sus manos la sujetaban con más fuerza, manteniéndola separada.

De repente, el señor Yale le puso fin al beso.

Diantha abrió los ojos. Le costó concentrarse.

—El segundo —dijo ella con una voz muy chillona. Era guapísimo y sentía sus manos allí donde nadie más las había puesto, y hacía que la cabeza le diera vueltas—. O, mejor dicho, el tercero.

—¿Ha respirado? —Su voz le pareció muy grave.

Ella asintió con la cabeza. Milagrosamente, había respirado mientras él la besaba, aunque en ese momento parecía ser incapaz de hacerlo.

—Lamento haber pedido uno solo.

Él la soltó y retrocedió un paso. Sus ojos plateados se asemejaban al mercurio, parecían tan líquidos como el dulce palpitar de su entrepierna, pero tenía el ceño fruncido.

—¿Lo había planeado? —le preguntó él.

—Por supuesto. Siempre tengo un plan para...

—Para todo.

Al ver que el señor Yale se volvía y se acercaba a los caballos, el corazón le dio un par de vuelcos. Tenía los labios húmedos y aún quería sentirlo en ellos, y también quería volver a sentir sus manos en el cuerpo.

Miró de reojo la puerta. No había ni rastro de Betsy. La señora Polley debía de seguir todavía en la casa.

—¿Podría besarme otra vez?

El señor Yale se volvió para mirarla, pero en esa ocasión sus ojos plateados tenían una expresión feroz y apretaba los dientes.

—Señorita Lucas, no vuelva a pedírmelo.

—Pero yo...

—Si me lo pide de nuevo, le juro que la ato, la meto en su baúl de viaje y la llevo de vuelta con su padrastro sin pensármelo.

—No entraría en mi baúl de viaje. Está demasiado lleno.

—Sacaría sus cosas primero, por supuesto. —Se acercó al caballo castaño y lo instó a andar—. Cuando la otra noche me dijo que sabía conducir, ¿estaba alardeando o era verdad?

—Nunca alardeo. Es verdad. Aprendí cuando era muy joven. —A una edad muy temprana logró convencer al cochero de Glenhaven Hall de que le enseñara. Su padrastro siempre se quejaba de lo bien que se le daba convencer a los criados de que accedieran a ayudarla en sus alocados planes.

Sujetó el caballo castaño al tiro.

—En ese caso, puede conducir. Espero que no vuelque el carruaje. No me cabe la menor duda de que la señora Polley encontraría algún motivo para echarme un sermón a mí en vez de a usted. —Aunque parecía estar bromeando, sus ojos aún relucían furiosos.

—Prometo no volcarlo. —Lo observó atravesar la puerta del establo, delante de sus caballos—. Gracias.

—No tiene que darme las gracias. *Galahad* prefiere que lo monten a que lo ate a un carruaje para seguirlo.

Se llevó los dedos a los labios para comprobar si los notaba diferentes al tacto. No era así. Pero ella sí se sentía diferente. El señor Yale acababa de enseñarle a respirar y todo en su interior se le antojaba distinto.

—Las gracias son por el beso.

Él no se detuvo al escuchar sus palabras ni le dio a entender que las había oído. Pero creyó oírle mascullar «bruja» mientras salía al patio.

9

Estimados compatriotas:

Os traigo unas noticias frustrantes. El hombre al que contraté para que siguiera al miembro del Club Falcon al que he desenmascarado ha perdido su pista. Si comparto esta información con vosotros es porque me han llegado muchas cartas vuestras y sé que estáis emocionados, de modo que me resulta insoportable manteneros en semejante suspense. Me llega al corazón que estéis tan deseosos como yo de conocer la verdad sobre este club.

LADY JUSTICE

Queridísima señora:

¡Le ruego... clemencia! Debe cesar esta prosa tan excitante. Cuando leo las palabras «emoción», «corazón» y «deseo» en el mismo párrafo, apenas soy capaz de mantenerme sentado en la silla. Estaría dispuesto a levantar una tienda de campaña delante de las oficinas de la editorial con la esperanza de verla entrar en el edificio por la mañana. De hecho, ¡lo he intentado! Pero, ¡ay!, el sereno me lo impidió. De modo, milady, que me veo obligado a suplicarle que se compadezca de mi febril imaginación y la deje descansar.

Su cada vez más ferviente admirador,

PEREGRINO
Secretario del Club Falcon

Señor:

Puede despreocuparse usted de las pamplinas que publica Lady Revolucionaria. La habilidad de Cuervo para eludir el peligro no tiene parangón. Se deshará del indeseado perseguidor sin problemas.

PEREGRINO

10

Tenía que librarse de ella.

No podía esperar la llegada de Carlyle al punto de encuentro que le había indicado en la nota enviada a través del joven William. Tenía que librarse de ella en ese momento, antes de que lo invitara a tomarse más libertades con su cuerpo. Antes de que ella hiciera más planes...

Por el amor de Dios, era capaz de volver loco a un hombre con sus inquietas manos, sus sonrosados labios y su hambrienta boca. Si volvía a ofrecérsele, ni siquiera se molestaría en resistirse. Nueve muchachas en diez años y ni una sola vez se había sentido tentado. Sin embargo, en ese momento la botella lo llamaba con más insistencia que nunca. Sin duda alguna, estaba perdiendo facultades. Sus deseos no se encontraban del todo bajo su control.

Sin embargo, si lograba mantener la tentación alejada, podría resistirse. Cabalgar le proporcionaba cierto alivio. No obstante, cuando la señorita Lucas se tomó un descanso en el manejo de las riendas y él ató a *Galahad* al carruaje para ocupar su lugar, no entró en el carruaje para sentarse junto a la señora Polley. En cambio, se sentó a su lado, rozándole el brazo con el suyo con cada bache del camino, y le contó anécdotas destinadas a entretenerlo que le dieron la oportunidad de ver cómo se movían esos labios sonrosados y cómo gesticulaban esas manos que se habían aferrado a él. Hablaba con ternura y con voz risueña, lanzándole miraditas de reojo. Pese a su actitud extrovertida, no se encontraba cómoda; sus ojos tenían un brillo del que carecían antes.

Wyn no se fiaba de ella ni un pelo porque sospechaba que podía lanzarse de nuevo sobre él. De modo que tenía que librarse de la señorita Lucas.

La oportunidad se le presentó a media tarde, cuando el sol ya descendía por el horizonte, rozando las colinas de la frontera galesa, como solía suceder en sus sueños. Hacía muchos años, asfixiado por el sol de las Indias Orientales y durante las noches tempestuosas, había soñado con esos atardeceres, con esa tierra esmeralda, con la misma tierra que conoció de joven, yendo de una granja a otra en busca de trabajo, sobreviviendo gracias a su fortaleza, a un puñado de libros y a la rabia que alentaba su corazón. Durante esos años, se había permitido descansar de vez en cuando. Cada seis meses visitaba el único lugar que había considerado su hogar. El único lugar en el que había estado a salvo. El lugar que no se había permitido pisar en cinco años y al que había pensado llevar a la señorita Lucas, donde ella esperaría hasta que Carlyle fuera a buscarla.

Aún estaba a tiempo de reconsiderar su decisión. Sin embargo, aunque no eran las circunstancias que le habrían gustado, no podía dejar escapar semejante oportunidad. La señorita Lucas no parecía sorprenderse por nada y estaba decidida a continuar con su misión. Sin embargo, si se enfrentaba a un peligro real, no continuaría.

Duncan Eads lo ayudaría. Sin pretenderlo. El escocés los había encontrado. En ese instante, los seguía por el camino, aunque no se acercaba demasiado. Sin embargo, pronto le permitiría acercarse más, no lo bastante como para amenazarla, pero sí lo suficiente como para asustarla de modo que estuviera ansiosa por regresar a casa.

El hombre vestido de marrón también los seguía, aunque con menos sutileza, ya que llevaba bien a la vista durante toda la mañana. Era un milagro que Eads no hubiera despachado a la competencia a esas alturas.

Se detuvieron para comer el almuerzo preparado por la señora Bates y dejaron el carruaje bajo las copas de unos pinos y unos robles, en un estrecho valle dominado por un molino. El lugar estaba desierto, ya que el molinero y los trabajadores se habían ido para almorzar. En ese momento, nada se movía salvo la vegetación de las colinas y las flores silvestres que tapizaban el valle de color amarillo, mecidas por la brisa otoñal.

—Los pájaros trinan de todas las formas imaginables en este lugar. —La señorita Lucas le dejó las riendas en las manos y saltó del pescante—. En casa solo escucho el continuo romper de las olas y los graznidos de las gaviotas. —Abrió la portezuela del carruaje y, como si fuera una criada, tomó del brazo a la señora Polley para ayudarla a apearse—. En Savege Park es todavía peor, porque como está encima del acantilado... Señora Polley, tiene que venir a Savege Park un día de estos. Es demasiado grandioso para mi gusto, pero mi hermanastra es una condesa. ¡En serio! Sabía que no se lo iba a creer, por eso no se lo había dicho antes.

La señora Polley le dio unas palmaditas en el brazo.

—Me creería cualquier cosa de usted, señorita. Es un ángel. —Se apeó del carruaje con dificultad, pero de todas formas consiguió fulminarlo con la mirada—. ¿A que sí, señor?

—Ciertamente lo es. —Un ángel en su boca. Un ángel en sus manos.

Miró el camino. Eads aparecería pronto.

—Entre los dos harán que se me suba a la cabeza. —Los hoyuelos aparecieron en sus mejillas, pero no lo miró a la cara.

La señorita Lucas no creía que el cumplido fuera sincero. Mucho mejor así.

La vio conducir a su acompañante a un asiento de piedra ubicado en uno de los muros del molino. El edificio tenía un techo alto y la rueda se movía al ritmo que el riachuelo imponía a su paso por el valle, inundando el lugar con su borboteo. En cuestión de una hora, el molinero volvería y retomaría la molienda del grano recién cosechado que descansaba en el almacén. Wyn conocía muy bien el ritmo de la temporada de la cosecha en esa parte del país, tan bien como conocía el funcionamiento de una pistola y cómo utilizarla para su mayor provecho. De momento, parecía que estaban solos y dicho aislamiento resultaría muy atractivo.

Descorchó la botella que Bates le había dado por la mañana

y se aseguró de que la señorita Lucas lo viera bebiendo. Ginebra blanca, mal destilada, que le quemó la garganta y el estómago vacío. Sin embargo, sirvió a su propósito. En cuestión de minutos, desaparecerían los temblores de sus manos y, en media hora, ella creería lo que debía para hacer que esa farsa fuera un éxito.

Falsedades y mentiras, farsas y subterfugios. El tejido de su vida. Bebió otro trago, y la paz por fin comenzó a correr por sus venas.

Menos mal que su tía abuela murió cuando lo hizo, antes de que averiguara la verdad. Jamás la habría creído. O lo habría hecho y se le habría partido el corazón.

Diantha lo observó a hurtadillas. Estaba acostumbrada a observar a hurtadillas. Dado que su madre la había convencido de que no se hiciera notar entre los amigos de sus padres y era muy consciente de que las otras niñas de su edad se burlaban de ella a sus espaldas, había aprendido a observar y a escuchar sin que la vieran. Con una excepción: Serena siempre la había visto. Su hermanastra, la persona más amable que había conocido, tenía ojos en la nuca. Si algo bueno había aprendido en la vida, fue gracias a Serena. Sin embargo, cuando la encontraba escuchando a hurtadillas, la mirada cariñosa de Serena siempre hacía que se sintiera muy culpable.

Claro que su madre era una pecadora, de modo que ella lo llevaba en la sangre.

Sacó la comida y le sirvió a la señora Polley una rebanada de pan con una loncha de queso mientras miraba con el rabillo del ojo cómo el señor Yale rechazaba la comida en favor de la bebida. No lo culpaba. Ella también había perdido el apetito, aunque sin duda se debía a otro motivo distinto del suyo.

Las mariposas que sentía en el estómago no dejaban de revolotear. Ni siquiera se había distraído parloteando sobre tonterías mientras él manejaba las riendas. Esas manos que parecían tan fuertes habían estado sobre ella. En su cintura. Casi le habían tocado los pechos. Al recordarlo, se quedó sin aliento. Y al recordar su lengua en la boca, se sintió muy acalorada, sobre todo en sus partes más íntimas.

Era una coqueta incorregible.

En ese momento, lo vio recostado en el asiento trasero del carruaje abierto, con la botella en la mano. La observaba con los párpados entornados. Tras esbozar una sonrisa indolente, levantó la botella para saludarla.

Diantha sintió un extraño impulso. No era su sonrisa habitual, no era esa sonrisa torcida que le provocaba el hormigueo en el estómago. Esa sonrisa se lo revolvió.

Echó un vistazo a su alrededor. El caballo castaño pastaba tranquilamente a la sombra, junto a los árboles. Pero *Galahad* tenía la cabeza levantada y las orejas engalladas. Diantha miró de nuevo a su acompañante. En ese momento, tenía los ojos cerrados del todo y la mano apenas si sujetaba la botella. La señora Polley roncaba, apoyada en la capa doblada que ella le había prestado, con *Ramsés* acurrucado a sus pies, también agotado.

Diantha se bajó del banco y se acercó a *Galahad*, pasando junto al carruaje donde dormía el señor Yale. Aunque sabía muy poco de caballos, era evidente que ese animal parecía escuchar algo que lo había alertado. Tal vez se debiera a la presencia de un conejo o a que el molinero había regresado. *Galahad* se volvió para mirarla cuando escuchó que se acercaba, movió las orejas y clavó de nuevo la vista al frente.

—¿Qué pasa? —Diantha cambió de dirección y se dirigió hacia una esquina del molino. La tierra bajo sus pies estaba húmeda, a la sombra de los árboles que se alzaban en el extremo más alejado del edificio—. Debe de ser muy...

Se quedó helada.

Su primera reacción debería haber sido ponerse a gritar. Sus hermanas lo habrían hecho. Habrían reaccionado como correspondía al encontrarse con un malhechor. Sin embargo, Diantha solo podía pensar en que era un hombre enorme. Le sacaba más de una cabeza, y aunque no era gordo, sus brazos, su torso y su cuello eran anchísimos. Incluso la pistola con la que le apuntaba parecía grande.

—Como se le ocurra hablar siquiera —dijo el hombre con voz grave y baja—, le pego un tiro.

Diantha cerró los labios con fuerza. Aunque le temblaban. Todo su cuerpo temblaba. Si el señor Yale la mirase en ese momento, la vería presa de una inmovilidad inusual, como si fuera una estatua, y acudiría en su rescate. Sin embargo, se había dormido por la ingesta de alcohol. Y si aparecía corriendo, el hombre le dispararía, porque sin duda se trataba del escocés de las Highlands, el que era más fuerte que un toro.

Asintió con la cabeza, suplicándole con la mirada que le concediera una oportunidad para hablar.

—Ahora se va a meter en esos árboles. —Señaló con la pistola—. Y se quedará allí hasta que yo le diga que salga.

—No —susurró.

El hombre amartilló la pistola.

El hecho de que no hubiera estado amartillada antes mitigó el miedo que la asaltó al escuchar el sonido metálico. Claro que debería haberse puesto a gritar. Debería echar a correr. Era un desastre como heroína, motivo por el que matarían a su héroe.

—No lo haré —repitió lo más alto que pudo, aunque el miedo le había provocado un nudo en la garganta—. Es el hombre que estaba siguiendo al señor Yale, ¿verdad? ¿El señor Eads?

Esos ojos oscuros la miraron con repentino interés. Tenía la piel bronceada por el sol, y el pelo que se ocultaba bajo el sombrero era largo y negro. Iba afeitado y bien vestido, y salvo por su acento, parecía un inglés educado. Debía de ser algún tipo de caballero.

Esa idea hizo que se relajara un poco.

—No me moveré —dijo con voz trémula.

Desde la linde del bosque llegó el inconfundible sonido de otra pistola al amartillarse.

—Señorita Lucas, hágame el favor de ir al carruaje.

El señor Eads se quedó inmóvil.

—Yale... —Pronunció el apellido con rabia y a modo de amenaza al mismo tiempo.

—Buenos días, Eads. Te haría una reverencia, pero mi puntería no sería la misma. De cualquier modo, si te mueves siquiera, *mein tumhe maar daaloonga.* —Estaba a la sombra de los árboles—. Pero preferiría no dispararte delante de una dama. Señorita Lucas, ¿sería tan amable?

—No. ¿Ha hablado en escocés? ¿Qué acaba de decir?

—Muchacha —dijo el gigante—, dile que suelte la pistola ahora mismo.

—No. Sus intenciones hacia él son malas y no permitiré que las lleve a cabo.

—Intenciones malas que él se ha buscado. —Parecía muy convencido. Diantha sintió que se le subía el corazón a la garganta—. Ahora dile que deje la pistola en el suelo.

Ella se devanó los sesos en busca de algo que decir.

—En fin, ¿quién no se ha buscado una racha de mala suerte alguna vez en esta vida?

—Eads, baja la pistola y desamartíllala. Con cuidado. —El señor Yale había bajado la voz.

—Le has dicho mi nombre. —El señor Eads la miraba con sus ojos oscuros—. Me da en la nariz que no permitirás que sufra daño alguno.

—Ah, la montaña se ha parado a pensar. Debo admitir que es una sorpresa.

—¿Crees que el Cuervo es el único capaz de pensar en mitad de la acción?

—¿El Cuervo?

—Señorita Lucas, si se aleja del hombre que la apunta con una pistola, la situación será muchísimo más sencilla. —El señor Yale habló con una voz tan serena que Diantha supo que no podía estar borracho. La brisa agitaba el bajo de su chaqueta y el mechón de pelo negro que le caía por la frente, pero la mano que empuñaba la pistola con la que apuntaba al escocés no temblaba.

No podía permitir lo que estaba sucediendo.

—Señor Eads, ¿tiene nombre? —soltó sin pensar.

El aludido frunció el ceño.

—Me refiero a un nombre de pila —se explicó—. Para que pueda hablarle como si fuera un amigo, más o menos.

Él siguió mirándola sin pestañear.

—¿Qué es esto, Yale? ¿Qué truquito te traes entre manos?

—No se puede decir que sea un truco. Ella es así. Se hace amiga de la gente. —Parecía muy tranquilo—. Es uno de sus muchos encantos.

Diantha no apartó la vista del gigante.

—Tengo la impresión de que el señor Yale está siendo sarcástico, pero...

—No es así.

—Pero me gustaría conocer el nombre de pila del hombre que me va a matar. Porque, verá, señor Eads, no voy a permitir que lo mate.

El hombre le miró el vestido y, después, el peinado.

—¿Ni siquiera para salvar tu vida?

—Claro que no. ¿Qué valdría mi vida si permitiera que otra persona muriese para que yo pudiera vivir? Además, ahora mismo lo necesito. Verá, hace cuatro años mi madre huyó de casa, abandonándome con mi hermana menor para irse a vivir a un burdel. —Un burdel del que, se dio cuenta de repente, no quería sacarla—. Estoy... estoy decidida a... a encontrarla. —Se le había desbocado el corazón. Eso era lo que quería, al fin y al cabo, ver a su madre y hablar con ella. Pero no quería, ni mucho menos, retomar la miserable vida que había llevado con ella. De alguna manera, al enfrentarse a la posibilidad de morir en ese momento, sumergida en el reluciente halo de una aventura tan peligrosa como deliciosa, lo tuvo muy claro—. Pese a las objeciones de mi padrastro, me he puesto en camino para encontrarla —continuó, con algo menos de convicción—. Pero, al no estar familiarizada con esta ruta, necesito ayuda, y el señor Yale se ha comprometido a prestármela. Así que, como ve... —Se percató de que su voz cobraba fuerza a medida que hablaba—. Como ve, si lo mata, me veré abandonada, por no mencionar que me encontraré en una situación desesperada, ya que solo tengo dos semanas para encontrar a mi madre antes de que mi familia descubra mi desaparición y me obligue a volver a casa, tal vez para encerrarme durante el resto de mi vida por haber cometido un acto tan escandaloso. De cualquier modo, tengo que continuar. De ahí que el señor Yale y usted tengan que solucionar sus diferencias de otro modo. Vamos, que no pueden matarse. —Miró a su compañero de viaje antes de volver a concentrarse en el gigante—. ¿Me han entendido los dos?

Para su más absoluto asombro, el señor Eads bajó la pistola. Se escuchó un chasquido metálico cuando la desamartilló. Diantha no se atrevía ni a respirar.

—Muy listo. —El señor Yale echó a andar sin dejar de apuntar al pecho del escocés.

El señor Eads tenía los dientes muy apretados cuando lo miró de reojo.

—Maldito seas, Yale.

—Hace mucho que estoy maldito, amigo mío.

Diantha miró a uno y a otro. En los ojos de ambos hombres había una expresión letal.

—No puede dispararle —se apresuró a decir ella.

—Gracias, señorita Lucas. Pero si tuviera la amabilidad de...

Se escuchó un chillido femenino, seguido de un crujido, de un golpe seco y de una serie de ladridos, antes de que se oyera a un hombre gritar:

—¡Por Dios!

A continuación, todo pareció suceder de golpe. *Ramsés* rodeó el edificio a la carrera, ladrando como un loco. El señor Yale golpeó al señor Eads en la muñeca con la culata de la pistola. El escocés gritó, soltó el arma y le lanzó al señor Yale un puñetazo a la cara. Un puñetazo que no consiguió impactar en su objetivo, si bien la culata de la pistola del señor Yale sí lo golpeó en la frente. *Ramsés* mordió la bota del escocés entre gruñidos. El señor Eads se llevó una mano a la frente al tiempo que salía de su boca una retahíla de palabras incomprensibles, y el perro le soltó el tobillo para retroceder con actitud recelosa.

—Ni se te ocurra hacerlo de nuevo. —El señor Yale cogió el arma del suelo—. ¿Tienes más armas?

—Pues claro. —El señor Eads frunció el ceño mientras se presionaba la pequeña brecha que tenía en la frente—. Pero no voy a sacarlas. Solo te he pegado porque tú me has dado antes.

—Deberías haber tirado la pistola cuando te lo dije.

Los gemidos del patio alcanzaron proporciones épicas. Las imprecaciones de la señora Polley no cesaban. Diantha echó a andar hacia el lugar, pero después echó la vista atrás. Se quedó sin aliento. Su compañero de viaje tenía el cañón de su pistola contra la frente del señor Eads.

—Quiero tu palabra, Duncan.

«¿Duncan?», se preguntó ella.

El escocés encogió sus anchísimos hombros.

—Maldita sea, Yale. —Lo fulminó con la mirada—. La tienes.

El señor Yale bajó el arma.

—Y ya me enteraré de por qué me la has dado, en cuanto acabe con los problemas que me esperan. —Tiró la pistola del otro hombre al suelo, a sus pies, como si no fuera importante—. Vete o ayúdame, haz lo que quieras. Pero no te alejes mucho, porque de lo contrario tendrás un destino mucho peor que el de Calcuta.

Diantha lo miró boquiabierta. Cuando llegó junto a ella, se percató de su expresión y cerró la boca.

—¿Le va a devolver la pistola? ¿Y lo conoce? ¿Sabe cuál es su nombre de pila?

—Y su cumpleaños, así como la mermelada preferida de su madre. Ahora, señorita Lucas, si fuera tan amable de obedecer de una vez mis órdenes, colóquese detrás de mí y sígame. Tal parece que su dama de compañía ha atacado a un hombre.

Diantha lo obedeció, más que nada porque le parecía ridículo desafiar a un hombre que había vencido a alguien del tamaño del señor Eads con tanta facilidad, pero también porque se sentía muy alterada y seguirlo hacía que se sintiera más segura. Él hacía que se sintiera segura, pese a la presencia del escocés que en ese momento estaba recogiendo la pistola tras ellos y pese al hombre que gemía en el patio. Al mismo tiempo, sin embargo, le resultaba evidente que él era la causa de sus temblores.

—Todo esto es un poco inusual para mí —susurró—. Naturalmente.

—Es de suponer, pero ya se ha acabado. —El señor Yale se detuvo y la miró—. Gracias por la ayuda.

El señor Yale no quería darle las gracias. Se percató de ese hecho por la mirada de sus ojos plateados, que parecían colarse en su interior y llegar hasta el lugar donde temblaba por una emoción que era terrible y maravillosa a la vez. Su mirada consiguió acentuar el temblor.

—¿Y?

Lo vio fruncir el ceño.

—No tiene por qué preocuparse más —añadió él.

—¿El señor Eads no volverá a amenazarme o no volverá a amenazarlo a usted?

—Aunque lo hiciera, sospecho que usted se mantendría firme.

Por un instante, Diantha tuvo la sensación de que él quería sonreír, pero sus ojos estaban velados.

—¿Por qué ha fingido estar borracho?

—Se equivoca. No he fingido. —El señor Yale se dio la vuelta y rodeó el edificio.

La señora Polley se encontraba de pie junto a un hombre tendido en el suelo. Ambos estaban rodeados por trozos de vajilla rota y pedazos de queso que se asemejaban a copos de nieve. La cara del hombre estaba demudada por el dolor. Al ver al señor Yale, el hombre gimió de nuevo.

—Mire usted, señor —le dijo la señora Polley al señor Yale—, si este era el hombre que nos seguía y que tanto le preocupaba, no es más que un cobarde.

—Tal vez carezca de un valor tan arrojado como el suyo, señora. —El señor Yale se arrodilló junto al hombro del desconocido—. Parece que su persecución lo ha llevado a un mal lugar hoy, señor.

—¿Quién es esta arpía? —El desconocido apretó los dientes. Tenía la pierna izquierda doblada por debajo de la otra en un ángulo que a Diantha le revolvió el estómago.

—Vamos, vamos. Esa no es forma de hablar de un miembro del sexo débil.

—Ella... —El hombre apretó los dientes—. Ella me dijo que era usted muy listo, hijo de p...

—Hay damas presentes, amigo mío. —El señor Yale chasqueó la lengua—. Cuide sus modales. Ahora, dígame, ¿a quién se refiere con ese «ella»?

El hombre cerró los ojos con la boca torcida.

El señor Yale asintió con la cabeza.

—Entiendo. Seguramente sea usted muy listo. En su lugar, yo tampoco revelaría quién soy ni qué me propongo al seguirnos hasta aquí.

—¿Qué va a hacer con él? —quiso saber Diantha—. Es evidente que le duele mucho.

—Por el chichón y por la pierna rota, no me cabe duda. —El señor Yale miró a la señora Polley—. Se ha superado, señora.

—Nunca se me ha acercado un hombre a hurtadillas sin sufrir las consecuencias —replicó ella, indignada, empuñando el asa de una taza.

—¿Se le han acercado muchos hombres a hurtadillas?

—En mis tiempos mozos no era un adefesio. Algunos de los supuestos caballeros que frecuentaban la casa de mi señora no sabían dónde poner las manos. —Le lanzó una mirada elocuente antes de clavar dicha mirada en Diantha.

Ella no le prestó atención.

—¿Qué va a hacer con él?

El señor Yale miró el camino.

—No puedo hacer mucho, la verdad. ¿Tendría la amabilidad de traer la botella de ginebra del carruaje y de dársela?

El hombre los miró con los ojos desorbitados.

—No irá a matarme, ¿verdad?

El señor Yale enarcó las cejas.

—Por supuesto que no. ¿A qué clase de persona cree que está siguiendo?

Sin embargo, un momento antes había amenazado de muerte al señor Eads. ¿O no? El corazón de Diantha no conseguía tranquilizarse. Resultaba evidente que él no era lo que aparentaba ser, pero no terminaba de saber qué era real y qué no. En un abrir y cerrar de ojos, su viaje había pasado de ser imprudente a ser muy peligroso.

—El molinero, que ya vuelve al trabajo después de comer, le enderezará la pierna —dijo el señor Yale—. Y estoy seguro de que le conviene beber antes de que eso suceda. —Miró a Diantha—. ¿La botella?

Diantha lo obedeció al punto y al mirar por encima del hombro, lo vio acercándose al molinero, un hombre de aspecto mayor, bajito, de pelo oscuro y piel arrugada, al que seguían dos hombres más jóvenes, todos ataviados con ropa tosca. El señor Eads había desaparecido. Regresó junto al herido mientras el señor Yale y los demás se acercaban por el camino. El molinero y el señor Yale estaban hablando en voz baja, pero ella no consiguió entender una sola palabra. El idioma que le llegaba era muy peculiar, con un acento cantarín, pero también algo rudo, con extrañas vocales y consonantes secas.

El señor Yale se detuvo junto al hombre vestido de marrón y volvió a arrodillarse mientras acariciaba a *Ramsés* entre las orejas, ya que tenía al perro pegado al muslo. En esa postura, los pantalones se le ceñían a los músculos. Diantha se percató con cierta agitación de que nunca había reparado en los muslos de un hombre hasta ese momento. Era un día, o eso le pareció, de descubrimientos desconcertantes.

—Le presento al señor Argall —le dijo el señor Yale al hombre de marrón al tiempo que hacía un gesto hacia el molinero, que tenía una expresión seria en la cara—. Sus hijos y él le enderezarán la pierna y luego lo llevarán a su casa, donde la señora Argall lo cuidará hasta que pueda subir a un carromato que lo lleve a la casa de postas más cercana. No tiene que preocuparse por compensar a sus anfitriones, ya me he encargado de eso. No... —Levantó una mano, aunque el hombre ni siquiera había movido los labios—. No tiene que darme las gracias. Solo tiene que ser un huésped considerado, le conviene. Los galeses son muy generosos con su hospitalidad, pero no aceptan de buen grado la ingratitud. —Hizo una pausa y bajó la voz antes de continuar—: De la misma manera que yo no acepto de buen grado que me sigan. Le ruego, señor, que lo tenga muy en cuenta cuando vuelva a tenerse en pie. —Tras esas palabras, se enderezó, habló de nuevo con el señor Argall, después le dio la mano al molinero y se acercó a Diantha—. Señorita Lucas —dijo en voz baja al tiempo que la cogía del codo y la alejaba de la escena de vajilla y huesos rotos, instándola a caminar hacia *Galahad*—, ¿tendría la amabilidad de distraer a la señora Polley preparando nuestra marcha mientras yo charlo con nuestro amigo escocés en privado? Se ha alejado por el camino para evitar que lo vean, algo que sin duda es mejor para todos.

—Lo haré, siempre y cuando usted no le dispare y él no le dispare a usted.

—No lo haré. Y él no lo hará. No ahora. Se lo prometo. —La soltó y montó en su caballo—. Tardaré un minuto y luego nos pondremos en marcha.

Ella acarició el sedoso cuello de *Galahad*.

—El molinero lo miraba como si lo conociera. ¿Lo conoce usted? —le preguntó Diantha.

121

—Los galeses son gente extraña, señorita Lucas. No se debe tener en cuenta sus peculiaridades.

—¿Cómo es que conoce el idioma? ¿Ha vivido aquí?

—Durante los primeros dieciocho años de mi vida.

Era galés. Desconocía por qué ese hecho le resultaba tan sorprendente, pero nunca se lo había imaginado viviendo en un lugar que no fuera Londres. El señor Yale siempre estaba elegante, y era caballeroso y refinado, tanto en sus modales como en su habla. Sin embargo, ya lo había visto sin afeitar y con los ojos brillantes por la furia. Y cuando la besó, no tuvo la sensación de ser una dama besada por un caballero. Tuvo la sensación de ser una mujer deseada por un hombre.

Tenía que averiguar más cosas sobre él. Era una necesidad que surgía de un lugar muy profundo de su ser y que no entendía.

—¿Está familiarizado con esta zona? ¿Su familia es de por aquí?

—La casa de mi padre está mucho más al norte y al oeste, en la costa de Gwynedd.

—¿Por qué estamos en Gales, señor Yale?

—Porque el camino nos ha traído hasta aquí, señorita Lucas. —Azuzó a *Galahad* y enfiló el camino que se dirigía al bosque.

No le estaba contando toda la verdad, pensó Diantha. Dadas las circunstancias, no debería confiar en él. Sin embargo, el vacío de sus ojos grises la intrigaba más que todas sus preocupaciones. No era el mismo hombre al que había visto en tres ocasiones en Savege Park, como tampoco era el mismo hombre al que había encontrado hacía dos días en el carruaje del servicio de correos de Su Majestad. Pasaba algo muy malo.

11

—Estás borracho, Wyn.

—Lo estoy, Duncan.

Llevó a *Galahad* hasta la sombra de un pinar y desmontó. El musculoso ruano que estaba atado a una rama cercana levantó la cabeza. Wyn se volvió hacia el escocés, que se encontraba sentado en el suelo y con la espalda apoyada en el tronco de un árbol. En comparación con él, dicho tronco parecía pequeño. Eads era capaz de matar a un hombre con las manos, sin necesidad de usar una pistola. Sin embargo, ya se habían enfrentado a puñetazos en otra ocasión. Wyn conocía los puntos débiles del escocés. Si bien eran poquísimos. Además, él estaba mucho más borracho de lo que había pretendido.

Porque en realidad su plan no era emborracharse. Solo fingirlo. Permitir que Eads se acercara lo bastante como para asustar a la señorita Lucas, pero no tanto como para que resultara peligroso. Sin embargo, Eads la había amenazado de verdad. La historia se repetía. Orgullo. Arrogancia. Una botella. Una mujer en peligro.

—Podría matarte ahora. —Eads parecía relajado, pero sus ojos estaban alerta—. No soy tan rápido como tú, pero el alcohol seguro que ha afectado tus reflejos.

—Myles debe de haberte prometido una fortuna a cambio de mi cabeza. Supongo que la quiere unida al cuerpo, ¿no?

La montaña lo miró con los ojos entrecerrados, pero no contestó.

—No pretendía enfurecerlo, ¿sabes? Solo necesitaba devolver a una joven a su hogar. —Una joven a la que Myles había apartado de su familia sin permiso. Una joven a quien él tenía que salvar por órdenes del director anónimo del Club Falcon. Dicho director no sabía, por supuesto, que en el pasado Wyn había trabajado para Myles. Para Myles y para... otros.

—Mientes.

—No sabes con qué frecuencia lo hago. —Wyn clavó la mirada en el cuello de *Galahad,* allí donde una joven de increíbles ojos azules había colocado su mano hacía apenas unos minutos mientras buscaba respuestas que él no podía darle. Se le nubló la vista.

Eads se puso en pie. Apenas era unos centímetros más alto que Wyn, pero su corpulencia lo hacía parecer mucho más alto.

—No soporto a los mentirosos.

—¡Ah, pero has dado tu palabra! —Wyn apoyó la frente en el cuello del caballo. La ginebra le había entumecido el cuerpo—. Y mis reflejos están... —Amartilló la pistola que tenía bajo el brazo, cuyo cañón apuntaba directamente al pecho del escocés—. Están bien.

Eads silbó entre dientes.

—¿Cómo es posible que seas tan rápido? ¿Eres un demonio acaso?

—Ten cuidado, Duncan. Comienzas a demostrar las supersticiones de tus antepasados.

—Y tú eres el hombre sin antepasados, ¿no? O eso afirmas.

—¿Por qué bajaste el arma después de que ella te contara su historia? —Apartó el cañón de la pistola.

—Borracho eres impredecible. Sobrio, jamás me harías daño; pero ahora mismo no dudarías en hacérmelo si te ataco. O si la amenazo a ella. Me da que esa muchacha significa algo para ti.

—Duncan, amigo mío, no pienses tanto. Sabes que eso me agota.

—Wyn, eres un imbécil engreído.

—Es posible. —Cerró los ojos. El paisaje y el hombre que tenía delante comenzaban a fundirse, al igual que había sucedido junto al molino, cuando se acercó al asesino que amenazaba a una dama que poseía el corazón de un héroe. En ese momento, el miedo se había apoderado de él por completo, corriéndole por las venas—. Dime por qué o te disparo ahora mismo. Te dispararé en una rodilla para que pases un mes en el establo del señor Argall, donde pasarás el tiempo con ese tipo de la mollera débil. —Se apoyó en su caballo. La estabilidad del animal era lo único sólido que había en su vida—. Pobre tipo.

—¿Quién es?

Wyn abrió los ojos, si bien le pesaban los párpados. Tenía la boca y la lengua secas. Necesitaba agua, pero quería brandy.

—No tengo ni la más remota idea. ¿Tú lo conoces?

—No voy a permitir que te capture. Eres mío, Yale.

—Me halagas. Por eso mismo me resulta increíblemente curioso que le hayas prometido a la dama no hacerme daño. Hazme el favor de satisfacer mi curiosidad y dime por qué me has concedido semejante bendición.

«Semejante bendición», repitió para sus adentros. Comenzaba a hablar como ella. Dentro de poco estaría cantando canciones sobre caballeros y doncellas correteando por los bosques. O no.

—Por mi hermana.

—¿Qué hermana? —Por un instante, vio claramente el rostro del escocés—. Ah, una hermana que escogió el mal camino, de la misma forma que lo hizo la madre de la dama de la que hablábamos, supongo.

El escocés apretó los dientes. Wyn sintió un atisbo de compasión en lo más hondo de su ser, en un lugar tan profundo que apenas fue un eco.

—Entiendo. —Desamartilló la pistola y la devolvió a la alforja—. Me gustaría que siguiera pensando en ti como en una amenaza para mí.

—Sigo siendo una amenaza para ti.

—Una amenaza para mí mientras ella siga a mi lado. Y una amenaza para ella.

Eads lo miró con expresión asesina.

—Wyn, estás jugando con fuego en lo que respecta a esta muchacha.

—Por desgracia, mis juegos no me han llevado tan lejos como imaginas, Duncan. Pero le has dado tu palabra y espero tu cooperación.

—Estaré ahí al final.

—Eso espero. En cuanto se la haya devuelto sana y salva a su familia, podrás hacer conmigo lo que quieras. Pero... —Volvió la cabeza hacia el hombre que lo había obligado a cruzar Bengala de un extremo a otro. Aunque buscaba a un escocés rebelde, descubrió a un hombre inmerso en un gran dolor y furioso como una cobra por haber sido encontrado—. Pero te agradecería mucho que me permitieras llevar a cabo una última tarea antes de entregarme.

—No tengo por qué hacerlo.

Wyn colocó un pie en el estribo.

—No entiendo por qué sigues trabajando para Myles cuando tienes una propiedad en Escocia que puedes reclamar, ¡por Dios, si tienes incluso un título! —Se subió a la silla, y fue consciente de la hipocresía de sus palabras pese a la embriaguez—. Pero si de verdad no puedes esperar tanto para matarme, solo te pediré una cosa.

El escocés lo miró con los ojos entrecerrados.

Wyn tragó saliva en un intento por aliviar el desierto en el que se había convertido su boca.

—Duncan, si tienes que matarme —dijo despacio para que el escocés lo entendiera bien—, no me lo pongas fácil. Alarga el momento todo lo posible, ¿de acuerdo? —Se volvió, presionó los flancos de *Galahad* con las rodillas y lo instó a abandonar la sombra del pinar para salir a la luz de la tarde.

Se dirigió hacia el molino en el que había trabajado cuando era solo un muchacho, durante una cosecha.

El señor Argall no lo había reconocido. Ya no se parecía a aquel muchacho que había cargado sacos de grano y de harina hora tras hora, semana tras semana, ganando fuerza en los brazos, una comida caliente y unas cuantas monedas. Un muchacho que estaba enfadado. Que había huido de casa. Pero que aún no había matado a sangre fría.

Diantha los había salvado a los dos. En vez de acobardarse y suplicarle que la llevara de vuelta a casa, se había enfrentado al peligro haciendo alarde de una apasionada sinceridad. Al desnudar su corazón ante el hombre que la amenazaba con una pistola, había demostrado una valentía que Wyn jamás había poseído. Le había suplicado a Eads que no lo matara para poder salvar a otra persona. Con la certeza de que iba a ayudarla en su misión.

Clavó la mirada al frente, en un punto situado entre las orejas de su caballo, donde aguardaba el carruaje en el camino. Los rizos castaños que se escapaban por debajo de su bonete brillaban a la luz del sol que se filtraba entre las nubes.

En el pasado, hubo otra joven que confió en él. Chloe Martin, la aterrada pupila del duque de Yarmouth; le contó su historia y él prometió ayudarla. Al igual que acababa de suceder un rato antes, aquel día confió en sus extraordinarias habilidades. En su inteligencia y en sus reflejos. Y por un trágico accidente, en vez de salvar a Chloe, acabó matándola.

No ayudaría a Diantha Lucas. Había depositado su fe en el hombre equivocado.

Tras recorrer dieciséis kilómetros por el camino que continuaba hacia el sur, atravesando unos montes que los ingleses habían denominado «Shropshire» durante siglos y que los galeses consideraban como suyos, llegaron al modesto pueblo de Knighton y enfilaron su empinada calle principal. Wyn encontró alojamiento para las damas en una posada muy limpia, ordenó que les sirvieran la cena en un comedor privado y se encargó de que los caballos descansaran en cuadras cuya paja estuviera seca. Una vez que las damas le desearon las buenas noches, la más joven con el ceño fruncido y la mayor con recelo, y subieron a su habitación, Wyn se marchó a la taberna.

Diantha sabía que no debería estar donde estaba ni tampoco debería pensar en lo que estaba pensando.

En teoría, mientras yacía en vela junto a la señora Polley, que no paraba de roncar, le había parecido un plan razonable. Llamar a la puerta del señor Yale, exigir que respondiera sus preguntas sobre el señor Eads y el hombre vestido de marrón, y después volver a la cama para conciliar el sueño de una vez por todas. No era un plan en el sentido estricto de la palabra, pero le parecía el único remedio para calmar sus nervios. Debía entender a fondo lo que había pasado. Debía entenderlo a él. Porque con datos objetivos, una mujer era capaz de planear cualquier cosa.

Levantó un puño para llamar a la puerta y respiró hondo. Después volvió a respirar. Luego cerró los ojos y...

—Impresionante, señorita Lucas.

Se volvió al punto. El señor Yale se encontraba en el otro extremo del corto pasillo, tras acabar de subir la escalera. La lámpara situada en dicha escalera lo iluminaba desde abajo, dejando sus ojos en penumbra y resaltando sus pómulos. Había cruzado los brazos por delante del pecho y tenía un hombro apoyado en la pared.

Diantha soltó el aire despacio.

—Ah, ahí está.

—Me preguntaba cuánto tiempo más iba a pasar ahí delante hasta que encontrara el valor de llamar a la puerta. O el buen tino de regresar a su dormitorio sin llamar. —Su voz le resultó desconocida, muy lenta. Carente de emoción. Como sus ojos lo habían estado junto al molino—. No tanto como me había imaginado.

Diantha pensó que debería acercarse a él a fin de mantener una conversación en un tono ligero como acostumbraba a hacer. Le fue imposible. La inquietante inmovilidad del señor Yale pareció pegarle los pies al suelo.

—Quería hablar con usted sobre lo que ha pasado hoy.

—Y supongo que no podía esperar hasta el desayuno, ¿verdad? —Tampoco había calidez en su voz. Esa calidez que siempre detectaba bajo sus bromas.

—La señora Polley nos acompañará durante el desayuno. Creía que quería usted mantenerla en la ignorancia sobre su encuentro con el señor Eads. ¿Lo entendí mal?

El señor Yale se acercó a ella con movimientos muy deliberados. Diantha sintió un ramalazo de miedo en la espalda. Si bien no entendía por qué la asustaba de repente, a menos que se debiera al brillo acerado de sus ojos en la penumbra del pasillo o al olor a tabaco y whisky que lo acompañaba. Sin embargo, estaba acostumbrada a dicho olor tras haber asistido a numerosas fiestas en Savege Park. De modo que el miedo debía de proceder del incidente con pistolas que había presenciado ese mismo día.

No. No se trataba de las pistolas. Eran sus ojos. La ausencia de luz. Le provocaban una sensación gélida y abrasadora al mismo tiempo... gélida por el miedo y abrasadora por... no sabía por qué.

—Me entendió perfectamente. En ese aspecto. —Se detuvo cerca de ella.

Diantha retrocedió un paso sin apenas ser consciente de lo que hacía. Sus talones chocaron contra la puerta.

—Pero, señorita Lucas, parece que en otros aspectos no me entiende en absoluto. —Esos ojos acerados descendieron hasta sus labios, si bien lo hicieron ocultos por las pestañas. Por un instante, pareció que estaba examinando sus labios. Después, hizo lo mismo con sus pechos—. Parece que me entiende fatal. —Extendió un brazo y colocó la palma en la pared, junto a su cabeza.

—Yo... —Diantha tomó una pequeña bocanada de aire, pero el gesto hizo que sus pechos se elevaran... Mientras él seguía mirándolos. Él. El señor Yale. Su héroe caballeroso. El héroe que le había introducido la lengua en la boca esa misma mañana—. Yo... —Su propia lengua parecía haber olvidado el propósito de su existencia, distraída por el recuerdo de su roce.

El señor Yale se acercó más a ella, inclinó la cabeza y el olor del whisky, sumado a su alta e intimidante presencia, la abrumó.

—Debería irse a su habitación ahora mismo —le dijo él con voz ronca.

—Quiero que me bese otra vez. —Estuvo a punto de atragantarse con las palabras mientras las pronunciaba de forma atropellada—. O mejor dicho, quiero que me bese más. —No había querido decir eso. No lo había planeado. Pero era cierto. Lo había deseado desde que lo vio salir esa mañana del establo de los Bates, pero él le había dicho que jamás debía pedírselo de nuevo. Sin embargo, en ese momento se estaba aprovechando de su ingesta de alcohol. De su gran ingesta de alcohol, si no iba desencaminada.

El señor Yale volvió a mirarla a la cara, pero en realidad sus ojos no la veían e insistían en detenerse en cualquier otro sitio pese a estar a escasos centímetros de distancia.

Antes siquiera de ver su movimiento, el señor Yale la aferró por una muñeca. Diantha jadeó. Sintió que le clavaba los dedos con fuerza.

—¿Ah, sí? Me pregunto por qué no me sorprende lo que acaba de decir.

—Señor Yale —susurró ella en voz baja, jadeando en la corta distancia que los separaba—, me está haciendo daño.

—Señorita Lucas, el placer y el dolor van unidos. —Sus ojos le parecían distantes y fríos—. ¿Nadie se lo ha dicho? —Ladeó la cabeza.

Diantha deseó en parte poder huir, pero por otra parte deseaba ponerse de puntillas y besar esos labios que tenía tan cerca.

—¿Está muy borracho?

Los ojos del señor Yale recorrieron su cara y, por un instante, Diantha atisbó cierto brillo en ellos.

—Como una cuba.

La besó en los labios.

Pero no como la había besado esa mañana en el establo. No empezó despacio y con suavidad. Fue un beso en toda regla. Sus labios reclamaron los suyos y le exigieron una respuesta equivalente. No podía negar que ansiaba que la besara de esa forma. Sus labios no podían negarlo. De modo que lo besó con la misma voracidad que demostraba él. Sentirlo tan cerca avivó su ansia, y cada encuentro despertaba más el deseo. Su sabor, a whisky y a tabaco, la transportó a otro mundo. Un mundo de hombres, pistolas, honor y peligro. Su entrada a dicho mundo le provocó una repentina debilidad. Porque era el mundo del señor Yale. La estaba besando cuando tenía muy claro que no quería hacerlo. Sin embargo, lo estaba haciendo. ¿Porque estaba borracho, quizá?

La respuesta carecía de importancia. Le daba igual estar en mitad del pasillo de una posada, apoyada en la puerta del dormitorio de un hombre al que le estaba permitiendo que la besara, aun cuando una dama no debería permitírselo. Lo deseaba.

El señor Yale le colocó una mano en la cara, enterrando los dedos en el nacimiento del pelo de la sien y sosteniéndola con fuerza, y después hizo lo mismo con la otra. La acercó a él y capturó su boca una y otra vez con una sucesión de besos cada vez más apasionados. La punta de su lengua le acarició los labios, recorriéndolos de un lado a otro, un gesto que a Diantha la dejó sin aliento. Acto seguido, le introdujo la lengua en la boca y ella se derritió.

Era como morirse y resucitar al mismo tiempo. Algo perfecto y sublime. Una deliciosa sensación que parecía envolverla. Porque la sentía en los labios, en los pechos, en el vientre y entre los muslos. Se le escapó un gemido sin ser consciente de ello, un suspiro que voló de sus labios a los del señor Yale.

—¡Oh, sí!

Él se apartó y se llevó una mano a la cara. Respiraba de forma entrecortada, como ella. Lo vio presionarse los ojos con los dedos y después pellizcarse el puente de la nariz, tras lo cual meneó la cabeza.

—No —lo oyó murmurar—. Dios, no. —Se dio media vuelta y regresó a trompicones a la escalera.

Diantha se tocó los labios, que estaban húmedos y muy calientes. El corazón le latía desbocado.

—¿Por qué se ha detenido?

El señor Yale se volvió para mirarla, apoyando una mano en la pared. ¿Para mantener el equilibrio?, se preguntó ella. La invadió una nueva oleada de miedo que se mezcló con el placer.

El señor Yale regresó a su lado con tres zancadas, impidiéndole pensar y planear antes de que estuviera junto a ella. Tras aferrarla por un brazo, asió el pomo de la puerta que tenía a la espalda.

—Señorita Lucas, ¿quiere saber lo que le hace un hombre a una muchacha bonita que le suplica de forma insistente que la bese? —preguntó con voz desagradable.

—No. —Diantha apenas podía respirar—. Sí... —añadió, susurrando.

El señor Yale la instó a entrar en su dormitorio y le rodeó la cintura con las manos. Ella se apoyó en su torso. Tras aferrarla con poca delicadeza por la barbilla, le atrapó la cara y la obligó a echar la cabeza hacia atrás. Sus ojos eran muy oscuros y no parecía estar disfrutando del momento.

Cuando inclinó la cabeza y la besó, Diantha se convirtió en la mujer indecente y promiscua que había engendrado su madre, porque ansiaba sentir sus labios y su lengua. Porque ansiaba introducirle la lengua en la boca a ese hombre, embriagada como estaba por su cercanía. Era todo músculo y fuerza, como jamás había imaginado. Sus brazos parecían de hierro; sus manos, todopoderosas; su pecho y sus muslos, increíblemente musculosos. Era demasiado débil como para oponerse a su asalto, si bien tampoco pensaba hacerlo. Le clavó los dedos en los brazos y recibió sus besos con ansia. El roce de su lengua avivó el deseo que la invadía, instándola a presionar los pechos contra su torso. Su piel y sus curvas parecían vibrar por el deseo de sentirlo todavía más cerca. Ansiaba más besos. Ansiaba sentirlo todavía más.

La mano que aún seguía en su cintura la aferró con fuerza mientras que la otra se apartó de su cara para descender por su cuello y continuar hacia el hombro. Sin interrumpir el beso, Diantha jadeó al sentir que extendía los dedos sobre su clavícula.

—Esto es lo que hace —le susurró él contra los labios. Colocó la mano sobre un pecho—. La toca como no debería tocarla.

Diantha se esforzó por respirar, tomando el aire de forma entrecortada. No estaba preparada para eso. Ni siquiera lo había imaginado. Era muy inocente. ¿Cómo era posible que esa mano sobre su pecho le provocara semejantes sensaciones, como si quisiera reír y llorar al mismo tiempo, como si quisiera sentir el roce de su lengua otra vez por encima de todas las cosas? En ese instante, fue consciente del palpitante anhelo que apareció entre sus muslos. Se aferró con fuerza a sus brazos y apoyó la cabeza en la puerta, intentando respirar a duras penas mientras él la acariciaba. Su dedo pulgar pasó por encima de su pezón, sin apartar la tela. Se echó a temblar. Su piel se estremeció, como si la recorriera un escalofrío. Era casi demasiado. Casi. No entendía qué le estaba pasando, pero lo deseaba porque era maravilloso. Aunque debía de estar mal desearlo.

Levantó una mano para cubrir la del señor Yale.

—Señor Yale... —logró susurrar—, no debe...

Él introdujo el pulgar bajo el escote. Diantha gimió. Después capturó sus labios y siguió acariciándola, sin que ella protestara.

En cambio, Diantha se estremeció y se dijo que eso era lo correcto, porque no podía detenerlo. Era demasiado fuerte y carecía de la fuerza de voluntad necesaria para ponerle fin.

El señor Yale presionó su cuerpo contra la puerta usando el suyo, atrapando su mano bajo la ropa, directamente sobre su piel. Entre sus brazos, Diantha se sentía muy débil. Su tamaño y sus caricias le provocaban algo más que simple placer. Deslizó las manos hasta sus hombros y le rodeó el cuello con los brazos, deleitándose con el roce del lino y después con el roce de su piel. Esa piel ardiente y maravillosamente masculina. Con el roce de su pelo. El señor Yale interrumpió el beso y trasladó los labios a su cuello mientras ella enterraba los dedos en ese pelo tan sedoso.

—¡Oooh! —exclamó.

Nada podía igualarse a ese momento. Nada la había preparado para lo que se sentía al acariciar a un hombre. Para lo que se sentía cuando un hombre la acariciaba. Nada podía ser mejor que eso, ni tan maravilloso.

El señor Yale agarró la tela de su vestido y le dio un tirón, desnudando sus pechos. Diantha descubrió en ese momento que, efectivamente, aún quedaban cosas mejores.

Siempre había odiado sus pechos, eran demasiado grandes y un poco caídos. Además, tenía barriga. Sin embargo, y aunque la barriga había desaparecido, sus pechos seguían siendo grandes y tenían unas estrías horribles en ambos lados. Siempre se había consolado pensando que jamás los vería nadie.

Sin embargo, el señor Yale podía verlos, aunque no parecía interesado en echarles un vistazo.

Estaba muy ocupado tocándolos. Los tocó sin permitirle que se apartara de la puerta, mientras seguía besándola en el cuello. Los acarició e hizo algo maravilloso con sus pezones, tan maravilloso que ella creyó morir de placer. Se escuchó gemir de vez en cuando, pero fue incapaz de detenerse. Sus manos lo aferraban por la nuca, instándolo a que siguiera besándole el cuello porque lo que se sentía era delicioso. Pero también quería que la besara de nuevo en los labios.

Y la besó. Pero no en los labios.

El señor Yale le atrapó las manos, se las quitó de encima y, sin soltárselas, se inclinó hacia su pecho y lo lamió.

—¡Señor Yale! —Apenas podía hablar porque era incapaz de respirar.

Sintió el roce áspero de su mejilla sobre la piel.

—Esto es lo que le hace un hombre a una muchacha que le suplica que la bese, señorita Lucas. —Le colocó las manos a ambos lados del cuerpo, inmovilizándolas sin esfuerzo aparente—. Estos son los besos que recibe. —La lamió de nuevo, pasando sobre un enhiesto pezón al que después rodeó, y volvió a rodear sin rozar siquiera la punta. Lo hizo de nuevo, evitando rozarlo.

Diantha se removió, abrumada por el placer que le estaba provocando con sus escandalosas caricias. A la postre, le besó de nuevo el pezón y ella sintió que se le derretían las rodillas. ¿Cómo era posible que existiera algo tan placentero? ¿Y por qué lo permitía ella?

El señor Yale le aferraba las manos con fuerza. Diantha sintió el roce de sus dientes sobre el pezón.

—¡Oh, por favor! —exclamó, sin saber si le estaba pidiendo que la soltara o si le estaba pidiendo algo más.

Él la besó de nuevo en la boca. Sus manos le aferraron las faldas, y se las subieron a toda prisa. Tan rápido lo hizo que Diantha sintió el calor de su mano en un muslo antes de poder protestar siquiera.

El pánico la atenazó en ese instante.

—Por favor, no. —Se bajó las faldas, aunque la mano del señor Yale forcejeó con ella—. Señor Yale, no debe... ¡Oh!

Y entonces la tocó. En ese lugar tan privado y que estaba mojado en ese instante. Diantha dejó de forcejear. Dejó de respirar. Dejó de existir salvo para sentir sus caricias en ese sitio.

—Pero sí que debo —replicó él con una voz que se le antojó muy ronca.

Sus dedos la acariciaron con destreza, allí donde ella más lo deseaba. Aunque la tocaba por fuera, Diantha lo sentía en lo más hondo. El deseo le había provocado un hormigueo en los pechos y sus muslos ansiaban presionar esa mano que la torturaba.

—Sí —susurró, estremeciéndose—. Sí —repitió al sentir que los dedos la exploraban más a fondo. Hasta que la penetró con uno de ellos—. ¡Oh, Dios! ¡Dios! —Cerró los ojos y el señor

Yale la besó en los labios. Su otra mano la aferró por la nuca—. No debería hacer esto —añadió, susurrando y sin convencimiento alguno, mientras su cuerpo se deleitaba con sus caricias.

—¿Es más de lo que querías? —la penetró de nuevo y en esa ocasión le introdujo todo el dedo.

Diantha jadeó, sin apartarse de sus labios. Lo sentía por completo y el placer era tan intenso que ardía en deseos de ponerse a gritar.

—Sí. No. No lo sé... ¡Oh!

A esas alturas, no trataba de impedir que la acariciara. Lo que quería era más. Se pegó a él. Sentirlo en su interior le había provocado un ansia salvaje. Le rodeó los hombros con los brazos y separó los labios para recibir su lengua en la boca. En ese instante, supo que iba a tomarla como los hombres tomaban a las mujeres. El beso se tornó voraz y sus caricias dejaron de ser delicadas, avivando el deseo que la embargaba hasta convertirlo en algo doloroso. Sintió la desesperación que lo empujaba y ansió sentir esa misma desesperación. Él le mordió los labios al tiempo que gemía y Diantha percibió la vibración de ese gemido en los pechos. Sus dedos aún seguían torturándola.

—¡Diantha! —exclamó el señor Yale. Una furiosa exclamación de protesta.

Sacó la mano de debajo de sus faldas, le aferró la cabeza con ambas manos y la besó con frenesí, aplastándola contra la puerta de forma casi brutal. A esas alturas no podía respirar. Le dolía todo el cuerpo, que parecía estar envuelto en llamas. Tenía un chillido atascado en la garganta. Le empujó los hombros, repitió el gesto con más fuerza y después comenzó a forcejear.

Él la soltó y se apartó retrocediendo un paso. Diantha jadeó en busca de aire. Esos ojos plateados, ensombrecidos en la penumbra del dormitorio iluminado por la luna, la recorrieron. Estaban vacíos. Terriblemente vacíos.

Diantha cruzó los brazos por delante del pecho, temblando.

Al verlo extender un brazo, dio un respingo. El señor Yale parpadeó varias veces mientras se esforzaba por recuperar el aliento. Aferró el pomo de la puerta y la abrió. Sin mediar palabra, salió y se marchó por el pasillo.

Diantha se quedó donde estaba, no supo cuánto tiempo estuvo allí, helada de frío, y temblando en la oscuridad. El señor Yale no regresó.

Un tiempo después, cuando su corazón casi hubo retomado su ritmo habitual y volvía a respirar con normalidad, se colocó bien la ropa, se apartó el pelo de la cara y regresó a su dormitorio, donde la señora Polley seguía roncando. Regresó a lo que le era familiar, su baúl de viaje con sus pertenencias, todo aquello que le parecía normal, seguro y sencillo. Todo lo contrario de lo que pensaba sobre la hinchazón y la sensibilidad de sus labios; sobre el hormigueo que sentía en el cuerpo; sobre el deseo insatisfecho porque sospechaba que había algo más, algo mucho más grande, que lo que él le había mostrado. Todo lo contrario del hombre que la había hecho sentirse deseada porque estaba borracho.

12

Durante la noche comenzó a llover de nuevo. El mozo de cuadra rezongaba algo sobre paja mohosa y cascos infectados mientras Wyn ataba los caballos de sir Henry al carruaje. Con manos temblorosas, sujetó una cuerda a las bridas de *Lady Priscilla* y luego otra a la silla de *Galahad* antes de sacarlos al callejón.

Dos niños tiraban contra una pared una pelota que *Ramsés* perseguía, mientras un gallo rodeado de su harén rebuscaba entre la tierra en busca de semillas y maíz, y pese a la llovizna, el pueblo parecía un lugar muy bullicioso. Al otro lado de la calle, una panadería estaba llena de clientes madrugadores, la carreta de un granjero llena con sacos de grano se dirigía al molino, y los trabajadores y los habitantes del pueblo entraban y salían de la taberna de la posada en busca de su primera cerveza del día. Wyn ató a *Galahad* al poste reservado para tal fin y le lanzó una moneda a un chiquillo sentado bajo un arco.

—Cuida de los caballos —le dijo en la lengua de sus compatriotas, la misma lengua que no había utilizado durante años hasta el día anterior.

El muchacho se llevó una mano a la gorra y se puso en pie de un salto.

Wyn inspiró hondo y se dirigió a la puerta de la posada. La señorita Lucas apareció en ese momento, ataviada con una capa y un bonete, sombrerera en mano y con la espalda muy recta. No lo decepcionó: se fue directa a por él.

—Buenos días, señor Yale. La señora Polley está terminando

su té y saldrá enseguida. Pero me parecía mejor acabar con este asunto sin más dilación en vez de esperar a que se presentara una oportunidad para hablarlo en privado más tarde, de modo que aquí estoy. —Tenía la barbilla en alto, sin rastro de timidez o vergüenza. Sin embargo, en su mirada se reflejaba cierta inseguridad y un ligero rubor le teñía las mejillas.

—Señorita Lucas, estoy profundamente abochornado por la ofensa que le ocasioné anoche. —Las palabras que llevaba practicando en silencio desde que se levantó no le resultaron, sin embargo, fáciles de pronunciar en voz alta—. Si lo desea, le daré mi apellido.

Ella lo miró fijamente, con los ojos abiertos de par en par por la sorpresa y con esa perfecta boca de labios sonrosados abierta. A continuación, articuló un sonido ahogado:

—Oh. —Fue lo único que salió de sus labios.

—El apellido de mi rama familiar es modesto, pero respetable —siguió Wyn—. Debe ser usted quien decida si necesita su protección.

La señorita Lucas pestañeó varias veces, como el rápido aleteo de un colibrí que quedara suspendido sobre la infracción que había cometido contra ella.

A la postre, tras parpadear una vez más, dijo:

—Gracias. Eso no será necesario.

Wyn tragó saliva para librarse de la repugnante sensación que le habían provocado sus palabras. Y la negativa de la señorita Lucas.

—¿Está segura?

—Sí. Mi futuro se encuentra junto al señor Hache. Hace mucho que lo tengo preparado. Y, por supuesto, él no me propuso matrimonio porque lo estuvieran amenazando a punta de pistola.

—Nadie me está apuntando.

—Sospecho que se trata de su conciencia, que seguramente sea muchísimo más peligrosa para usted que cualquier arma. De todas formas, lo único importante es que ya estoy comprometida.

Permanecieron así un momento, en silencio, si bien tuvo la impresión de que ella iba a añadir algo más. Sin embargo, no lo hizo.

—En ese caso, le ruego que me permita disculparme.

—¿Disculparse? —Volvió a abrir la boca, ofreciéndole una visión de la tentación que se ocultaba en su interior—. Pero ¿no quería darme una lección?

«¡Por el amor de Dios!», exclamó Wyn.

—No —contestó en voz alta.

—¿No? ¿Y por qué...?

Wyn era incapaz de hablar. Ella le provocaba ese efecto, le robaba el habla, y en ese momento se alegró.

—No hace falta que se disculpe.

La mirada de la señorita Lucas se apartó de él en ese momento, haciendo que la quemazón de su estómago aumentara.

—¿Sabe? —le preguntó ella—. A veces creo que sería mejor ser francesa. Los franceses parecen librarse de los incidentes incómodos sin sentir el menor remordimiento de conciencia.

—Señorita Lucas, le ruego que me perdone...

—De verdad, no es necesario —lo interrumpió, al tiempo que apretaba la cinta de cuero de la sombrerera, estirando el material sobre sus nudillos.

—Por favor, permítame...

—No necesito...

—Mujer, deje que me disculpe.

Ella lo miró de nuevo.

—Pero no hace falta que se disculpe. No era su intención... —Se detuvo, y después prosiguió—: No fue culpa suya.

Wyn la miró fijamente.

—Perdone que discrepe, pero tiene una idea bastante curiosa sobre cómo debe ser el comportamiento apropiado de un caballero.

—De verdad que no. Pero aunque no comprendo los pormenores de su relación con el señor Eads, me resulta evidente que su encuentro no fue un asunto sencillo y no puedo culparlo por beber más de la cuenta anoche.

—Es demasiado generosa. Y se equivoca por restarle importancia a mi comportamiento.

Ella torció el gesto.

—En fin, cargue con la culpa si así lo desea, pero permítame compartir una parte. No debería haberlo incitado. Pero he aprendido la lección y no volveré a hacerlo.

—No tiene de qué preocuparse. No volveré a molestarla.

Esos ojos azules parecieron adoptar otra vez una expresión distante.

—¿No lo hará?

—No lo haré. —Sin embargo, deseaba hacerlo en ese momento. Aunque le dolía la cabeza y el arrepentimiento lo estaba matando, deseaba tomarla entre sus manos y disfrutar de lo que no había podido disfrutar cuando tuvo la oportunidad por culpa de su mente abotargada—. No volveré a tocarla. Se lo juro por mi honor.

El elegante arco del cuello de la señorita Lucas se movió cuando tragó saliva con fuerza.

—Me dijo que si volvía a pedirle que me besara, me llevaría a casa. ¿Piensa llevarme a casa ahora?

Debería hacerlo. Tendría que hacerlo.

—No recuerdo que me hiciera esa petición anoche.

La esperanza volvió a brillar en esos enormes ojos azules.

—¿No se acuerda?

Wyn negó con la cabeza. De hecho, solo recordaba una cosa con una claridad meridiana, y era el motivo por el que la había soltado al final. Y desde luego que no fueron sus débiles protestas.

—Supongo que es lo mejor —repuso ella con el ceño fruncido—. Si intentara llevarme a casa, me vería obligada a escaparme de nuevo.

—No lo conseguiría.

Ella inspiró hondo con gesto decidido.

—Ya hemos mantenido esta discusión. Creo que debemos llegar al acuerdo de que no estamos de acuerdo. De cualquier modo, no tiene sentido discutirlo. —En sus ojos apareció un brillo curioso—. De momento. —Su espíritu era incontenible.

—Señorita Lucas.

—¿Sí?

Wyn sentía una opresión en el pecho y el corazón le latía deprisa.

—Perdóneme.

—Si puede perdonarse a sí mismo, estaremos en paz. —Sus labios temblaron—. De nuevo.

La señora Polley salió de la posada.

—Lluvia y más lluvia. Vamos a acabar calados hasta los huesos. —Siguió andando, aferrando la bolsa de viaje con sus orondos dedos.

—No, nada de eso. —La señorita Lucas la miró con una sonrisa alentadora—. El carruaje tiene... —Desvió la mirada y se le iluminó la cara—. Menuda coincidencia. Conocemos a ese muchacho. —Se acercó al chiquillo que sujetaba la rienda de *Galahad*—. Hola. ¿Te acuerdas de mí? Íbamos en el mismo carruaje hace un par de días, el carruaje del servicio de correos de Su Majestad con destino a Manchester. Este caballero iba sentado a tu lado aquella tarde. ¿Venías hacia aquí?

El muchacho se quitó la gorra con sendos rosetones en las mejillas bajo la capa de mugre.

—Buenos días, señorita. No, no venía para acá. —Hablaba con soltura, pero tenía un fortísimo acento que indicaba que estaba acostumbrado a la modulación gaélica. Sus dedos, teñidos de negro, proclamaban que trabajaba en las minas.

—Tampoco yo. Ni el caballero. —Ella se echó a reír—. Pero aquí estamos todos. Y qué agradable resulta ver a una cara conocida en un camino extraño.

El rubor del niño se acentuó.

—¿Adónde vas ahora? Si vas en la misma dirección que nosotros, podríamos llevarte y no tendrías que ir en el coche de postas. Tenemos mucho espacio en nuestro carruaje.

La cara del muchacho fue un poema. La señora Polley, en cambio, estaba encantada.

—En fin, señorita —consiguió decir el muchacho a duras penas—. No puedo hacer eso, no con mi mugre, no puedo ir en el carruaje de una dama. Pero si tiene algún trabajo para mí... bueno, le estaría muy agradecido porque me quedé a dos velas hace dos días.

—¿Hace dos días? ¿Y cómo has comido desde entonces?

—El panadero me tiró un trozo de pan duro esta mañana. —Sus dientes relucieron cuando sonrió, si bien la mueca puso de manifiesto que era todo piel y huesos. Como sucedía con la mayoría de los niños que trabajaban en las minas, tenía poca carne en el cuerpo. Con el ceño fruncido y las cejas enarcadas, la señorita Lucas se volvió hacia Wyn.

—En fin, seguro que podemos encontrar algo de lo que pueda encargarse, ¿no es verdad?

Los ojos oscuros del muchacho brillaban por una esperanza un tanto recelosa.

Wyn le habló en galés.

—¿De qué huyes, chico?

—¿Por qué cree que huyo de algo, señor?

—Porque en otro tiempo yo mismo estuve en esa situación.

El muchacho pareció meditar la respuesta.

—Estaba en Cyfarthfa con mi hermana hasta que la fiebre se la llevó. Me fui con mi tío que vive en Manchester con lo poco que me quedaba, pero él me mandó de vuelta con el correo.

Las minas de hierro que había al otro lado de las Black Mountains habían matado a la hermana del muchacho, sin duda debido a una enfermedad, pero su tío había insistido en que el niño volviera a ese lugar. Una historia muy habitual, incluso para niños más pequeños que ese.

—No podía volver, señor. —Bajo el pelo negro su frente era estrecha pero de expresión firme—. Vendí mi asiento en el coche del correo por un trozo de cecina.

—¿Puedes encargarte de los caballos, muchacho?

—Sí, señor. Mi hermano trabaja con poleas en Merthyr Tydfil. Yo lo ayudaba con los animales antes de que mi hermana viniera y nos contrataran en Cyfarthfa.

—Te pagaré un salario por tu trabajo y también recibirás la comida. —Se volvió hacia la señorita Lucas y dijo en su idioma—: Se viene con nosotros.

La vio esbozar una sonrisa.

—Espléndido. ¿Cómo te llamas?

—Owen, señorita.

—Es un placer conocerte, Owen.

Wyn vio que el muchacho se movía inquieto, ya que no estaba acostumbrado a la atención de una dama tan guapa, sin lugar a dudas.

Sin embargo, Owen podría resultarle muy útil. Aunque miraba a la señorita Lucas con la devoción inmediata que ella provocaba en todo aquel con el que se cruzaba, el muchacho no incumpliría las órdenes de un compatriota. Los galeses eran muy leales. Estaba seguro de que la generosidad que le demostraba la señorita Lucas le sería muy útil.

Le hizo un gesto a Owen para que cogiera el equipaje y se volvió hacia el establo. Sin embargo, se detuvo.

—¡Válgame Dios! —susurró ella junto a su hombro.

—¡Válgame Dios! Sí —convino en voz baja, mientras la lluvia que golpeaba los adoquines al otro lado del arco amortiguaba sus voces.

—Es el lacayo de las hermanas Blevins, ¿verdad?

—Lo es. —El viejo cochero estaba a la sombra de la cochera, acariciándole el cuello a uno de los caballos de sir Henry. Su frente estaba arrugada por un ceño pensativo.

—Qué mala pata. —La señorita Lucas se mordió el labio—. Ha reconocido el carruaje.

—Eso parece.

—Si está aquí, las hermanas Blevins no deben de andar muy lejos.

—¿Sigue teniendo sus objetos de valor en la sombrerera?

—Sí.

—Buena chica. Vaya dentro. Llévese a la señora Polley con usted.

—¿Y después?

—Iré a buscarlas dentro de tres minutos. ¡Dentro de tres minutos! Estén preparadas para marcharse a toda prisa.

Ella se volvió y se llevó a su dama de compañía al interior de la posada. Los ojos oscuros de Owen se volvieron hacia el establo con curiosidad, pero alertas. Wyn casi sonrió, aunque ese no era el mejor momento para alegrarse de haber regresado a su patria, para disfrutar de la mente despierta y ágil de otro galés.

—Owen, ¿has visto a un hombre grande ensillar un ruano hace un rato, tal vez una hora?

—Sí, señor.

—¿Dónde está ahora?

El muchacho se encogió de hombros.

—No lo he visto desde entonces.

Eads tenía que andar cerca. Su caballo estaba ensillado en su cuadra cuando entró en el establo para preparar a *Galahad* y a la yegua. El escocés no iba a alejarse en ese momento, ya que estaría preparado para seguirlos en cuanto se pusieran en marcha. Sin embargo, su momentánea ausencia era un golpe de buena suerte.

Cogió la rienda de *Galahad*.

—Ve en busca de ese caballo. Dile al mozo de cuadra que el caballero llamado Eads va a conducir mi carruaje hoy. Después, reúnete conmigo al otro lado del cruce. —Señaló la calle principal.

—Sí, señor. —Con paso ligero, el muchacho se acercó al establo. *Ramsés* lo siguió, aunque después regresó junto a Wyn.

—Parece que vamos a ampliar nuestro grupo con dos integrantes nuevos —le dijo al perro en voz baja.

Los ojos negros de *Ramsés* lo miraron.

—Estás pensando lo mismo que yo, por supuesto. Cuanta más gente haya para protegerla de mí, mejor.

Había creído que intentaba darle una lección. Y tal vez, en aquel momento, fuera cierto. Tal vez intentaba evitar deshonrarla.

Sin embargo, ya no sería una amenaza para la señorita Lucas. Ya había abandonado la botella en otra ocasión. No fue especialmente fácil, pero en aquel entonces no tenía un motivo concreto para dejarla, solo el deseo de demostrarse que podía parar. El orgullo. Ese pecado del que su padre y sus hermanos lo habían acusado tan a menudo.

En ese instante, tenía un motivo ejemplar.

No podía asustarla para que volviera a casa por voluntad propia; su espíritu aventurero y su confianza eran demasiado fuertes. Sin embargo, a partir de ese momento utilizaría la oportuna aparición de las hermanas Blevins para llevarla al lugar donde le había dicho a su padrastro que podría recogerla, un lugar en el que los lugareños no revelarían su presencia a las autoridades que pudieran cruzarse en su camino. Una vez en marcha, la lluvia también sería su aliada, de la misma manera que lo sería la preocupación de la señorita Lucas por sus acompañantes. Accedería a detenerse un tiempo si de eso dependía su comodidad, lo suficiente para que Carlyle llegara. Si no aparecía el barón, lo haría Kitty Blackwood. Kitty y Leam tenían que estar en Londres por entonces, y la misiva que había enviado una hora antes a través del servicio de correos llegaría a la ciudad enseguida; y Kitty aparecería.

Mientras tanto, él recuperaría el control. La muchacha de enormes ojos azules se lo merecía.

A veces, tras el brillo plateado, Diantha veía los intensos y depredadores ojos de un ave de presa. O tal vez solo tuvieran mucha, pero que mucha hambre. Tal vez no fueran los ojos de un depredador, sino de una criatura que deseaba comer pero que no se permitía matar. Tras el brillo plateado se escondían los ojos famélicos de un carroñero.

El señor Eads le había dado un apodo... El Cuervo.

Sin embargo, los ojos del señor Yale solo tenían esa expresión por la mañana, antes de que comenzara a beber alcohol. Nunca bebía por la mañana, aunque parecía que por las tardes se daba libertad absoluta.

Ese día no. Tal vez no se fiara de sí mismo. Tal vez no se fiara de ella. Y desde luego que no debería hacerlo. Le había demostrado que no era de fiar.

Sin embargo, cuando la mañana dio paso a la tarde y la lluvia comenzó a caer con fuerza, sus ojos adquirieron otra vez esa expresión hambrienta. Aun así, sus botas caminaban por el camino embarrado con paso firme. Durante horas, caminó así, sin compartir su montura ni una sola vez. Diantha estaba dolorida por la incómoda postura que debía adoptar a fin de montar en una silla de hombre, pero él debía de estar exhausto. No obstante, su paso no flaqueó y su mano seguía guiando con firmeza al enorme caballo que había robado del establo de la posada, donde dejaron el carruaje de sir Henry.

—La señora Polley se ha vuelto a dormir. —Miró por encima de su hombro a *Galahad,* que llevaba a su dama de compañía y el equipaje como si fuera una mula de carga. Owen caminaba junto a *Lady Priscilla.*

El señor Yale no respondió.

—Según ella, no es necesario que viajemos hacia el oeste a fin de que las hermanas Blevins no reparen en nuestra presencia —lo intentó de nuevo.

El señor Yale siguió en silencio, con la vista clavada en el estrecho camino flanqueado por sendas cercas de piedra que se extendían hacia el infinito bajo la manta de agua. A ambos lados del camino, las colinas se alzaban en un pronunciado ángulo, tapizadas de un glorioso esmeralda, mientras que las copas de los árboles coronaban sus cimas y las ovejas pastaban en los campos, ajenas a la lluvia gracias a sus mantos otoñales. Y todo ese paisaje estaba teñido por un velo plateado.

—Supongo que tiene menos preocupaciones que nosotros, ya que desconoce la amenaza que representa el señor Eads.

No obtuvo respuesta.

Llevaba todo el día hablando consigo misma de esa manera. Y mirándolo, mirando esos anchos hombros cubiertos por el gabán negro, viendo cómo su pelo se rizaba sobre el cuello de la prenda. Lo había tocado en ese lugar. Aún no se lo creía. Sin embargo, recordaba la sensación en la punta de los dedos en ese preciso momento, y también la recordaba en el resto de su cuerpo. Y, por supuesto, estaba el detalle del cambio que había sufrido su semblante, que si bien no era descortés, sí parecía un tanto apagado.

Se arrepentía de haberla besado, de haberla tocado, y eso que no lo recordaba. Ella, la hija indómita y desvergonzada de una madre indecente y díscola, recordaba cada momento. Y era incapaz de pensar en otra cosa.

—¿Conoce esta parte de Gales?

—Escuché muchas historias al respecto durante mi infancia. —No parecía exhausto, ni enfadado ni infeliz. Parecía... normal.

Soltó un suspiro al escucharlo.

—¿Qué clase de historias?

—En la calle principal de Knighton, el pueblo del que salimos esta mañana, hay una torre con un reloj. ¿Lo ha visto?

—Sí. —No lo había visto. Solo había visto el arrepentimiento en su apuesto rostro y el alivio que lo había atravesado cuando ella rechazó su proposición de matrimonio.

—Si un hombre de Knighton desea divorciarse de su mujer, puede llevarla hasta esa torre del centro del pueblo y venderla al mejor postor.

Ella se echó a reír.

—¡Menuda barbaridad!

—¿A que sí?

—Por supuesto, usted nunca haría eso.

—Por supuesto que no. —Hizo una pausa—. A menos que fuera muy problemática. —Por primera vez desde que hablaron en el establo de los Bates, su voz parecía alegre.

La embargó una felicidad sencilla y cálida. Se secó una gota de lluvia de la nariz.

—Pues menos mal que no vamos a casarnos, porque seguro que me vendería en la torre a los pocos días.

Él no respondió de inmediato. Cuando lo hizo, fue para decir:

—Seguro.

Diantha tragó saliva para aliviar el nudo que se le había formado de repente en la garganta.

—¿Nos hemos perdido, señor Yale?

—No precisamente, señorita Lucas.

La había llamado Diantha la noche anterior. Y, por un instante, por ese instante, le había dado miedo de verdad.

—¿Solo un poquito?

—Posiblemente. —Otro silencio, roto por el intenso aguacero que caía a su alrededor y por los ronquidos de la señora Polley.

—¿Posiblemente perdidos?

—Sí.

—¿Y qué vamos a hacer al respecto?

En ese momento, el señor Yale levantó la vista, y ella se dio cuenta de que había echado de menos sus ojos cuando no la miraba. Recorrió con la mirada el perfil de su mentón y el contorno de sus labios. La lluvia se deslizaba por el ala de su sombrero y caía sobre su gabán.

—La señora Polley está calada hasta los huesos —continuó ella, porque hablar era mucho más fácil que observar esa boca y desear cosas que no podía tener— y creo que Owen está andando dormido.

—Será mejor que encontremos un lugar donde escondernos durante un tiempo.

—¿«Donde escondernos»? —No le parecía que fuera la clase de hombre que se escondiera. De nada.

—Donde refugiarnos.

La lluvia caía con fuerza en ese momento, silenciándolo todo menos su propio ruido. Sin embargo, el señor Yale tampoco parecía la clase de hombre que rehuía el mal tiempo.

—Ah —dijo ella—. Para mantenerme a salvo del señor Eads.

El señor Yale guardó silencio de nuevo.

—Pero me dijo que había accedido a permitir que usted me ayudara en mi búsqueda por una tragedia relacionada con su hermana y un burdel.

—Eso fue antes de que usted saliera del pueblo montada en su caballo.

Diantha les dio un tirón a las riendas y el enorme ruano resopló.

—¿Ha robado...? —Echó la vista hacia atrás, a su dama de compañía dormida, y bajó la voz—. ¿Le ha robado el caballo?

—Era Eads o las autoridades.

—Humm, entiendo. Dada la política que tienen con las esposas problemáticas en ese pueblo, mejor no averiguar qué entienden por justicia en el caso de un carruaje y dos caballos robados.

—Eso mismo he pensado yo.

—Creo que ha acertado. ¿No teme que nos entregue a las autoridades?

—Creo que querrá evitarlas por completo.

Diantha volvió a mirar por encima del hombro. El camino que tenía a su espalda estaba teñido de gris.

—Tal vez debamos acelerar el paso, ¿no le parece?

—O refugiarnos a un lado del camino, donde a Eads no se le ocurra buscarnos.

—Tal vez tenga razón. Se me está acabando el tiempo y hemos tenido que dar más vueltas de las que quería. Sería una tontería avanzar todavía más. ¿A cuánto está Bristol de aquí?

—A varios días a caballo.

—Además, tal vez el hombre vestido de marrón también tenga aliados. No me gustaría encontrarme con más enemigos suyos.

—Es algo que no podemos descartar.

—Eso nos retrasaría todavía más.

Al ver que sus labios esbozaban de nuevo la sonrisa torcida, Diantha se sintió incapaz de apartar la mirada de ellos y volvió a experimentar el hormigueo en el estómago.

—¿Por qué sonríe ahora? Lleva todo el día sin sonreírme, cosa que no me extraña, por supuesto. Pero el hecho de que me sonría ahora no me parece que sea una buena señal.

Él detuvo el caballo.

—La lluvia está arreciando. Mandaré a Owen por delante para que busque un lugar donde pasar la noche.

—¿Una posada en este camino desierto? Y que sepa que no ha contestado mi pregunta.

Él miró a sus acompañantes, que se acercaban por detrás.

—Una posada sería demasiado esperar.

—Pues una granja. —No iba a preguntarle si volverían a fingir que estaban casados.

Él parecía estar meditando el asunto.

—Le diría que se apeara y que descansase un poco mientras Owen se adelanta de no ser por el barro y por la posibilidad de que Eads nos alcance.

—Desmontaría si Owen ocupara mi lugar. O si lo hiciera usted.

La sonrisa bailoteó en las comisuras de sus labios.

—Piensa muy poco en usted.

—¿Qué diantres quiere decir con eso? Solo he pensado en mí misma desde que salí de Brennon Manor. —Sobre todo en su trato con él, porque le había suplicado que la besara cuando él le dijo que no lo hiciera.

En ese momento, el señor Yale miró a *Ramsés,* que caminaba por delante por el estrecho camino, con el pelaje enredado, antes de volver la vista hacia Owen y la señora Polley.

—Adopta animalitos perdidos —dijo bajo el clamor de la lluvia.

—Necesitaban nuestra ayuda y nosotros la suya.

—No precisamente. —Sus ojos parecían relampaguear en ese momento—. ¿Por qué lo hace? ¿Quiere salvar al mundo de sus males, salvar una a una a las almas descarriadas?

No estaba bromeando. Era evidente. Su voz tenía un matiz desolado que a Diantha le caló muy hondo y le provocó una sensación extraña, una emoción muy intensa que en nada se parecía a la de la noche anterior. Esa emoción era distinta.

—Deme la mano, señor Yale.

Lo vio abrir los ojos de par en par. Pero no se movió.

—Por favor —le suplicó en voz más baja, y casi quedó ahogada por la lluvia.

Él la obedeció y le ofreció la mano, con la palma hacia arriba. Diantha colocó las suyas por debajo y a través de los guantes empapados sintió su calor de modo que, en su fuero interno, cobró vida.

—Sus manos son fuertes y grandes. Está acostumbrado a hacer con ellas lo que se le antoja. Con muy poco esfuerzo, me figuro, tiene efecto en los demás. —Era incapaz de seguir mirándolo a los ojos. Colocó una mano encima de la suya, palma contra palma, dedos contra dedos—. Mis manos son bastante pequeñas, como puede ver. Puedo causar poco efecto. Pero siempre intento hacer lo poco que puedo hacer. —Se armó de valor, si bien en ese instante se sentía muy desvalida, y alzó la mirada. Él inspiró hondo.

—Ejem. —*Galahad* apareció junto a ellos mientras la señora Polley les lanzaba una mirada elocuente desde la silla.

El señor Yale apartó la mano.

—Owen, ven conmigo un momento mientras te pongo al día de nuestro... —Se detuvo para mirarla—. De nuestro plan. —Apoyó una mano en el huesudo hombro del muchacho mientras se alejaban.

La señora Polley los observó marcharse con el ceño fruncido. Por supuesto, lo fruncía todavía más si sospechara que la mano que él acababa de permitirle que sujetara se había colado debajo de sus faldas la noche anterior.

Suspiró.

—Me gustaría que dejara de mirarlo como si fuera un malhechor que solo quiere mi perdición. No tiene esas intenciones.

—Ojalá las tuviera.

Teresa le había contado que había muchos deberes que los caballeros esperaban de sus mujeres, de las mujeres de otros hombres, de las cantantes de ópera y de alguna que otra criada francesa. Diantha creía haber descubierto uno de dichos deberes la noche anterior, pegada a la puerta del dormitorio del señor Yale. Quería descubrir mucho más, pero, por desgracia, eso no entraba en los planes del caballero en cuestión.

—Solo quiere ayudarme, se lo aseguro.

—No voy a decir cuáles son o cuáles dejan de ser sus intenciones —replicó su dama de compañía al tiempo que meneaba la cabeza y su bonete salpicaba agua en todas direcciones—. Pero debo advertirle, señorita, de que los caballeros con expresión sombría como la que tiene este hombre solo hacen las cosas que les convienen.

—¿Acaso no hacemos todos lo mismo? Pronto se dará cuenta de su error.

El señor Yale se acercó a ellas, aunque llegó solo.

—Owen ha ido a buscar un refugio seco.

La señora Polley chasqueó la lengua para mostrar su desaprobación.

—No hay un lugar seco en varios kilómetros, señor. Nos ha traído al diluvio universal.

—Siento mucho que sufra incomodidades, señora. —Acarició el cuello de la yegua con mimo. A Diantha le dio un vuelco el corazón. Cuando el señor Yale levantó la vista y descubrió que lo observaba, entornó los párpados—. No me cabe duda de que encontraremos refugio pronto.

Tres cuartos de hora más tarde, tras varias colinas verdes y un buen tramo de camino embarrado, Owen reapareció.

—He encontrado una casa por delante, alejada del camino —anunció, mirándola con una sonrisa tímida—. Es un sitio elegante, señorita. Parece una iglesia. Pero no hay nadie. He llamado a todas las puertas y también en la caseta del guarda de la entrada.

Hablaba en inglés por ella, de modo que le devolvió la sonrisa. Los rosetones de sus mejillas le otorgaban color a su pálida piel. Hasta él estaba cansado. Todos estaban hartos de esa lluvia. A Diantha le castañeteaban los dientes y la señora Polley tenía muy mala cara.

—Bueno, si cuenta con un establo seco, podríamos usarlo un ratito, ¿no le parece, señor Yale?

—Podríamos —contestó, observando al muchacho—. Buen trabajo, Owen. Gracias.

El muchacho cogió las riendas de *Galahad.*

—Solo hay que seguir un poco más por el camino, señor.
—Se lo indicó con una mano.

De modo que continuaron. A menos de medio kilómetro, allí donde el camino viraba hacia el sur, comenzaba un pequeño sendero que se desviaba hacia el norte. Un sendero flanqueado por vetustos robles entremezclados con altos pinos que parecían muy cómodos en esa lustrosa parte del mundo. Las enredaderas cubrían con majestuosidad la casa del guarda, construida con piedra gris, y también la cerca de piedra que bordeaba el camino; y algunas plantas seguían en flor, encantadas con la lluvia. El sendero estaba empedrado, y en algunas zonas la hierba crecía entre las piedras.

Oculta tras un bosquecillo de vetustos árboles se alzaba la casa, un edificio muy grande que sí tenía cierto parecido con una iglesia, o tal vez con varias iglesias unidas para conformar una edificación algo descontrolada. Los tejados tenían una inclinación pronunciadísima y por encima de ellos se alzaban torreones de piedra gris. Sin embargo, los torreones albergaban chimeneas de aspecto moderno. Las ventanas tenían un tenue brillo y reflejaban los árboles negros y el cielo gris.

Un largo edificio de planta baja se extendía junto al camino hasta unirse con una estructura que parecía un cobertizo: el establo y la cochera, seguramente. Unos enormes rosales abrazaban los pilares del edificio. Más allá, cerca del muro bajo que recorría unos cincuenta metros hasta llegar a un pastizal vallado, una soga se balanceaba, colgada de la rama de un solitario roble.

—Es un lugar maravilloso —susurró Diantha, aunque, por supuesto, era una tontería, ya que los cascos de los caballos hacían tanto ruido que cualquier mozo de cuadra los escucharía, en caso de haber alguno. Miró al señor Yale, que observaba la casa con expresión seria.

—Owen, ve a la parte trasera y asegúrate de que no hay nadie.

Owen desapareció a la carrera.

La señora Polley aceptó la ayuda del señor Yale para desmontar.

—Ya hemos llegado, señor. ¿Qué quiere que hagamos ahora? —Se estiró de forma exagerada, formando una especie de tetera con su oronda figura, con el bonete y el sombrero chorreando de agua—. Espero que esté vacía, porque de lo contrario, la pobre gente que viva aquí se llevará la impresión de su vida al vernos más mojados que un cordero estofado.

—El cordero estofado suena de fábula ahora mismo —murmuró Diantha.

El señor Yale esbozó su sonrisa torcida y se acercó a ella.

—¿Le apetece asado y empanada de cordero? —La cogió de la cintura y la bajó del caballo.

En cuanto sus pies tocaron el suelo, la soltó, pero no se apartó, y ella se vio en la obligación de fingir que las caricias de sus manos no le parecían el paraíso. Tenía las rodillas y el trasero doloridos, pero sentía un hormigueo allí donde él la había tocado tan íntimamente la noche anterior.

—Supongo que no habrá nadie preparando un estofado de cordero ahora mismo, ¿verdad?

—Lo dudo. Pero ya veremos cómo se desarrollan los acontecimientos antes de renunciar a la cena de antemano. —El señor Yale echó a andar hacia la puerta principal.

Diantha lo siguió.

—Creía que íbamos a descansar en el establo. ¿Piensa entrar en la casa?

—Pues sí.

Owen regresó por el lado contrario.

—No hay nadie, señor.

El señor Yale subió los dos escalones que conducían a la puerta, que era de madera maciza sin adornos, y ella lo siguió. De cerca, la piedra parecía tener una tonalidad rosada.

—Pero ¿y si vuelven de repente?

—En ese caso, esperemos que sean unos anfitriones generosos. Además, Owen vigilará desde la caseta del guarda. Owen, ¿qué te parece dedicar tu talento a montar guardia?

—Será mejor que la mina, señor.

—¿Lo ve? Todo arreglado. —Sin embargo, en sus ojos había un extraño brillo. Diantha lo siguió mientras subía hasta el portal. Intentó abrir la puerta.

—Cerrada —masculló la señora Polley.

Él se metió la mano en el bolsillo del gabán y sacó un estuche de cuero no más grande que una cartera.

Diantha echó un vistazo.

—¿Qué es eso?

—¿Por qué susurra? —preguntó él a su vez, con el mismo volumen. Abrió el estuche con manos resbaladizas por la lluvia y sacó dos herramientas metálicas.

—Porque lo que está haciendo me parece algo muy clandestino.

—No me cabe la menor duda de que lo es.

Ojalá usara guantes, pensó Diantha. Ojalá no pudiera ver sus habilidosas manos, esas manos que hacían que se sintiera tan débil.

—¿Qué son esas herramientas, señor Yale?

—Son ganzúas, señorita Lucas. —Las metió en la cerradura.

—Supongo que debería escandalizarme de que lleve ganzúas en el bolsillo de su gabán.

—Pero tal parece que no es así.

—Eso sería ridículo por mi parte dadas las circunstancias, ¿no cree?

—Seguramente. —Se escucharon dos chasquidos metálicos. Sin sacar las ganzúas de la cerradura, el señor Yale hizo girar el pomo—. Empuje la puerta, si es tan amable.

Diantha se adelantó un poco.

—¿Qué hace cuando no cuenta con una tercera mano para hacer esto?

—En esas ocasiones, no allano casas, por supuesto. —La puerta permaneció cerrada—. Tiene un pestillo por dentro. —Soltó el pomo.

A Diantha le castañeteaban los dientes, de modo que se envolvió mejor con la capa.

—¿Qué hacemos ahora?

—Intentarlo con la puerta trasera. Quédese aquí, por favor. —Bajó los escalones y rodeó los rosales, seguido de cerca por *Ramsés*.

En cuestión de minutos, se escucharon ruidos en el interior y las bisagras de la puerta chirriaron al abrirse. El señor Yale retrocedió un paso y les hizo una reverencia.

—Bienvenidas a Abbaty Fran Ddu, señoras.

Diantha entró en el vestíbulo al tiempo que se quitaba el empapado bonete. Era un espacio modesto y se encontraba bien decorado con paneles de madera oscura, un elegante candelabro de hierro y un suelo embaldosado. Se podía oler el polvo del ambiente, pero no así la humedad.

—Es un lugar moderno. Y está maravillosamente seco. Me siento fatal por mancharlo todo con nuestras ropas mojadas.

—Es un lugar muy bonito, y eso que está escondido en mitad de un valle. —La señora Polley echó un vistazo a su alrededor con ojo crítico.

—¿Cómo sabe el nombre de la casa, señor Yale?

El aludido cogió el abrigo de la señora Polley y la capa de Diantha, y señaló la hilera de campanillas para llamar a los criados situada sobre un arco. Junto a las campanillas había un bordado enmarcado en el que se podían leer las palabras *Abbaty Fran Ddu* en seda verde y azul.

—Owen traerá el equipaje y después encenderá el fuego. Me da en la nariz que arriba hay una sala de estar. —Señaló la escalinata que partía desde el vestíbulo.

—Oh, pero no podemos subir. Deberíamos quedarnos aquí. Seguro que la cocina se encuentra al final de ese pasillo. No se ha quitado el gabán.

—Tengo que encargarme de los caballos. Pero este lugar está vacío. No se preocupe. Ustedes pónganse cómodas y después, si quieren, investiguen qué hay en la cocina. El muchacho no aguantará mucho más sin cenar.

—Diría que yo tampoco —comentó ella.

El señor Yale volvió a regalarle esa sonrisa torcida, tras lo cual le hizo una reverencia y salió por la puerta principal.

13

Wyn la vio moverse por la casa con evidente admiración. Contemplaba sus descubrimientos y la seguía como si no hubiera caminado por esas estancias miles de veces en el pasado. Cada puerta que abrían le arrancaba a Diantha una nueva sonrisa, otro nuevo murmullo de placer.

—Todo es precioso, aunque hay mucho polvo. —Pasó un dedo por el alféizar de una de las ventanas del Salón Oriental—. A lo mejor los dueños llevan bastante tiempo fuera.

«Cinco años», pensó Wyn.

—A lo mejor.

—Deberíamos usar tan solo esta estancia e intentar no tocar demasiadas cosas. Y debemos dejar una compensación por el uso de la comida y del carbón.

—Hay carbón más que de sobra. —Owen dejó un cubo lleno de carbón junto a la chimenea. Su olor impregnó la estancia.

La chimenea estaba limpia, por suerte. Nadie había habitado esa casa desde hacía cinco años, pero no estaba del todo desatendida.

La vio levantar una sábana de hilo para ver qué había debajo.

—Los muebles están en excelentes condiciones. Y todo parece limpio, ordenado y muy bien dispuesto. Creo que es el hogar de una mujer. Una mujer con un gusto exquisito. Me pregunto dónde estará. En Londres, quizá, donde iré dentro de poco. Aunque me la cruce por la calle, ni siquiera sabré que es ella, y eso que debería agradecerle la hospitalidad.

Acto seguido, Diantha apartó la sábana que cubría una silla y la dobló, levantando una nube de polvo. Arrugó la nariz y se pasó el dorso de una mano por ella sin ser consciente del gesto. Carecía de los modales de una dama de la ciudad. Era una genuina muchacha de campo. Sin embargo, era perspicaz a la hora de juzgar a los demás. Salvo a él.

Se había cambiado de ropa y en ese momento llevaba un sencillo vestido de color verde claro que habría dejado al descubierto sus brazos y su cuello de no ser por el chal. Tenía una piel muy blanca, un cuello elegante y una figura preciosa. Wyn tenía sed solo con mirarla. La deseaba. El corazón le latía muy rápido y se le había acelerado la respiración. Ansiaba tocarla, explorar esa piel sedosa con las manos y con la boca, acariciarla por todos lados.

Era el licor lo que le provocaba esa ansia.

—¿Cuánto tiempo vamos a quedarnos aquí? —le preguntó ella, que se había acercado a su lado—. ¿Esta noche?

—Tal vez uno o dos días. —Hasta que el joven William apareciera con el barón o Kitty llegara de Londres—. Debemos asegurarnos de que Eads se encuentra bien lejos del camino antes de poner rumbo al este.

—La señora Polley estaba refunfuñando otra vez por el desvío que hemos tomado. Pero se ha acomodado en la cocina. Incluso ha encontrado una botella de aceite en buen estado y un tarro con harina. Parece que le encanta hornear. —Sonrió y los hoyuelos aparecieron en sus mejillas de alabastro.

Wyn caminó hasta la puerta.

—Owen, acompáñame hasta la casa del guarda. Te ayudaré a instalarte.

El muchacho enfiló el camino a su lado.

—Señor... —dijo al tiempo que le daba una patada a una piedra.

—¿Sí, Owen?

—¿No le va a hablar de este lugar, verdad?

—No voy a hablar de él, no.

—Es una dama muy buena.

—Lo es, sí.

—El señor Guyther dice que no podrá mantener al ganado en las colinas mucho más tiempo.

—No vamos a estar semanas aquí, Owen. Solo serán unos días. Y el señor Guyther hará lo que yo le diga. Como lo harás tú, espero. —Se detuvo y le colocó al muchacho una mano en un hombro—. No debes decírselo a ella. Si lo supiera, se marcharía y se pondría en peligro.

Sin embargo, a esas alturas se preguntaba si Diantha se marcharía en caso de que él le contara la verdad. Era una mujer imprudente, sí, pero quizás en esos momentos fuera más sensata que cuando comenzó su búsqueda. Tal vez, de hecho, se tratara de que poseía anhelos que superaban las expectativas que le ofrecía la vida. Anhelos difíciles de conseguir, como rescatar a su madre y recibir las caricias de un hombre.

—Sí. —Owen asintió con la cabeza—. Pero no me gusta, señor.

Wyn ansiaba una copa de brandy. De whisky. De lo que fuera.

—A mí tampoco.

La señora Polley se las apañó para preparar una cena sencilla utilizando las viandas de una despensa muy bien surtida con cecinas y encurtidos. También preparó unas tortas de avena muy sencillas, en la lumbre de la cocina. La señorita Lucas se lo comió todo con apetito. El muchacho la contemplaba con expresión culpable, mientras la señora Polley parloteaba sobre la casa. Wyn apenas le prestó atención. A medida que avanzaba la noche, los nervios que parecían aguijonearle la piel se convirtieron en puñaladas difíciles de pasar por alto. Sin embargo, todos sus esfuerzos parecían inútiles. Solo era capaz de pensar en el brandy y en la joven sentada en el otro extremo de la estancia. Un par de anhelos imposibles.

Se marchó al establo para atender a los caballos, a los que les echó avena y heno procedente del montón que Owen había llevado de la casa de Aled Guyther, el administrador de la Abadía. Caminó por el perímetro de la propiedad, por los jardines abandonados y las cercas, y después paseó junto a la acequia de irrigación que llevaba hasta el río. Más tarde regresó a la casa del guarda. Tras ensillar de nuevo a *Galahad*, cabalgó hacia las colinas, donde ya no pastaba el ganado tal como le había ordenado a

Guyther a través de Owen: en la propiedad no debía quedar ni ganado ni personas. Se disponía a hablar con Guyther personalmente, pero cambió de opinión y evitó el camino que llevaba al pueblo y a la diminuta taberna, así como a la sencilla capilla con su cementerio y la tumba que ya tenía cinco años y que todavía no había visitado una sola vez.

La lluvia oscurecía las colinas, de modo que regresó a la casa. El salón con sus polvorientas botellas guardadas en la licorera suponía una gran tentación. El contenido de dichas botellas no le importaba. El ansia por beber lo que fuera le quemaba hasta la médula de los huesos.

Diantha lo recibió en la puerta del salón, enmarcada por la luz del fuego y los ronquidos de la señora Polley.

—Lo he oído entrar. Debe de estar agotado. No tiene muy buen aspecto. —Sus ojos parecían cansados, pero su expresión era tierna.

Wyn se acercó a ella para sentir su calidez y para torturarse con la momentánea idea de que tal vez obtuviera cierto consuelo esa noche.

—Qué bien se le da alentar la confianza de un hombre.

—De hecho, lo encuentro muy guapo, aunque usted debe de saberlo, y de cualquier forma, las elegantes damas de Londres se lo dirán a todas horas, así que no le resultará extraño que yo sea de la misma opinión. Pero no sé cómo es capaz de mantener su apostura. Yo estoy hecha un desastre. Mi madre va a quedarse espantada cuando me vea. Pero usted está elegante aunque llegue empapado por culpa de la lluvia. —Esos ojos azules lo miraron, abiertos de par en par y relucientes con un deseo que igualaba el que él sentía.

—Buenas noches, señorita Lucas. —Se volvió hacia la escalinata.

—¿Adónde va?

—A dormir. Le sugiero que encuentre un sitio cómodo y haga lo mismo.

—¿Dónde?

Wyn señaló hacia el otro extremo del pasillo.

La vio enarcar las cejas.

—¿En un dormitorio?

—Suele ser el lugar donde la gente duerme. —Y donde se hacían otras cosas que deseaba hacer con ella en ese momento.

—Pero...

La señora Polley estornudó, interrumpiendo sus ronquidos. Después, tosió y siguió durmiendo.

El ceño de la señorita Lucas se acentuó.

—Creo que ha pillado un resfriado. Le he sugerido que preparara un caldo caliente con la cecina, pero ha resoplado. No soy muy buena cocinera. —Se encogió de hombros—. Menos mal que no estaremos mucho tiempo aquí y que a la señora Polley le gusta la cocina, o nos moriríamos de hambre sin duda.

Wyn fue incapaz de resistirse a su buen humor.

—Estoy seguro de que usted posee otros talentos.

—Oh, puedo bordar un cielo tormentoso y pintar un cenador con acuarelas. Unos talentos muy útiles en las circunstancias actuales.

Wyn sonrió.

—La comida está sobrevalorada.

—No me cabe duda de que usted lo cree así. Yo, al contrario, sigo muerta de hambre. —Se colocó una mano bajo el pecho, sobre el estómago—. ¿De verdad tiene la intención de que nos quedemos aquí más de una noche?

—Una noche más, seguro. Y si la señora Polley enferma, nos quedaremos unos días más.

Diantha lo miró de forma penetrante antes de posar la mirada en sus labios.

—Tengo que decirle algo.

Wyn asintió con la cabeza.

—Como desee.

—Esta mañana, cuando me dijo que yo salvaba almas descarriadas, pareció perplejo, como si estuviera hablando de algo extraño. Sin embargo, no me parece que sea tan extraño para usted. —Siguió mirándolo a los ojos mientras se abrazaba la cintura—. Creo... no, no lo creo. Estoy segura de que ha salvado usted a mucha gente.

Todos habían sido encargos, medios para conseguir un fin. No como la mujer que tenía delante y que había estado a punto de postrarlo de rodillas en el camino embarrado cuando le cogió la mano esa mañana. En ese momento, lo miraba con expresión apasionada. La pasión era algo conocido para él. La había visto muchas veces. Pero lo que sentía por ella era distinto. No acababa de comprenderlo y tampoco quería analizarlo a fondo.

—Lo haya hecho o no es irrelevante en las circunstancias actuales. —Unas circunstancias en las que él le mentía y la deseaba al mismo tiempo—. Encárguese de que su dama de compañía esté cómodamente instalada y, después, búsquese un lugar donde dormir y descansar. —Tras coger una vela de la consola del vestíbulo, subió la escalinata en dirección al salón.

Una vez en la estancia, cuyos muebles cubiertos por las sábanas de hilo parecían fantasmas, se acercó a la licorera. El cristal de las botellas tenía un brillo apagado en la oscuridad. Le temblaba la mano cuando la extendió para coger la más cercana.

Owen lo despertó de madrugada. Seguía lloviendo. En el interior de la caseta del guarda, el joven William dormía con la espalda apoyada en una pared. *Ramsés* le lavó la cara a lametones y el muchacho se despertó, tras lo cual le contó a Wyn lo que ya se temía: ni lord Carlyle ni los condes de Savege se encontraban en Devon. Al parecer, ya se habían marchado a Londres. Tal como habían acordado, William había mantenido el secreto y había ido en su busca lo más rápido posible.

Wyn se maldijo en silencio. Había sido un imbécil al enviar al muchacho a Devon en primer lugar. Sin embargo, en aquel momento no se le ocurrió que sería imposible detener a Diantha. Había cometido muchos errores con ella y estaba a punto de cometer el peor de todos.

Tras ordenarle a Owen que le diera de comer al muchacho y entregarle a este una bolsa de monedas, le dijo que se pusiera en marcha con la primera luz del alba. Después, se dirigió de nuevo hacia las colinas de la propiedad de su tía abuela. El sueño lo eludía y la sed lo martirizaba con la misma intensidad que la lluvia, que no tenía visos de remitir. Acompañado por el perro, caminó hasta que amaneció, momento en el que tras adentrarse en los pastizales, encontró una formación rocosa que frecuentaba de niño. En aquella época, la convirtió en una fortaleza desde la que conquistaba los rebaños como si fueran dragones dispuestos a destruir el castillo de su tía abuela.

Estaba bastante seco. Se acomodó en el interior y *Ramsés* se enroscó al abrigo de su gabán.

No durmió. El espantoso hormigueo que le recorría el cuerpo no se lo permitió. En cambio, pensó en Diantha Lucas, en sus anhelos y en sus deseos, y por primera vez en su vida descubrió que no sabía qué camino tomar a continuación.

Cuando el sol por fin iluminó el horizonte y se puso en pie para despejarse, descubrió que tenía las extremidades débiles, que estaba un poco mareado y que le temblaban las manos de forma incontrolable. Su cuerpo le pedía brandy a gritos. En ese momento, comprendió cuál era el camino que debía tomar. Le pareció bastante adecuado. Supo sin el menor asomo de duda que viviría un infierno durante unos cuantos días hasta que Kitty Blackwood llegara desde Londres. Sin embargo, si de esa forma conseguía mantener a Diantha Lucas en un sitio concreto, lo haría. Había dejado que sus demonios lo controlaran durante demasiado tiempo.

—¡Huevos! —anunció la señora Polley, que se sonó la enrojecida nariz con un trapo al tiempo que mostraba el tesoro que llevaba en la otra.

La gallina a la que le había arrebatado un huevo parecía la mar de tranquila. Diantha sintió un rugido en el estómago. Se relamió los labios. Un gesto que no estuvo motivado por la presencia del señor Yale. «Asombroso», pensó.

—Son muy pequeños —señaló Owen con escepticismo.

Diantha se encogió de hombros.

—Estarán buenísimos de todas formas. ¿Será porque las gallinas son pequeñas?

La señora Polley metió la mano bajo otra gallina y sacó un segundo tesoro.

—Es evidente que ninguno de los dos sabe lo más mínimo sobre gallinas.

—No es de extrañar.

Diantha se volvió de repente y vio que el señor Yale se encontraba en la puerta del cobertizo, con los brazos cruzados por delante del pecho y un hombro apoyado en la jamba. La postura hacía que el bajo de su gabán negro rozara el sucio suelo por un extremo.

Diantha se quedó sin aliento. Sin importar lo que su mente le repitiera para contentarse (que había estado muy entretenida leyendo, hablando con Owen y ayudando a la señora Polley en la cocina), el simple hecho de verlo después de tantas horas le provocó un placer inimaginable.

Se acercó a él.

—Owen ha descubierto este cobertizo y las gallinas.

Lo vio enarcar una ceja negra al tiempo que miraba al muchacho con gran seriedad.

—¿Ah, sí?

Owen se llevó una mano a la gorra.

—Buenas tardes, señor.

—¿A que es maravilloso? Dentro de un rato, tendremos huevos para cenar y la señora Polley ha horneado una hogaza de pan.

—Aunque no creo que ese hombre pruebe un solo bocado. —La señora Polley se acercó a otra gallina y metió la mano debajo en busca de otro huevo—. Todavía no ha probado ni un bocado de la comida que he preparado.

El señor Yale inclinó la cabeza para decirle a Diantha en voz baja:

—Veo que he descendido un escalón más en la estima de su dama de compañía.

—¿Por qué lo dice?

—Porque habla de mí en tercera persona.

—Pero usted está haciendo lo mismo.

—Sí, pero estoy hablando con usted, no con ella.

La señora Polley refunfuñó:

—Demasiado refinado y elegante para comer platos sencillos.

—Ah —exclamó él con su sonrisa torcida—. Hemos llegado a la raíz del problema.

—En serio, señor Yale —dijo Diantha, que se echó a reír—, es usted demasiado refinado y elegante. Debería bajar algún día de esas alturas. —Se acercó hacia él y se contuvo para no aspirar su olor a lluvia y a hombre—. Debería cenar con nosotros. Creo que la señora Polley se siente muy ofendida.

—No hace falta que le suplique al caballero que pruebe mi comida. Si no le gusta, que vuelva a Londres y a sus perfumados cocineros.

—Será un honor para mí cambiar las ofertas culinarias de mis perfumados cocineros por las suyas, señora —replicó él, que aún esbozaba esa sonrisa torcida, si bien pareció temblarle un poco la voz.

—¿No le parece que este sitio es muy curioso? —preguntó Diantha, señalando a su alrededor—. No es un gallinero en sí, de modo que supongo que no será el hogar habitual de estas gallinas, pero mire qué contentas están de todas formas.

—Es curioso, sí —convino él al tiempo que miraba de nuevo a Owen—. Me pregunto qué otras sorpresas descubrirá. —El muchacho salió por la puerta y el señor Yale lo siguió con la vista antes de volver a mirarla a ella.

—Hemos encontrado una vaca.

Él enarcó una ceja.

—Estaba comiendo tréboles en la cerca, bajo la lluvia, y mugiendo. Tristemente. Owen la llevó al establo con los caballos y están todos felices y contentos comiendo heno. Debe de haberse perdido. Sin duda, alguien vendrá a buscarla y descubrirá que hemos irrumpido sin permiso en la propiedad, y nos llevarán ante un magistrado y todos acabaremos arruinados. —Tomó una honda bocanada de aire y después suspiró de forma exagerada—. En fin, como podrá comprobar hemos tenido un día lleno de aventuras mientras usted estaba fuera.

Aunque Diantha atisbó el brillo que apareció en esos ojos plateados, la rigidez de su postura no varió y tampoco descruzó los brazos.

—¿Dónde ha estado? —quiso saber ella.

—Por ahí.

—¿Dónde?

La señora Polley pasó junto a ellos, con un buen número de huevos en el delantal.

—A los caballeros infames les gusta guardar secretos. Siempre lo he dicho.

El señor Yale la siguió con la mirada mientras ella se alejaba hacia la casa.

—¿Lo ha dicho?

—Pues sí, muchas veces. Cree que debe advertirme constantemente. No sé si lo hace porque piensa que tengo una mala memoria o porque imagina que al repetirlo tantas veces, me asustaré de usted. —Al tocarle el brazo, el señor Yale la miró de nuevo. En ese instante, Diantha se percató de que estaba temblando, de que todo su cuerpo parecía estremecerse—. Pero... —intentó mantener el tono ligero—. Pero no hace falta que se repita tanto, porque ya estoy asustadísima, claro.

El señor Yale se alejó de ella.

—Por supuesto. —Se apartó del cobertizo y enfiló el camino que llevaba hasta la casa.

Aunque había dejado de llover, el cielo aún lucía un gris plomizo. El señor Yale tenía la cara sudorosa.

—¿Está usted enfermo? —le preguntó.

—La verdad es que no me encuentro del todo bien, señorita Lucas.

—¡Ay, no! Seguro que ha pillado un resfriado por el viaje de ayer. ¿Es ese el motivo por el que hoy se ha mantenido alejado? ¿No quiere que nos contagiemos?

—Me complace asegurarle que no es una enfermedad contagiosa —contestó él con seriedad.

—No lo entiendo.

El señor Yale se detuvo, se volvió para mirarla. Lucía una expresión tensa.

—Es un estado temporal, y no debe usted preocuparse en absoluto. Déjelo estar, si no le importa.

—Está muy serio.

—Probablemente tenga un motivo para estarlo.

—Se supone que esa es una indirecta para que abandone el tema, pero en cambio voy a fingir que soy del todo obtusa. Me he preocupado mucho al no verlo en todo el día.

—Soy capaz de cuidar de mí mismo, señorita Lucas.

—Nos encontramos en un lugar recóndito y solitario. Por eso me preguntaba dónde podría estar.

Eso pareció sorprenderlo.

—¿Tenía miedo de estar aquí? ¿Sin mí?

—No era miedo exactamente. Es un lugar muy tranquilo. Y, la verdad, después de toda la agitación de los últimos días, no me importa disfrutar de un día de tranquilidad. Solo estaba preocupada por usted.

—En ese caso, puede estar tranquila. No volveré a marcharme.

—A lo mejor necesita dormir.

—Una idea excelente.

Pero no lo hizo. La acompañó hasta la cocina, donde Diantha se dispuso a ayudar a la señora Polley con los preparativos para la cena mientras Owen los entretenía con algunas historias de la mina que a Diantha le pusieron los pelos de punta.

—Cuando mi hermana pilló la fiebre, la trasladaron a la enfermería. Acabó con garrotillo. No duró ni dos días. —Dejó caer los hombros.

—Esos sitios no son dignos ni para los animales —protestó la señora Polley—. Menos mal que te encontraste con mi señora y ahora estás con nosotros.

Diantha cortó las verduras al tuntún y cascó los huevos en un cuenco. Tuvo suerte de no acabar rebanándose un dedo con el cuchillo y de no derramar la comida en el suelo. Solo tenía ojos para el caballero. Él también la observaba. Tenía unas ojeras evidentes y mantenía las manos en los bolsillos. Sin embargo, parecía inquieto, algo inusual en él.

Comieron como si se tratara de una merienda campestre, sin ceremonia alguna y en la cocina. Owen se comió la mitad del plato de huevos, de la mermelada y del pan en cuanto la señora Polley lo dejó todo en la mesa. Diantha le sirvió un plato al señor Yale y él se lo comió, lo que resultó excepcional. Después, tras darle las gracias a la señora Polley y despedirse de ella con una reverencia, se marchó.

Diantha apuró a toda prisa lo que le quedaba en el plato y fue tras él. Lo encontró en el salón, contemplando el brillo del fuego de la chimenea, con las manos en los bolsillos y los ojos cerrados. Los abrió al percatarse de su entrada y la miró.

—Señorita Lucas, perdone mi apresurada despedida.

—Está enfermo de verdad. —Se acercó, pero él retrocedió.

Diantha se detuvo con un nudo en el estómago.

—No me encuentro muy bien, es cierto —reconoció el señor Yale, que parecía estar apretando los dientes.

—A lo mejor ha pillado un resfriado, como la señora Polley.

—Se está repitiendo.

—Bueno, es posible, porque aunque antes me tenía por una persona valiente, tal vez no lo sea después de todo. Verá, es que no puedo permitir que sufra usted una enfermedad terrible y complicada, porque no me apetece quedarme aquí sentada presa de la impotencia en mitad de Gales para verlo morir.

El señor Yale enarcó las cejas.

—Señorita Lucas, tiene usted una vena melodramática. Que mantiene escondida la mayor parte del tiempo, la verdad. Pero cuando decide mostrarla es realmente impresionante.

Diantha se retorció las manos.

—En ocasiones, es muy frustrante hablar con usted. Dígame qué le pasa.

Él miró hacia la ventana.

—Nada que no puedan solucionar unos sorbos de brandy. ¡Vaya, ha empezado a llover de nuevo!

—Tengo la impresión de que le apetece añadir un «Muy adecuado» o algo igual de deprimente.

—En absoluto. Lo que pasa es que cuando uno pasa la noche fuera bajo la lluvia sin dormir, es todo un lujo encontrarse bajo techo y en una estancia caldeada por el fuego. —En ese momento sonrió, aunque apenas fue un atisbo de sonrisa, y en sus ojos apareció una expresión peculiar. La mirada del depredador, otra vez.

Diantha sintió un escalofrío en la espalda.

—¿Ha pasado la noche bajo la lluvia? ¿Después de animarme a buscar una habitación donde dormir?

—Admito que fue un comportamiento hipócrita. Si lo desea, puede ponerme los grilletes y entregarme al verdugo. Ahí es donde acabaré, de todas formas. —Añadió el último comentario como si se le acabara de ocurrir al hilo de la conversación.

—¿Quién se está comportando ahora de forma ridícula? El sentido común parece haberlo abandonado. Debería irse a dormir.

—Gracias, me quedaré aquí. Pero usted puede marcharse si quiere.

—Acaba de oscurecer.

Por un instante, Diantha vislumbró algo en sus ojos. Una fugaz desesperación como la que vio la otra noche en el pasillo de la posada antes de que la tocara. La noche que él no recordaba, porque había bebido demasiado.

Y entonces lo comprendió todo de repente. O creyó haberlo comprendido.

—Pero no va a tomarse esos sorbos de brandy —dijo—. Ni siquiera va a tomarse uno, ¿verdad?

El señor Yale la miró a la cara, pero no replicó.

—Ha dejado las bebidas alcohólicas, ¿no es cierto? Las ha dejado por completo.

—Usted... —El señor Yale guardó silencio y pareció reconsiderar lo que iba a decir. Al final, solo dijo—: Pues sí.

—Y por eso se encuentra tan mal.

Otro silencio antes de un:

—Sí.

El silencio se prolongó, pero Diantha fue incapaz de decir todas las cosas que se le ocurrieron de repente. Su virtud y el honor del señor Yale estaban enredados de forma lamentable.

—Por culpa de lo que pasó en la posada de Knighton —dijo por fin.

—Por eso mismo —reconoció él.

Diantha se aferró a una silla con manos temblorosas y acabó sentándose en ella.

—Debería sentarse.

—Estoy muy cómodo de pie.

—Parece tan cómodo como mi hermana Charity cuando mi madre trató de casarla con lord Savege. Antes de que se casara con Serena, me refiero.

Los deliciosos labios del señor Yale esbozaron una amplia sonrisa.

—Desconozco esa historia.

—Porque todos la mantienen en secreto. Creo que fue uno de los motivos por los que mi madre se marchó. —A esas alturas, no era capaz de mirarlo a la cara—. Se llevó una decepción tremenda cuando no se cumplieron las expectativas que había depositado en Charity.

Se produjo otro silencio.

—¿Y no tenía expectativas depositadas en usted?

—Bueno, yo carecía por completo de encantos. Charity es muy guapa y comedida, por supuesto.

—¡Ah!

Seguramente no la comprendía. Ese caballero tan guapo, elegante y de modales exquisitos no podía entenderla aun cuando estuviera enfermo y se encontrara en la difícil situación en la que ella lo había colocado por culpa de su imprudente búsqueda y de su desvergonzado comportamiento.

—Mi padre siempre decía que dejaría la bebida —comentó—. Lo hizo en una ocasión, pero solo resistió quince días. Yo era muy pequeña, pero lo recuerdo porque después de varios días sin probarlo, me pidió que le llevara la botella de whisky.

—¿Y lo hizo usted?

—Me negué. —Diantha se encogió de hombros—. Me caía mejor cuando no bebía. Era más simpático. No aquel día en concreto, claro. Aquel día estaba furioso, y cuando mi madre volvió a casa, me encerró en mi dormitorio. Poco después, cayó enfermo. Mi madre decía que se cavó su propia tumba con la bebida.

Se produjo otro largo silencio durante el cual solo se escuchaban los distantes ruidos procedentes de la cocina y los suaves ronquidos de *Ramsés,* que dormía en la alfombra situada delante de la chimenea.

—Esta no es la primera vez.

Diantha se quedó sin aliento. Al parecer, el señor Yale iba a confiar en ella. Ese hombre que poseía secretos que ella ni siquiera soñaba con desvelar.

—¿Cómo le fue en la anterior? —quiso saber—. ¿O en las anteriores?

—En la anterior. Mejor que ahora. Muchísimo mejor.

Diantha tomó una honda bocanada de aire y se puso en pie.

—Aunque va en contra de mi opinión al respecto, creo que no debería hacer esto. No ahora mismo, quiero decir. Si le prometo no...

—No. Cállese.

—¿Que me calle?

—Más bien que intente guardar silencio.

Diantha creyó atisbar el asomo de una sonrisa en su rostro, pero el pobre tenía muy mal aspecto, pese a su elegante atuendo y a su apuesto rostro. Los ojos eran lo peor de todo, como si el hambriento depredador buscase algo que era incapaz de encontrar y la desesperación se adueñara de él mientras hablaban.

—Tiene usted un aspecto raro. —Diantha dio un paso hacia él y, en esa ocasión, el señor Yale no retrocedió—. Está pensando de nuevo en llevarme a casa. —Seguro que el hilo de los pensamientos del señor Yale había sido similar al suyo. Porque para él sería mucho más fácil si ella dejara de ser su responsabilidad. En ese caso, podría hacer lo que deseara, podría marcharse adonde quisiera y beber lo que quisiera sin el temor a que ella se le echara encima—. Yo lo haría si fuera usted.

—En ese caso, puede dar gracias de no ser yo.

No obstante, Diantha no estaba satisfecha con eso, no cuando su mirada parecía devorarla, cuando parecía devorar cada uno de sus rasgos, poco a poco.

—¿En qué está pensando, entonces?

Esos ojos grises se clavaron en su boca.

—En...

Diantha descubrió que era incapaz de respirar.

—¿En...?

—No puedo dejar de pensar en... —La mirada del señor Yale volvió a sus ojos—. No puedo dejar de pensar en el sótano.

Diantha se sintió como una idiota.

—¿En el sótano?

Lo vio tragar saliva. Se percató del tenso movimiento de su garganta por encima de la corbata.

—Anoche me deshice de todas las botellas del salón y de la biblioteca, pero...

«¡Oh!», exclamó Diantha para sus adentros.

—Pero hay una bodega en el sótano, ¿verdad?

Él asintió con la cabeza al tiempo que se estremecía de forma visible. Diantha no lo comprendió del todo hasta ese instante.

Por fin lo entendía.

Puso los brazos en jarras.

—En ese caso, también debemos deshacernos de esas botellas.

—No.

—¿Quiere abandonar su propósito, después de todo? Lo más fácil sería hacerlo, claro está, sobre todo mientras yo lo obligo a...

—¡No!

Sus miradas se entrelazaron durante un largo instante.

Después, el señor Yale tomó una entrecortada bocanada de aire.

—Tal parece que debemos bajar al sótano.

—Puedo ir yo sola —se ofreció ella.

—No.

—Creo que debería llevar la cuenta de las veces que me dice «no». —Comenzando con el momento en el que dejó de besarla en la posada de Knighton, si bien después continuó haciéndolo de todas formas. Un momento que los había llevado hasta el punto en el que se encontraban.

14

Tal como sucedieron las cosas, al final el señor Yale fue de muy poca ayuda, salvo por el hecho de que le hizo compañía y de que al menos así ella podía vigilarlo y comprobar que no caía fulminado. La bodega era pequeña y estaba a oscuras, aunque bastante alejada de la cocina, donde la señora Polley se había quedado dormida.

El señor Yale se apoyó en la jamba de la puerta, al parecer más tranquilo. Sin embargo, contemplaba el reguero de líquido que dejaba cada botella en el sumidero con expresión cada vez más febril.

—El clarete primero —murmuró él.

—¿Por qué? ¿Es la bebida más fuerte?

—Por Dios, no. Pero no me gusta.

—En ese caso deberíamos vaciar esas botellas en último lugar. —Miró la botella de brandy que tenía más cerca y luego desvió la mirada hacia los estantes llenos de botellas tumbadas—. Descorchar cada una es una tarea pesada. No sé cómo lo hacen los mayordomos todos los días. Ya empiezo a tener ampollas en los dedos.

—Rompa el cuello. —Su voz sonaba tensa.

Diantha no lo miró. Le pediría que subiera a la planta superior, pero sabía que no la obedecería. Era un hombre muy fuerte. Al fin y al cabo, ya la había aguantado durante varios días y en ese momento estaba haciendo eso. Por ella.

—¿Contra qué las rompo?

—Contra una piedra. —Su expresión era seria.

—¿Fuera?

—Fuera.

—Está lloviendo.

—Contra la pared del pozo.

—¿El pozo? En ese caso, el agua se...

—Está seco.

—¿Cómo lo sabe?

La miró fijamente, con una expresión un tanto velada.

—De acuerdo —murmuró—. Pero voy a tener que sacarlas todas.

—Yo la ayudaré.

Se puso la capa mientras él hacía lo propio con su gabán, e hicieron varios viajes para sacar el contenido de la bodega (cien botellas en total) y llevarlo al pozo situado junto a la puerta de la cocina.

El señor Yale se sentó en la cerca que rodeaba el patio, bajo la lluvia, y la vio romper cada botella contra la piedra antes de tirar su contenido al pozo.

—Esa olía fatal. —Arrugó la nariz.

—No.

—No puede olerla desde tanta distancia.

—¿Apostamos?

—Mejor que no. —Diantha vació otra botella y la tiró al pozo—. Vamos a tener que compensar a los pobres dueños por el saqueo de su bodega.

—Ciertamente.

La lluvia caía suavemente sobre la reluciente piedra gris del pozo y sobre la hierba que se extendía entre ellos, mientras el atardecer daba paso a la noche.

—Sabe que puede entrar, ¿verdad? Puedo terminar yo sola.

—No me apetece entrar.

Suspiró al escucharlo.

—No le apetece perder de vista todas estas botellas de vino, seguro.

—No me apetece perder de vista a una muchacha guapa.

El corazón le dio un vuelco incómodo, una tontería, por supuesto, porque aunque se había librado de las espinillas y de los kilos de más, no era guapa. Sin embargo, era muy posible que él estuviera delirando.

—Si puede oler el vino desde tanta distancia —repuso a fin de desentenderse de los alocados latidos de su corazón—, ¿qué más puede oler?

—A usted.

Otro vuelco, bastante más pronunciado.

—¿En... en serio? ¿A qué huelo?

—A aire fresco.

Si hubiera dicho algo tonto, como que olía a rosas, habría sabido que su coqueteo no era real. En cambio, experimentó cierta calidez en unos puntos clave, una sensación que no debería gustarle. Hacía que se sintiera acalorada y perdida, y puesto que no podía hacer nada para aliviar dicha sensación, deseaba que no se la provocara.

—Está hablando metafóricamente, ¿verdad?

—No. Huele a aire fresco de verdad.

Sus palabras la complacieron más de lo que deberían. Tal vez la señora Polley tuviera razón y era un demonio al que habían enviado para frustrarla.

Lo que quedaba del vino se perdió por el pozo. Diantha sacudió las manos entumecidas y lo siguió de vuelta a la casa.

—Estoy exhausta.

—Yo también lo estoy, y eso que solo he mirado. —El señor Yale echó el pestillo de la puerta principal, que encajó en su lugar.

—¿Cómo se siente?

—No me lo pregunte.

—¿Por qué no?

—Porque, en contra de lo que se pueda pensar, no la quiero de enfermera. Al menos para mí.

«¿En contra de lo que se pueda pensar?», se preguntó ella.

—¿Por qué no?

Él la miró, y Diantha tuvo la sensación de que sus ojos parecían en paz por un momento, con un tierno brillo plateado a la luz de la vela.

—Bruja. Hace demasiadas preguntas.

—Me gusta cuando me llama «bruja». Que sepa que nadie lo ha hecho antes.

—Confieso que me sorprende.

—Todavía no he sido presentada en sociedad y en Glenhaven Hall o en Savege Park no hay nadie que me llame de esa manera. Salvo usted. Pero nos ha visitado en pocas ocasiones.

—En ese momento, se le ocurrió algo sorprendente: tal vez no había sido sincera consigo misma acerca de los recuerdos que tenía de él, tal vez había recordado sus breves encuentros demasiado bien—. ¿Se retirará ahora? —consiguió preguntar pese a sentir los atronadores latidos de su corazón—. Parece cansado.

—Lo estoy, bastante. —Le hizo una reverencia—. Buenas noches, bruja. —Se dio la vuelta y subió la escalinata.

Diantha se marchó a la cocina, que seguía caldeada por el fuego, y cubrió a la señora Polley con una manta. A continuación, subió la escalinata y buscó la cama en la que su dama de compañía y ella habían dormido la noche anterior, con sábanas que seguían oliendo a moho pero que estaban secas. Se acurrucó bajo las mantas de lana que olían a alcanfor y yació con sus incómodos pensamientos, mientras se preocupaba por él.

Cuando llegó el nuevo día, Diantha se despertó con renovado valor y confianza. El sueño curaba todos los males y se había desentendido de sus ideas alocadas. Todas las jóvenes se encaprichaban de los caballeros elegantes, de modo que no podía castigarse porque a ella le hubiera pasado lo mismo, sobre todo porque el señor Yale fue muy galante en aquella ocasión. Ese día, reemprenderían la marcha y en cuanto encontraran a su madre, él seguiría su camino y ella ya no tendría que pensar en él a todas horas.

Cogió un trozo de pan de la cocina y regresó al vestíbulo con paso vivo. Allí lo vio al pie de la escalinata, con las mejillas hundidas y los ojos vidriosos.

—Señorita Lucas, si fuera tan amable... necesito su ayuda.

—¿Para estar de pie?

Él quiso esbozar una sonrisa.

—Para conducir el carruaje a fin de hacer un recado.

—¿Un recado? —Se sentía incapaz de formular frases largas.

El señor Yale no se había recuperado de la noche a la mañana. Sintió una fuerte opresión en el pecho.

—Owen me ha dicho que hay un pueblo cerca, uno que cuenta con una tienda en la que podría comprar varias de las cosas que necesito. Me temo que no me encuentro en mi mejor momento esta mañana. Agradecería que me prestara su ayuda.

Diantha tragó saliva para desentenderse de su preocupación y del fuerte impulso de rodearlo con los brazos.

—Puede contar con ella, por supuesto.

Lo vio señalar la puerta mientras que con la otra mano se aferraba al poste de la barandilla con tanta fuerza que tenía los nudillos blancos.

—Después de usted.

—Pero no tenemos carruaje.

—En las cocheras hay una calesa modesta.

—No tenemos un caballo de tiro.

—*Galahad* tendrá que rebajarse. Ya lo ha hecho antes.

—¿En serio? —Atravesó el patio a su lado en dirección a los establos.

—Alguna que otra vez. ¿Le importa?

—Claro que no. Pero ¿por qué no ha enviado a Owen?

—Está durmiendo, como debe ser. Ha trabajado duro y se merece el descanso.

—Es muy considerado de su parte.

La calesa era muy modesta, sí. Tuvieron que sentarse muy pegados, de modo que sus hombros y sus caderas se rozaban. Diantha fue incapaz de contribuir a la conversación, ya que el placer de ese contacto era demasiado potente.

El pueblo no se encontraba muy lejos si seguían el camino que transcurría junto al arroyo que serpenteaba por el valle. En realidad, no era un pueblo muy grande, apenas unos cuantos edificios y una iglesia de piedra de planta cuadrada que, al lado de la Abadía, parecía casi insignificante.

El señor Yale parecía conocer el camino a la perfección, ya que le señaló una casita con un enrejado cuajado de enredaderas que brillaban bajo la lluvia. Se apeó de la calesa y le ofreció la mano.

Diantha la aceptó, y si bien la sintió fuerte, no podía decir que estuviera firme.

—Creo que debería ser yo quien lo ayudara a bajar.

—Dado que es usted la que lleva faldas, creo que debemos apañarnos así.

Le dio un apretón en los dedos.

—Me dirá si puedo ayudarlo, ¿verdad?

—Me está ayudando ahora.

Dos hombres salieron del edificio adyacente y los miraron con mucho descaro. El señor Yale se colocó su mano en el brazo y los saludó con un gesto de la cabeza.

—Buenos días, señor —dijo uno con los ojos entrecerrados, si bien los saludó con una reverencia. Era un hombre mayor, de cara tosca y con barba, ataviado como cualquier habitante de Glen Village en Devon.

El señor Yale devolvió el gesto de cabeza antes de abrir la puerta, haciendo que sonaran las campanillas.

El interior de la casa olía a rosa, a romero y a salvia. Había frascos marrones alineados en los estantes, velas de varios colores diseminadas por la estancia y tarros llenos de hierbas secas y bonitas flores desecadas. Una mujer con una abundante melena canosa cubierta por una enorme cofia se levantó de una mecedora situada en un rincón y se acercó a ellos.

—Vaya, vaya, señor. ¡Muy buenos días! —Hizo una genuflexión—. Y buenos días para usted también, señorita. —Sin embargo, la mujer no apartó la mirada del señor Yale, algo de lo que Diantha no podía culparla—. ¿Qué trae a un caballero y a una dama a mi tienda en semejante día? —En ese momento, la mujer la miró de arriba abajo, observándola con detenimiento. Pero no con desdén, sino con abierta curiosidad.

—Buenos días, señora. —El señor Yale se sacó una hojita de papel del bolsillo de su chaleco—. ¿Tendría la amabilidad de proporcionarme estas cosas si dispone de ellas?

La mujer lo miró mientras desdoblaba la hojita y después bajó la vista. Frunció el ceño.

—Hierba de San Juan... Cardo mariano... Cayena molida... Láud... —Alzó la vista a toda prisa, en esa ocasión para mirarlo a él, o esa impresión le dio a Diantha—. Tiene suerte, señor. Tengo todo esto y algunas cosas más que tal vez le interesen.

—Ah, albergaba esa esperanza.

La mujer le lanzó una mirada penetrante antes de desaparecer en la trastienda, a la que accedió por una puerta.

—¿Qué es la cayena molida? —susurró Diantha, pero la mujer ya había reaparecido.

—Es un pimiento de las Américas, señorita. Secado y molido hasta convertirlo en polvo.

—¿Un pimiento? —Miró de reojo al señor Yale, pero este parecía concentrado en los paquetitos de papel que la mujer estaba preparando en el mostrador—. ¿Para qué se usa?

—Para algunos malestares —contestó la mujer, mientras metía cucharaditas de un polvo rojo en un paquetito con gran habilidad, tras lo cual abrió un enorme tarro y sacó varios tallos de una planta seca con apenas una línea de color púrpura en las flores marchitas.

Diantha se inclinó sobre las hierbas para inspeccionarlas.

—Eso debe de ser el cardo mariano. Pero no reconozco la mayoría de las hierbas que hay aquí. ¡Tiene una tienda maravillosa! ¿Cómo es que ha reunido todas estas plantas?

—Un joven caballero que vivió por estos lares hasta no hace mucho me instruyó sobre las propiedades de estas plantas. —La mujer miró al señor Yale—. Pero no me malinterprete, señorita. Molly Cerwydn aprendió el arte de las hierbas de su madre y no ha habido nadie mejor por aquí en cien años. Pero este caballero, en fin, había estado viajando por todo el mundo, donde había trucos curativos que yo desconocía, como comprenderá. Así que, ansiosa por mejorar en mi trabajo, lo obligué a contarme lo que había aprendido. Los habitantes del pueblo, los granjeros e incluso los animales se han alegrado mucho desde entonces.

—¿Qué le pasó al joven? —Diantha acarició la tapa de un tarro de cristal con la punta del dedo—. ¿Sigue contando historias de tierras exóticas?

—Se fue solo Dios sabe adónde. Aunque será bien recibido cuando quiera volver. Todos nos alegraremos de verlo de nuevo.

El señor Yale carraspeó con suavidad.

—Señoras, si me perdonan, voy a comprobar que el caballo esté bien. —Dejó un puñado de monedas en el mostrador y salió de la tienda.

La señora Cerwydn envolvió los paquetitos en papel y los ató con una cuerda.

—Tome, señorita. Ahora bien... —Miró a Diantha con detenimiento. A continuación, metió la mano en el bolsillo de su falda y sacó un frasco de cristal marrón del tamaño de su mano.

Diantha la miró con los ojos muy abiertos. Ya había visto una botella así antes, cuando su padre enfermó. Antes de que muriera.

La herbolaria le cogió la mano, le colocó la botella en la palma y asintió con la cabeza.

—Asegúrese de que su caballero recibe los cuidados que necesita.

Claro que él no era su caballero.

Diantha hizo una genuflexión, cogió el paquetito y salió de la tienda. El señor Yale se encontraba al otro lado de la calle, con el hombre de la barba. Después, se acercó al carruaje, seguido de cerca por *Ramsés*. Cuando cogió el paquetito que ella llevaba en las manos, se percató de la tensión de su rostro.

—¿Volvemos a la casa? —le preguntó en voz baja.

—Volvemos a la casa. —Su voz sonaba tensa.

—¿De qué estaba hablando con ese hombre? —Don Barbas seguía mirándolos, y Diantha atisbó a la herbolaria observándolos desde el escaparate, y también vio otra cara asomada a la ventana del edificio adyacente—. Todo el mundo se muere de curiosidad por nosotros.

—Gente de pueblo. Son así. —El señor Yale cogió las riendas.

—¿No quiere que conduzca yo?

—Si es necesario, lo hará enseguida. —Azuzó a *Galahad* para que se pusiera en marcha.

Don Barbas los observó alejarse por el camino.

—No quiere que ese hombre me vea conduciendo, ¿verdad?

—Me da lo mismo lo que ese hombre vea. —Sujetaba con demasiada fuerza las riendas.

—¿Y por qué...?

—La actividad me viene bien, señorita Lucas. Me proporciona algo en lo que concentrarme.

Ella apartó la vista del camino para clavarla en su apuesto rostro, que estaba demudado por la tensión.

—¿Tan mal se encuentra?

En su mentón apareció un tic nervioso.

—Tan mal me encuentro.

De vuelta en la Abadía, una vez que *Galahad* estuvo desbridado, el señor Yale cogió el frasquito y el paquete de la herbolaria, le dio las gracias y entró en la casa sin esperarla. Ella hizo lo propio, pero se dirigió a la cocina, donde encontró a la señora Polley tosiendo delante de una tetera y de una tabla con masa de galletas.

—Parece que ha encontrado azúcar. —Diantha le ajustó mejor el chal a su dama de compañía alrededor de los hombros.

—El muchacho la ha encontrado. —La señora Polley siguió amasando—. Es más listo que el hambre. No quiero saber en qué cocina falta ahora.

—¿Ha robado el azúcar de la cocina de alguien? —Diantha se sentó a la mesa junto a la oronda figura de su dama de compañía—. Por el amor de Dios, apenas llevo dos semanas lejos de la casa de mi amiga y he quebrantado tantas leyes que he perdido la cuenta. —Y eso que la señora Polley no sabía ni la mitad y desconocía las leyes morales que había quebrantado. Cogió un trocito de la masa, ya que los granitos marrones del azúcar le resultaban muy tentadores—. Supongo que siempre supe que no acabaría bien. Como le ha sucedido a mi madre.

—Nada de eso, señorita. La encontrará y arreglará las cosas.

—Creo que tendrá tiempo de sobra para recuperarse del todo del resfriado, señora Polley. Vamos a estar aquí más tiempo del que habíamos previsto. Y si los habitantes del pueblo empiezan a sospechar adónde van a parar sus gallinas y su azúcar, o si alguien viene a por la vaca y reconoce la calesa en la que hemos ido al pueblo esta mañana, seguramente acabemos arrestados.

—Que es justo lo que se merece ese hombre.

—Tal vez. Y lo que me merezco yo. Pero no usted. —Diantha cogió las regordetas manos de su dama de compañía, esparciendo harina por todos lados—. No quiero que le pase nada malo por mi culpa. Pero no puedo marcharme sin el señor Yale. Sin embargo, me temo que no estará en condiciones de viajar hasta dentro de unos días. Se encuentra bastante mal y estoy muy preocupada por él.

La señora Polley se soltó y volvió a coger el rodillo.

—Elizabeth Polley no es de las que abandonan a su señora por una ridiculez.

Diantha miró hacia el arco que conducía al vestíbulo y a la escalinata que la llevarían hacia el lugar de la casa donde él se encontraba. Se aferró al banco para obligarse a permanecer sentada.

—Me temo que la situación puede acabar siendo más incómoda que una simple ridiculez.

15

—Quiere que la ordeñen, señorita.

—Eso parece. —Diantha se encontraba junto a Owen que, como ella, tenía los codos apoyados en la portezuela de la cuadra. Los tristes mugidos de la vaca resonaban por el establo. Las ubres de la pobre criatura parecían muy pesadas. Sin embargo, ella no tenía la menor idea de lo que hacer con una vaca. La situación tal vez no fuera tan extrema—. Supongo que no sabes ordeñar vacas, ¿verdad?

—No, señorita. Sé algo sobre ovejas, eso sí.

—Pero no sabrás ordeñarlas, ¿o sí?

El muchacho la miró con una extraña expresión.

Diantha cruzó los brazos. El establo estaba cargado de humedad, ya que el mal tiempo persistía, como si la lluvia quisiera seguir cayendo eternamente. Su vestido y su ropa interior estaban húmedos, tenía el pelo encrespado y rizado, y era mejor no hablar de sus zapatos. Sin embargo, solo contaba con el vestido que había llevado durante el trayecto hasta la Abadía y con el que llevaba puesto. Y, después de tres noches, estaba harta de dormir sin almohada y sin un buen fuego en la chimenea. Su mundo entero parecía haberse convertido en un húmedo pantano.

—Supongo que será mucho esperar que la señora Polley sepa ordeñar una vaca —murmuró.

—Eso creo, señorita.

—Aunque ayer hizo unas galletas que estaban deliciosas con tan pocos ingredientes, así que no deberíamos quejarnos.

—Pues no, señorita.

—Además de las estupendas gachas de avena y frutos secos de esta mañana, aunque no llevaran leche.

—Sí que estaban ricas, señorita.

—Dice que hoy comeremos verdura. Aunque no paraba de toser, ha salido a buscarlas al huerto.

—Me gusta mucho la verdura hervida, señorita.

La vaca mugió. Los caballos siguieron comiendo heno. Diantha se mordisqueó el labio inferior.

—Owen, ¿quién va a ordeñar la vaca?

El muchacho se colocó una mano en la barbilla, como si fuera un hombre de gran dignidad y se la acarició como si se acariciara la barba. Diantha contuvo una carcajada. Sin embargo, le pareció estupendo tener ganas de reírse. No había visto al señor Yale en todo el día, aunque Owen le había dicho que había sacado a *Galahad* justo después del amanecer y a esas alturas ya había vuelto a casa. Sin embargo, si quisiera su compañía, ya la habría buscado.

—Señorita —contestó Owen—, deberíamos preguntarle al señor Yale.

Ella rio entre dientes.

—Pero, Owen, él es un caballero. Residente en Londres, ni más ni menos. Los caballeros que residen en Londres saben bailar el vals y jugar a las cartas a la perfección. —Y al parecer, apuntar a otro hombre con una pistola sin mover un solo músculo—. Pero no saben ordeñar vacas.

Owen se encogió de hombros.

—Es posible. Pero alguien debe hacerlo o se pondrá enferma, y tendremos que llevarla al pueblo y se descubrirá el pastel.

Diantha se sacudió las faldas con las manos.

—Se pondrá enferma. Aunque tal vez sea lo más ridículo que he hecho en la vida, voy a preguntarle al señor Yale. —Así podría verlo. Necesitaba una excusa.

Regresó a la casa y subió la escalinata en dirección a la sala de estar, ansiosa como no lo había estado desde el desayuno. No lo encontró allí. Abrió la siguiente puerta del pasillo. El salón, que era más grande que la salita, parecía demasiado lujoso como para utilizarlo y no había entrado en dicha estancia desde el pri-

183

mer día. Sin embargo, llamó a la puerta antes de abrirla una rendija.

Ramsés asomó el hocico y olisqueó a través del hueco. Diantha abrió la puerta del todo.

La luz grisácea del exterior entraba por las ventanas, convirtiendo las sábanas de hilo que cubrían los muebles y los cuadros en formas fantasmagóricas. Todo salvo la silueta del hombre que se encontraba de espaldas a ella, mirando por una ventana de cristales polvorientos.

—Debo decirle a Owen que limpie esos cristales —comentó ella—. O hacerlo yo misma, supongo. Es lo menos que puedo hacer por estas personas a las que ni siquiera...

El señor Yale se volvió hacia ella. Diantha sintió un nudo en la garganta. La pistola que empuñaba brilló con el movimiento.

—¿Qué... qué...? —intentó preguntarle ella, pero fue incapaz de hablar al verlo caminar hacia ella.

El corazón pareció atascársele en la garganta mientras clavaba la vista en la pistola.

—¿Qué hace con eso? —logró susurrar.

El señor Yale le aferró una mano, le colocó el arma en la palma y la obligó a cerrar los dedos a su alrededor. El metal era frío y pesado, pero el roce de la mano del señor Yale se le antojó abrasador.

—Escóndala —respondió él con voz muy tensa.

Ella asintió con la cabeza de forma breve. El señor Yale introdujo la mano en un bolsillo de la chaqueta. Acto seguido, la instó a colocar la otra mano con la palma hacia arriba, en la cual dejó caer unas cuantas balas.

—Y esto. Pero no las guarde juntas. —La soltó—. Y recuerde en qué sitio lo esconde todo, señorita Lucas. Lo necesitaré dentro de un tiempo.

—¿No le parece que, después de todo, debería llamarme Diantha y tutearme? —sugirió ella con voz temblorosa.

—Recuerda dónde lo escondes todo, Diantha. Y ahora... —Lo vio respirar con dificultad. Sus ojos lucían un brillo febril—. Ahora, déjame. Y si por casualidad voy en tu busca y actúo de forma... extraña, corre.

Eso hizo que el corazón le diera un vuelco.

—No lo haré.

Lo vio apretar los puños a ambos lados del cuerpo.

—Diantha, te lo suplico.

Se marchó, pero le ordenó a Owen que fuera a hacerle compañía. Después, volvió al establo, donde la vaca seguía con su triste soliloquio. Acarició la cabeza oscura y la nariz blanca de *Galahad*, tras lo cual se apoyó en él y dejó que la invadieran el miedo, la confusión y un extraño y acuciante anhelo. Más tarde, regresó a la casa y se dirigió a la cocina, donde al menos podía ayudar a la señora Polley.

El día era un tormento, una constante búsqueda de actividades que ocuparan su mente lo bastante como para distraerlo del ansia y del mal funcionamiento de su cuerpo. El día le ofrecía luz para leer. Le ofrecía la parlanchina compañía de Owen si el muchacho no estaba ocupado haciendo alguna otra cosa. Le permitía imaginarse a Diantha moviéndose por la casa, convirtiéndola en un hogar, de la misma forma que convertía un tronco de árbol en un trono y a las almas descarriadas en amigos íntimos.

Al parecer, el día duraba muchas más horas que las que tardaba el sol en ponerse, y lo obligaba a registrar los armarios de la biblioteca del salón en busca de una baraja de cartas, o un tablero de ajedrez, o cualquier cosa con la que pudiera entretenerse. Cada respiración era un martirio y le recordaba, aun sumido en un delirante aturdimiento, que solo manteniendo la mente ocupada podría salir del abismo. De la misma forma que superó años antes el dolor infligido por otros, su mente también superaría ese trance.

El día era una tortura.

Pero la noche era infernal.

La noche era infinita. Poseía garras que se le clavaban en las entrañas. Le susurraba que podía ponerle fin al tormento hasta que era incapaz de escuchar otra cosa. La noche persistía, hora tras hora de oscuridad. Visitaba el establo, pero ni siquiera la presencia de *Galahad* aliviaba el pánico. Así que salía de nuevo bajo la lluvia, tan tentadora con sus aromas y su frescura, subía hasta el redil y dormía entre las rocas. Sin embargo, el sueño era otra forma de tortura. Sumía su cuerpo en continuos temblores y sentía que los huesos le ardían. El agónico dolor de cabeza lo dejaba prácticamente ciego. Pero lo peor eran las imágenes de la gente a la que había abandonado hacía ya tanto tiempo y de los lugares que llevaba tanto sin pisar. En la oscuridad, se postraba de rodillas y bebía agua del río, si bien despertaba en él una sed imposible de saciar.

En algunos momentos, era consciente de que ardía de fiebre. De que deliraba. Cuando Owen llegaba y Wyn se obligaba a hablar, intentando controlar el temblor de sus extremidades, tenía la impresión de verse a través de una enorme distancia. Sin embargo, no permitía que el muchacho se quedara mucho rato a su lado, y cuando se marchaba, dejaba que la oscuridad lo engullera de nuevo.

Sin embargo, la oscuridad no llegaba sola. Tras ella y oculto hasta el punto de que solo lo atisbaba en ciertos momentos, llegaba el alivio.

Un alivio tan tierno y delicado como el roce de la sonrisa de unos labios sonrosados.

El alivio de que por fin... todo había acabado.

Al final del tercer día, Diantha no pudo soportarlo más.

—Voy a subir. —Tras limpiarse las manos en el paño que llevaba a la cintura, le dio un tirón para librarse de él.

La señora Polley, que estaba restregando una cacerola, la miró con el ceño fruncido.

—Le dijo que no lo hiciera. Teniendo en cuenta que es lo más honorable que ha hecho hasta ahora, creo que debería hacerle caso.

—Eso no es cierto, señora Polley. —Diantha colocó una taza con su platillo y una tetera en una bandeja, junto con un plato de galletas. Extendió el brazo para coger el cazo con el agua hirviendo—. Owen dice que hoy no ha comido.

La señora Polley meneó la cabeza.

—Subiré con usted.

—No. Acabe de limpiarlo todo y váyase a la cama. Aún sigue tosiendo y necesita descansar. —Tras verter el agua hirviendo en la tetera de porcelana, le colocó la tapa.

—Como también lo necesita usted. Una señorita tan fina limpiando el polvo y barriendo, ¡habrase visto!

—Necesito actividad. —O, más bien, necesitaba una distracción. Pero era ridículo que intentara siquiera no pensar en él—. Voy a llevarle esto y, después, me iré también a la cama. Buenas noches, señora Polley.

Subió la escalinata alumbrada por la luz del cabo de vela que llevaba en la bandeja. A medida que subía, iba levantando una nube de polvo. La casa era tan grande que tardaría semanas en limpiarla por completo. Pero no tenía tanto tiempo. Los quince días se agotaban y aún no estaba cerca de Calais, sino perdida en mitad de Gales. Llamó a la puerta del dormitorio del señor Yale. No obtuvo respuesta. Llamó de nuevo, con más fuerza.

Cuando la puerta se abrió, sintió que el corazón le daba un vuelco. Iba en mangas de camisa, cuya tela se le pegaba a los brazos por el sudor. Tenía el rostro demacrado, y se le marcaban mucho los pómulos. El gris de sus iris apenas era visible, dado que tenía las pupilas muy dilatadas.

—Te dije que te mantuvieras alejada.

—Buenas noches tenga usted también. —Pasó a su lado, ya que él se lo permitió al apoyarse en la jamba de la puerta. Diantha atravesó la estancia y colocó la bandeja en el tocador, tras lo cual se inclinó para acariciarle la cabeza a *Ramsés*—. No recuerdo que me dijera eso. Me dijo que corriera si lo veía acercarse a mí. Pero ahora mismo no creo que pudiera perseguir ni a una tortuga. —Cogió el cabo para encender una de las velas que descansaban en la repisa de la chimenea y la usó para prender el carbón—. ¿Por qué tiene la ventana abierta? —Se acercó para cerrarla—. Va a pillar una pulmonía mortal.

El señor Yale apoyó la cabeza en la pared y cerró los ojos.

—Es muy posible que ya esté muerto.

—Todavía no.

—Los Fuegos del Purgatorio y demás, mientras que tú, mi Beatriz, me tientas desde el Paraíso.

—Sin embargo, es evidente que delira y posiblemente muera pronto si no come.

—Preferiría que fuera lo antes posible —musitó él.

El corazón de Diantha latía con tanta fuerza que escuchaba sus latidos en el silencio.

—Sin duda. —Se acercó a él mientras un extraño hormigueo le recorría el cuerpo, muy consciente de que estaba a solas en el dormitorio de un caballero—. Le he traído té y las galletas de la señora Polley.

Él abrió los ojos, en los que se reflejó la luz dorada del fuego.

—Vete.

—No.

Lo vio levantar las manos, tras lo cual la aferró por los hombros con fuerza y tiró de ella para acercarla. Sus facciones le parecieron muy serias cuando la miró, inclinando la cabeza para hacerlo. Tenía un brillo febril en los ojos, que lucían la expresión voraz del depredador.

—Por favor —le suplicó, hablando tan bajo que Diantha apenas escuchó sus palabras.

Le costaba trabajo respirar. Enderezó los hombros, pero no trató de zafarse de sus manos.

—¿Por qué me obligó a esconder la pistola cuando de todas maneras había planeado matarse de hambre?

—Eres... —respondió él con voz ronca—. Eres... —Era evidente que le costaba trabajo hablar—. Una niña muy difícil.

—No soy una niña y solo trato de ayudar. Pero debe permitirme que lo ayude.

Por un instante, atisbó un brillo familiar en sus ojos. Después y como si le costara un enorme esfuerzo, el señor Yale la soltó. Atravesó el dormitorio con pasos deliberados y cogió la tetera, que tintineó al chocar contra la taza mientras se servía un té. Las volutas de vapor ascendieron en el aire frío.

—Tenga cuidado. Todavía debe de estar muy cal... —Dejó la frase en el aire al ver que apuraba el té de golpe y que después se servía otra taza que también procedió a beberse con la misma rapidez—. Las galletas también —le recordó.

—Vete —replicó él, si bien siguió de espaldas a ella.

—No.

—Vete mientras todavía te lo permito.

—Creía que lo que le compramos a la herbolaria eran remedios para...

—Requieren algo de tiempo para que surtan efecto.

Diantha clavó la mirada en el frasco marrón que descansaba en el escritorio.

—Todavía no se ha tomado el láudano, ¿verdad?

Él inclinó la cabeza.

—Insensibiliza.

—Yo creo que la insensibilidad y la vida es preferible a la sensibilidad y la muerte.

—Lo mismo da que da lo mismo... —Se apoyó en el tocador con tanta fuerza que se le pusieron los dedos blancos.

Diantha comprendió que estaba tratando de guardar el equilibrio. Sintió el abrumador impulso de acercarse a él para abrazarlo y permitirle que la usara de muleta.

—Wyn... —susurró—, creo que deberías sentarte antes de que te caigas al suelo.

—No... en presencia... en presencia de una...

—No seas tonto. ¡Oh!

Al verlo tambalearse, corrió hacia él y lo abrazó tal como había imaginado que lo haría, como lo había soñado, pero no fue lo bastante rápida ni tenía la suficiente fuerza. Ambos acabaron de rodillas en el suelo.

—Tú eres el tonto —logró decir con la cara enterrada en su hombro, sintiendo el roce húmedo de la camisa que cubría sus duros músculos. Sintió sus temblores. Estaba ardiendo de fiebre—. Tonto de remate.

Una de sus temblorosas manos rodeó la suya, que en ese momento estaba colocada sobre su torso. Lo besó en el hombro mientras sentía que su mano le aplastaba los dedos. Se inclinó más sobre él y lo besó de nuevo. Sus labios rozaron el fino lino e hizo suyo el sufrimiento que lo embargaba.

—Seguramente no recuerdes este momento después —susurró al tiempo que lo besaba de nuevo en el hombro—. Es un consuelo. —Fue incapaz de detenerse. Estaba poseída por un deseo irracional, por la necesidad de estar con él, de tocarlo y de saturar sus sentidos con él.

Pero se detuvo, porque en ese momento lo importante no

era ella, lo importante no era lo que ella deseaba. Wyn la necesitaba. Aunque no disponía de días ni de semanas para demorarse tanto, por él estaba dispuesta a demorarse lo que hiciera falta.

—Voy a decirte una cosa —murmuró con la mejilla apoyada en su amplia espalda. Sentía los frenéticos latidos de su corazón bajo la mano—. No puedes morir. Ni puedes seguir en este estado por más tiempo.

—Me acordaré de este momento, Diantha. —Aunque habló en voz muy baja, ella sintió sus palabras por la vibración de su torso, una vibración que se trasladó a su cuerpo—. Me acuerdo de todo.

Diantha cerró los ojos con fuerza.

—De todo no —susurró.

—De todo no —repitió él.

—Hay una vaca que necesita que alguien la ordeñe con urgencia. Y no sé qué hacer al respecto. Así que debes recuperarte rápidamente y solucionar ese pequeño problema para que no se ponga enferma y muera. ¿Lo ves? Ahora eres responsable de dos vidas.

Le levantó un brazo. Un brazo bastante pesado, pero él debió de ayudarla un poco porque logró introducirle el hombro bajo la axila.

—Vamos. Llegaremos hasta ese sillón. Está más cerca que la cama.

—No sería la primera vez que duermo en el suelo. Lo he hecho muchas veces.

—¿Ah, sí?

—No es tan malo.

—Sin embargo, me da en la nariz que no has dormido nada desde que llegamos a este lugar. Así que, si no vas a dormir, es preferible que no duermas en el sillón en vez de no dormir en el suelo.

De alguna forma, lograron llegar al sillón. Era un cómodo sillón orejero de cuero. Wyn cerró los ojos y, al cabo de un momento, pareció quedarse dormido. Diantha lo observó de arriba abajo. Su pecho, que subía y bajaba levemente con cada respiración. Las ojeras y las mejillas hundidas que resaltaban aún más sus preciosos pómulos. Sintió cierta vergüenza al reconocer que el simple hecho de mirarlo le provocaba un ardor que no debería estar experimentando.

—No hace falta que me veles.

Diantha dio un respingo y entrelazó los dedos.

—Me da miedo que te resbales del sillón y acabes en el suelo.

—No voy a romperme. —Hablaba entre dientes, que le castañeteaban—. No estoy hecho de cristal.

Más bien estaba hecho de acero. De acero templado. Ardiente como en la fundición. Echó un vistazo hacia la cama y sintió que le ardían las mejillas. Velar a un hombre enfermo era un error dada su inocencia y su juventud. Nunca había visto la cama de un hombre.

A través de las cortinas del dosel, no vio manta alguna sobre el colchón.

—Eres tonto —murmuró, tras lo cual fue al dormitorio que compartía con la señora Polley en busca de varias mantas y regresó.

—Pensaba que te habías ido.

—En busca de esto. —Lo tapó con una de las mantas, que por un lado acabó arrastrando por el suelo. Sin embargo, ya no estaba tan asustada como al principio y, aunque tarde, no se atrevía a tocarlo ni siquiera para arroparlo mejor—. Ahora debes comer.

—Eres libre para marcharte cuando quieras —añadió Wyn con su habitual tono de voz, el que le había escuchado miles de veces, si bien le pareció que las palabras sonaban un tanto trémulas, como si le costara un gran esfuerzo pronunciarlas.

—Es usted la mar de gracioso, señor Yale —replicó ella, que prefirió retomar el tratamiento formal—. Pero no me disuadirá tan fácilmente. —Le sirvió otra taza de té, cogió varias galletas y se las colocó en las manos. La operación la dejó sin aliento, de modo que se alejó hacia el escritorio y se sentó en la silla de madera—. Y ahora, coma. Y beba. Entre tanto, yo me leeré este libro y vigilaré para que no le dé las galletas a *Ramsés*. —Cogió el libro que descansaba en el escritorio—. *Blaise Pascal y los axiomas sin verificar de la geometría de Euclides*. Bueno, señor Yale, ha logrado usted sorprenderme de nuevo. A menos que el libro lo haya elegido *Ramsés*.

191

—¿Hemos vuelto a señor Yale y señorita Lucas?

Diantha sintió que se le disparaba el pulso. Wyn tenía los ojos cerrados y sostenía en una mano la taza de té vacía, apoyada sobre la rodilla.

—No —respondió mientras soltaba el libro. Tras abrir el frasco de láudano, se acercó de nuevo a él, cogió la taza y vertió una cucharada de láudano. Después, la colocó otra vez en su mano.

Wyn la atrapó con la mano libre.

—Diantha, gracias.

—Agradécemelo si no mueres —susurró ella.

Lo vio esbozar el asomo de una sonrisa, pero aún tenía fiebre.

—Bébetelo —murmuró en voz baja, en un intento por disimular el temblor de su voz.

Esos ojos grises la miraron con intensidad y al mismo tiempo con una gran vulnerabilidad, algo que jamás habría imaginado de un hombre como él. A la postre la miraron con confianza. ¡Confiaba en ella!

La obedeció. Una vez que se bebió el láudano, Diantha se llevó la taza y la dejó en la bandeja. Contempló la preciosa pieza de porcelana pintada con florecillas de color azulado, hojas verdes y el borde plateado. La taza de una dama. La dama que era la dueña de una casa en la que estaban viviendo como un grupo de gitanos bien educados. Perdidos en mitad de Gales y sin que nadie lo supiera.

Sus dos semanas acabarían dentro de tres días. Su padre enviaría el carruaje a Brennon Manor para recogerla, pero no la encontraría. Estaba tan lejos de Calais y de Bristol como lo estaba quince días antes.

El problema que quería resolver era importante para ella. Las dos extrañas semanas viajando con un hombre que no acababa de comprender, viviendo una aventura que jamás habría imaginado, no habían mermado el deseo de ver a su madre. A esas alturas, ansiaba reunirse con ella con más vehemencia que antes. Necesitaba verla. Necesitaba hacerle preguntas. Necesitaba respuestas.

Sin embargo, la desesperación que se había apoderado de ella no tenía nada que ver con el afán de ponerse de nuevo en camino, sino con ese hombre al que realmente no conocía, aunque a veces tuviera la impresión de conocerlo de toda la vida.

A la postre, pareció quedarse dormido. Diantha se dispuso a ordenar un poco la habitación, aunque en realidad Wyn apenas había pasado tiempo en ella. Su chaqueta y su corbata estaban primorosamente dobladas sobre el gabán. A su lado, se encontraban las botas. También vio una bandeja donde descansaban sus útiles para afeitarse: una brocha blanca, una barra de jabón y una navaja cuya hoja tenía un aspecto letal y que le provocó un escalofrío. No solo porque era la primera vez que veía los objetos personales de un hombre y en ese momento se le antojaba algo muy escandaloso, sino porque era evidente que Wyn no necesitaba la pistola si quería hacerse daño o hacérselo a otra persona.

Apartó la mirada de la bandeja y comenzó a colocar los paquetes de hierbas en el escritorio, olisqueándolos a medida que lo hacía. La cayena molida hizo que se le llenaran los ojos de lágrimas y acabó estornudando, aunque Wyn no se inmutó.

Quitó la sábana de hilo que cubría una mesa auxiliar y después hizo lo propio con otra que protegía un cuadro colgado en la pared. Descubrió a una dama morena montada en un caballo gris. Sus ojos, que hacían juego con el pelaje de su montura, eran sombríos. Demasiado sombríos para su gusto, de modo que volvió a cubrir el retrato. A la postre, se armó de valor, se acercó a la cama y descorrió por completo las cortinas. A los pies del colchón descansaba un juego de sábanas de lino. Hizo la cama con el corazón desbocado.

Una vez que acabó de ordenarlo todo, se arrodilló en el polvoriento suelo. Por primera vez en cuatro años, unió las manos e inclinó la cabeza.

—Te suplico que me lo permitas, Señor —susurró, con los ojos aún llenos de lágrimas por culpa de la cayena—. Te suplico que me permitas usar mi vida para hacer algo importante.

16

Compatriotas británicos:

Debido a Circunstancias Imprevistas, mi agente en Shropshire ha visto nuevamente impedida la persecución de su rival del Club Falcon. En resumidas cuentas, comienzo a desesperarme de esta particular misión.

No, ¡no cesaré en mi búsqueda de justicia! Y sí, ¡perseguiré a los miembros de este disipado club hasta haberlos desenmascarado a todos!

Sin embargo, mientras esperaba preocupada los informes de mi agente, he aprendido una lección muy valiosa: el subterfugio no es mi fuerte. Prefiero acercarme a un hombre de frente, acusarlo de una infamia con justificación y sin recurrir a misterios, y escuchar su defensa con mis propios oídos antes que sentarme en mi trono como un déspota oriental que espera que sus secuaces realicen en su nombre Acciones Despreciables. Mis métodos deben ser impecables para que mi victoria también lo sea.

No he mandado llamar a mi agente, ya tiene bastantes problemas sin necesidad de que mi intervención le ponga más trabas en el camino. Sin embargo, cuando pueda moverse de nuevo, le informaré de mi deseo de que abandone el proyecto. De momento. Porque cuando este miembro en concreto del Club Falcon vuelva a Londres, me enfrentaré a él y se verá obligado a responder ante vosotros, Pueblo de Gran Bretaña, por sus excesos criminales.

LADY JUSTICE

Mi querida dama:

Respiro enormemente aliviado. Deje de perseguir a mi compañero de club, por favor. Pero permítame decirle una cosa: yo ya me encuentro en Londres. Le ruego que me persiga a mí en su lugar. Si me encuentra, le prometo un Interrogatorio de lo más satisfactorio.

Muy impaciente,

PEREGRINO
Secretario del Club Falcon

17

Wyn no se recuperó esa noche, ni la siguiente, ni el día posterior. La quincena de la que disponía Diantha llegó a su fin tranquilamente mientras trabajaba con el rodillo la masa de las deliciosas galletas de avena de la señora Polley a la luz del atardecer. Miró a Owen, que estaba ocupado con la mantequera que habían encontrado en el cobertizo de las gallinas. De alguna manera, el muchacho se las habría ingeniado para ordeñar la vaca y había aparecido con un cubo de leche que estaba buenísima. A Diantha se le hizo la boca agua al pensar en la mantequilla. Recordó Glenhaven Hall y las galletas con semillas de la cocinera. Recordó el ganso asado con su salsa. Recordó la limonada, la gelatina de cerdo, el queso con crujientes manzanas, la empanada de carne con patatas y también, por supuesto, recordó al hombre que descansaba en la planta alta.

—Las tartaletas que podía hacer con una docena de manzanas si las tuviera a mano... —rezongó la señora Polley como si le hubiera leído el pensamiento.

—Hay manzanas, señora. —Los delgados hombros de Owen estaban inclinados hacia delante mientras realizaba su labor—. En la huerta, una vez que se pasa la cerca.

—Bueno, ¿y por qué no lo habías dicho antes, niño?

Diantha casi podía saborearlas.

—Mañana iré a por unas cuantas.

A la mañana siguiente, contaba con la excusa perfecta para escaparse de la casa e ir en busca de la huerta. Al entrar en la cocina para desayunar, descubrió que Wyn y la señora Polley estaban sentados a la mesa, y el corazón se le subió a la garganta. Iba en mangas de camisa y llevaba el chaleco, los pantalones de montar y las botas. Lucía mejor aspecto. No tenía las mejillas encendidas por la fiebre y el brillo que iluminaba sus ojos cuando la miró era el de siempre.

—¡Está mejor!

—Hasta cierto punto —replicó él.

Diantha esperaba verlo sonreír. Sin embargo, no lo hizo. En cambio, se puso en pie.

Ella extendió una mano para detenerlo.

—¡No! Ha estado muy enfermo. No debe ponerse en pie solo porque yo haya entrado.

—De hecho, debo hacerlo. —La saludó con una leve reverencia—. Porque ya me marchaba.

«¿Ya?», pensó ella.

—¡Ah! —exclamó en voz alta.

El silencio se impuso en la cocina. La señora Polley murmuró algo entre dientes al tiempo que recogía los platos de la mesa.

Diantha intentó recobrar el uso de la lengua.

—¿Adónde?

Él se detuvo y después contestó:

—Al salón.

Era incómodo. Antes jamás había sentido esa incomodidad con él, ni siquiera durante la conversación que mantuvieron fuera de la posada de Knighton. En aquel entonces, Wyn se empeñó en hacer lo mejor para ella. En ese momento, parecía demasiado cauteloso.

—Bueno, pues muy bien. —Se acercó a la mesa y lo rodeó como si pasar tan cerca de él no convirtiera todos sus huesos en gelatina—. Me alegro mucho de que haya mejorado hasta el punto de poder moverse por la casa. Nos tenía muy preocupados. —Lo miró de reojo—. Y, por supuesto, estábamos ansiosos por ponernos de nuevo en camino.

La señora Polley carraspeó en claro desacuerdo.

—Nos iremos pronto —le aseguró él, con una nota tan peculiar en la voz que Diantha se volvió para mirarlo.

—No tan pronto —replicó ella—. No hasta que se encuentre bien del todo. —El corazón le latía demasiado deprisa.

—Gracias —dijo Wyn, que se marchó.

Diantha clavó la mirada en la puerta. Al cabo de un minuto, fue incapaz de soportar la incómoda sensación que tenía en el estómago, así como el silencio de su dama de compañía.

Se puso en marcha siguiendo la acequia, en dirección a la cerca que le había indicado Owen, llevando tan solo un cubo y sus confusos pensamientos. Sus zapatos se hundían al pisar el suave musgo que crecía en la margen de la acequia. La Abadía no era una propiedad muy diferente de Glenhaven Hall, donde siempre se mantenía ocupada realizando tareas sencillas y pasaba los días con su hermana pequeña y la servidumbre. Su padrastro se pasaba la vida recluido, ocupado con sus libros de texto y sus estudios. En lo referente a sus hijos, se preocupaba mucho más por sus hijas carnales, Serena, Viola y la pequeña Faith. Diantha había asumido su papel de hijastra hacía mucho tiempo. Sin embargo, los habitantes del pueblo la trataban con amabilidad y sus visitas semanales a Savage Park siempre eran motivo de alegría.

Londres sería distinto y lo sabía muy bien. Había museos, lugares históricos que visitar y tiendas a montones. También vería grandes damas como las que a veces visitaban Savege Park, pero en un número mucho mayor. Damas de alcurnia, elegantes y sofisticadas. Delgadas y con cutis blanquísimos. Hermosas, como su amiga lady Constance Read.

¿Qué pensaría Wyn de ella con su vestido arrugado y sus zapatos mojados, con el pelo enredado y hecho un desastre, y con sus espantosos modales al tratarlo con tan escandalosa familiaridad? Era lógico que quisiera mantener las distancias con ella.

Soltó un hondo suspiro y al alzar la vista descubrió que la huerta estaba muy cerca. En el suelo había montones de manzanas y algunas colgaban todavía de los árboles, rojas y verdes, abandonadas y en el punto justo de madurez para que las recogieran. Cogió una de una rama baja.

Firme, dulce y jugosa. ¡Divina! Se la comió y después se comió una segunda, apoyada en un vetusto tronco cubierto de líquenes, mientras observaba cómo las nubes se iban alejando.

Tal vez su padrastro no la desterrara a Devon para siempre

después de todo. Tal vez pudiera ir a la ciudad como había planeado, y Serena la vestiría como a una dama, y asistiría a bailes y ejecutaría los pasos que apenas había tenido ocasión de practicar en Devon. La única ocasión que realmente recordaba fue cuando bailó con un guapo galés en la terraza de Savege Park.

Caminó entre los manzanos, en busca de las mejores manzanas. Cuando llenó tres cuartos del cubo, se colocó el asa en la flexura del codo, cogió una manzana para comérsela por el camino y salió de la huerta. Y entonces vio al hombre.

El corazón le dio un vuelco. Caminaba con grandes zancadas, acercándose a ella.

Y, en ese momento, se le detuvo el corazón del todo.

Tal como pensó aquel día en el molino, el señor Eads era un hombre enorme. Aunque estaba demasiado lejos como para distinguir sus rasgos, lo reconoció por su corpulencia.

«¡La pistola!», exclamó para sus adentros. Debía llegar hasta Wyn. Debía decírselo. Debía advertirle. Arrojó el cubo con las manzanas al suelo y echó a correr. Sin embargo, la cerca estaba muy lejos. Perdió un zapato y sintió que el pie se le hundía en la húmeda tierra. Apenas podía respirar. Las faldas húmedas se le enredaban en las pantorrillas. Cuando miró hacia atrás vio que él también corría y había reducido a la mitad la distancia que la separaba de ella.

Presa del terror, siguió corriendo sin que sus pies hicieran ruido sobre la hierba. Al llegar a la cerca, se lanzó sobre los peldaños en busca de un asidero. Se aferró y buscó el siguiente. Subió otro peldaño y se asió al de más arriba. Otro más...

Y él la atrapó aferrándole la capa. Diantha acusó el tirón y se resbaló, cayendo hacia atrás. El señor Eads la atrapó, rodeándola con los brazos y pegándola a su inmenso torso. Aunque era inútil, forcejeó para escapar de su abrazo, gruñendo y golpeándole los brazos con los puños hasta que él decidió aferrarle también las manos.

—Eres una muchacha briosa —comentó él, imperturbable—. Pero no voy a hacerte daño, así que ya puedes estarte quietecita.

—¡Me quedaré quietecita cuando me suelte! —Le asestó una patada en una espinilla y él gimió.

Sus brazos parecían esculpidos en piedra. Sin embargo, en vez de soltarla, la sacudió y le dio la vuelta en el aire a fin de que lo mirara a la cara.

—¿Vas a dejar de forcejear? —La miró con una expresión en absoluto amenazadora.

Sus rasgos eran fuertes y masculinos, bastante atractivos para aquellas mujeres que prefirieran hombres corpulentos capaces de echárselas a un hombro como si fueran muñecas, algo que Diantha no apreciaba. Al menos no la parte de la corpulencia. Prefería una complexión más atlética y esbelta. Wyn no la trataba de esa manera, más bien la agarraba con un firme propósito. Esperaba que el señor Eads no tuviera el mismo propósito que Wyn cuando la abrazaba de esa forma.

Se tensó entre sus brazos.

—Dejaré de forcejear si usted me suelta.

El señor Eads enarcó una ceja.

—Lo haré si prometes no empezar a correr de nuevo.

—Sería una completa idiota si no saliera corriendo, ¿no le parece?

Por un instante, el escocés la observó con la misma intensidad con la que lo hizo en el molino.

—He venido a por mi caballo.

—Supongo que sí, pero no me cabe duda de que también ha venido a por el señor Yale. Sin embargo y tal como ya le dije, no voy a permitirle que le haga daño. Tendrá que atarme, amordazarme, encerrarme en el cobertizo con las gallinas y, después, cerrar la puerta con llave. —En ese momento y aunque era demasiado tarde, se mordió la lengua. Era ridículo darle ideas. No obstante, tenía la cabeza abotargada. No le gustaba que la estrechara contra su pecho de esa manera y comenzaba a pensar que acabaría vomitando. Suponía que lo bueno de la información era el descubrimiento de que no todos los abrazos le resultaban igual de emocionantes—. Y, ahora, haga el favor de soltarme.

Por sorprendente que pareciera, la obedeció. Diantha retrocedió un paso, si bien lo hizo de forma inestable, y echó un vistazo hacia la casa, que se encontraba bastante lejos. Él la miró con los ojos entrecerrados. Después, se apartó de ella, pasó sobre la cerca y echó a andar hacia la casa.

Diantha pasó sobre la cerca como buenamente pudo.

—¿Qué está haciendo? ¿Adónde va? —Corrió tras él, que caminaba con grandes zancadas—. ¡Me lo ha prometido!

—Solo te he prometido soltarte.

—Es cierto. Pero, por favor, se lo ruego. ¡Se lo suplico! —Lo agarró de un brazo y tiró de él con todas sus fuerzas—. ¡Por favor! ¡No debe hacerle daño!

El escocés se detuvo y Diantha acabó dándose de bruces con él. Tras apartarla, los ojos azules del señor Eads la miraron con seriedad. Había fruncido el ceño.

—Me pregunto, muchacha, por qué me crees capaz de hacerle daño a un hombre que me ha derrotado delante de ti, en otra ocasión sin que tú lo presenciaras y un sinfín de veces mucho antes.

Diantha se quedó boquiabierta.

—Supongo que no lo había entendido bien hasta ahora.

—¿Qué es lo que le pasa?

—¿Lo que le pasa? —«¡Ay, Dios mío!», pensó. Se había ido de la lengua—. No lo comprendo. Al señor Yale no le pasa nada. Es que no quiero que usted lo sorprenda de repente.

—Tengo entendido que nada lo sorprende. —Cruzó sus inmensos brazos por delante del pecho—. Muchacha, no soy tonto. Vas a decirme la verdad ahora mismo o aparte de mi caballo me llevaré algo más. —La miró de arriba abajo. Su amenaza era muy clara—. Algo que dejaré delante del duque si es preciso.

—¿Delante del duque? —¿Estaría hablando del duque de Wyn?, se preguntó.

—Su Excelencia no se tomará muy bien que te interpongas en su camino.

El miedo le provocó un nudo en la garganta y unas enormes ganas de chillar. Sin embargo, si chillara, Wyn no acudiría a salvarla. Era ella quien debía salvarlo a él.

—Señor Eads —dijo al tiempo que respiraba hondo para tranquilizarse—. Le diré lo que desea saber.

La expresión del escocés se tornó satisfecha.

—¿Vas a hacerlo?

—Sí. —Detestaba manipular a un hombre de esa manera, pero el Señor no podía haberle concedido una mente capaz de hacer planes temerarios y esperar que la usara para hacer el bien de los demás—. Pero antes me gustaría que me hablara de su hermana.

—Torre a reina cuatro. Jaque.

La luz del sol entraba por las ventanas de la biblioteca y caía sobre el tablero de ajedrez, iluminando la cara de Owen, que veía a través del humo del puro.

Wyn estudió la disposición de las piezas. El olor del tabaco aliviaba la sed que todavía lo embargaba, aunque hacía bien poco por aliviar el deseo. Cada vez que Diantha entraba en alguna estancia, como había sucedido esa mañana en la cocina, era incapaz de apartar los ojos de ella. Se movía con una elegancia innata, con la espalda recta y una postura muy tentadora, ajena al parecer al hecho de que lo dejaba embobado. ¡Embobado! La deseaba con ferocidad.

Sabía que semejante deseo se debía a la privación a la que su cuerpo se veía sometido. Aunque también sabía que ninguna mujer lo había embobado hasta conocerla a ella.

—Te has olvidado del otro caballo, amigo mío. —Le echó un vistazo al puro que descansaba sobre el cenicero. Era el último y debía dilatar su final todo lo posible, como había hecho en más de una ocasión con una copa de brandy. Sin embargo, había perdido dicha habilidad. A esas alturas, lo veía claramente—. Te invito a que lo reconsideres.

Owen silbó entre dientes.

—Es un juego complicado, señor.

—Lo dominarás. Posees una inteligencia natural. —Deslizó el caballo negro por el tablero—. También sueles desafiar a la autoridad, un rasgo que a un hombre puede serle muy útil.

El muchacho meneó la cabeza y cogió su torre.

—A la pobre vaca no le importó volver a casa. Pero señor, de verdad que no sabía que habría que ordeñarla.

—¿Creías que soltaban la leche de la misma manera que uno se quita un sombrero?

—Ya no, señor. Supongo que debería aprender a ordeñar. —Estudió la disposición de las piezas en el tablero—. Mi tío siempre dice que un hombre no puede ganarse el pan con la cabeza.

—Humm. Lo he oído antes. —Se lo habían repetido tantas veces cuando era pequeño, que había perdido la cuenta—. Tu tío se equivoca.

—¿Señor?

Wyn asintió con la cabeza.

El muchacho se concentró de nuevo en la partida. Su mano se acercó al alfil blanco.

Wyn carraspeó.

—¿Mi caballo?

—¡Es usted todo un caballero, sí, señor! —Diantha irrumpió en la biblioteca como si fuera una cascada de sol—. Señor Yale, ha ordeñado la vaca.

Owen se puso en pie de un brinco y se quitó la gorra.

—Buenos días, señorita.

—Hola, Owen. Hola, *Ramsés.* —Se inclinó para acariciar la cabeza del perro con suavidad, enterrando los dedos en su pelo enredado—. Owen, puesto que por fin brilla el sol, ¿podrías bañar al pobre *Ramsés?*

—Sí, señorita. Ahora mismo. —Estaba muy colorado—. Vamos, muchacho. —Se apresuró a salir de la biblioteca acompañado por el perro.

Diantha clavó sus ojos azules en Wyn.

—¿Cómo lo has hecho? ¿Cómo has ordeñado la vaca? —Llevaba lazos en el pelo, sus mejillas estaban rebosantes de vida y él no podía dejar de mirarla. Era deslumbrante.

—Supongo que como de costumbre —logró responder.

El rubor de sus mejillas se acentuó y en ese momento recordó que había usado esas mismas palabras en otra ocasión, cuando la enseñó a respirar.

Sin embargo, Diantha recobró la compostura enseguida.

—No es habitual que un caballero ordeñe una vaca. La señora Polley acaba de decirme que has sido tú, no Owen. Me resulta increíble. Pero aquí estás, asegurándome que es cierto. —Ni el bochorno podía vencer a su sonrisa.

Wyn se volvió hacia el tablero de ajedrez. El motivo por el que no se había puesto en pie cuando ella había entrado no estaba relacionado con una debilidad física, sino más bien con la rigidez que aparecía en cierta parte de su cuerpo cada vez que ella hacía acto de presencia.

—Al parecer, tengo múltiples talentos.

—Es cierto, Wyn. Nunca he conocido a un caballero como tú.

—Diantha, dadas las circunstancias, no sé cómo interpretar esas palabras. Porque, por supuesto, has admitido no haber conocido a muchos caballeros.

—Es cierto. Mi círculo social ha sido muy limitado. —Pasó un dedo por el cristal de la puerta de una vitrina—. La señora Polley ha limpiado el polvo. —Abrió la puerta y sacó un libro—. Sería un ama de llaves estupenda. Bess, el ama de llaves de Glenhaven Hall, no se queda dormida de buenas a primeras, por supuesto, pero no sabría defenderse en la cocina. Claro que también podría abrir una pastelería. —Lo miró de reojo con una sonrisa en los labios—. Y Owen podría abrir una escuela para educar a ruborosos holgazanes.

Wyn se permitió una sonrisa.

—Está colado por ti.

—Es un ladrón.

«No exactamente», pensó Wyn.

—Conseguirá que nos descubran. —Devolvió el libro a su sitio, cogió otro y frunció los labios para soplar sobre la cubierta, levantando una nube de polvo—. Pero, claro, nosotros también nos hemos convertido en unos ladrones —añadió mientras pasaba las páginas rápidamente con un dedo—. Por cierto, el señor Eads ha venido en busca de su caballo. —Se colocó el libro delante del pecho, a modo de escudo—. Mantuvimos una conversación y después se marchó.

Wyn se puso de pie con mucho cuidado; porque aunque ese día se encontraba considerablemente mejor, el corazón le latía con inusitada rapidez. Se acercó a ella.

—Me pregunto sobre qué habéis hablado —replicó con voz ronca.

Diantha lo miró de arriba abajo.

—No deberías hacer esfuerzos. Llevas unos días pachucho, aunque decirlo de esa forma es quedarse muy corto.

—¿Que no debería hacer esfuerzos? ¿Me estás regañando

para eludir la conversación? —Se detuvo frente a ella y el perfume que captó le resultó familiar, aunque no era su olor habitual—. Te has puesto perfume.

—Pues sí —reconoció, parpadeando—. En fin, estabas a punto de echarme un sermón. ¿Sigues delirando?

—Más bien diría que es muy fácil distraerme. ¿Por qué se ha marchado Eads sin hablar antes conmigo?

—Ha dicho que sería demasiado fácil aprovecharse de ti en tu estado actual. Dado que se enorgullece de ser un hombre de palabra, ha pensado que era mejor marcharse y volver cuando te encuentres mejor.

—¿Eso ha dicho?

—No con tantas palabras, pero sí.

Por supuesto. Duncan Eads era un hombre honorable que había escogido un mal camino. Tan malo como la misión que él mismo había aceptado y que había acabado acercándolo a una joven inocente con labios sonrosados que sabían a miel y a pecado.

Se alejó de ella y regresó a la mesa. Diantha lo achacaría a su enfermedad. Mal rayo partiera a Carlyle por no estar en casa cuando debería haber estado. Si Kitty Blackwood no llegaba al día siguiente, acabaría atando a Diantha Lucas, la echaría sobre el lomo de *Galahad* y la llevaría a Londres él mismo.

—¿Dónde has encontrado el perfume? —Una pregunta cuya respuesta conocía perfectamente.

—Si me estás preguntando si Owen lo ha robado, no lo ha hecho. Lo he encontrado en el dormitorio principal. —Devolvió el libro a la vitrina y pasó los dedos por la hilera de volúmenes con sus lomos dorados, tras lo cual sacó otro—. La señora Polley ha preparado unas deliciosas tortas de avena con leche cuya receta encontré ayer aquí. —Abrió el libro y pareció ojearlo. Sin embargo, de repente pareció quedarse paralizada—. ¿Tienes hambre? —Parpadeó varias veces, pero no alzó la vista—. Me refiero a que si te apetece comer tortas de avena. —A la luz que entraba por las ventanas su pelo brillaba como el roble bruñido. Estaba rodeada por motitas doradas.

—Soy galés, Diantha. Un empacho de avena fue lo que me impulsó a beber en exceso.

—¿De verdad?

—No.

Ella ladeó la cabeza.

—¿Por qué empezaste a beber en exceso?

—Para poder hablar con mi padre y con mis hermanos.

La vio fruncir el ceño.

—Bebían todas las noches —explicó él sin más, como si fuera algo sencillo—. Si yo no lo hacía, se mostraban... poco interesados en mi conversación.

—¿Y por qué no los mandaste al cuerno?

Wyn enarcó una ceja y la observó hacer un mohín con esos deliciosos labios.

—No les dije que... «se fueran al cuerno» porque si no me mostraba disponible para que se metieran conmigo, elegían a mi madre como víctima.

—¡Oh!

—Pues sí, ¡oh! —Colocó la reina blanca en el estuche forrado de terciopelo y, como siempre, puso a su lado al rey negro, tal como su tía abuela acostumbraba hacer. Era muy curioso que un gesto así despertara otros recuerdos, como el olor de un perfume en una habitación polvorienta—. Pero eso es agua pasada que es mejor mantener en el olvido.

Diantha se acercó despacio a la ventana con un libro en las manos.

—Bueno, este es maravilloso. —Sacó una página suelta del libro, la desdobló y leyó en voz alta—: «Reglas que todo hombre debería seguir para convertirse en un verdadero caballero.»

Wyn cerró la tapa del estuche al tiempo que contenía el aliento. Diantha se acercó a una silla y se sentó sin apartar los ojos de la página.

—¡Vaya, debo leértelas todas! Te van a encantar. —Alzó la vista.

Solo atinó a asentir con la cabeza para animarla a continuar. El corazón le latía muy despacio a esas alturas. No pudo resistirse.

—Están escritas en orden descendente. «Regla número diez» —dijo—. «Un caballero siempre debe actuar con honor y ser honesto con los demás hombres, ya sean inferiores, de su mismo rango o de rango superior.» Supongo que es un buen consejo, ¿verdad?

—Muy bueno.

—«Regla número nueve: Un caballero siempre debe anteponer el bienestar de una dama al suyo propio.» Esta me gusta muchísimo. —Sonrió, revelando sus hoyuelos—. «Regla número ocho: Un hombre solo será un caballero si jamás actúa como lo contrario.» —Frunció el ceño—. Creo que en una ocasión dijiste algo similar.

—¿Ah, sí? —Debería marcharse, pensó Wyn. Debería acercarse a ella, quitarle la hoja de la mano y distraerla con alguna otra actividad. Debería convencerla de jugar al ajedrez. O decirle que quería probar las tortas de avena. O levantarla de la silla y besarla hasta que solo pudiera pensar en acariciarlo—. ¿Cuál es la número siete?

—«Un caballero jamás debe blasfemar delante de una dama.» ¡Ah, muy bien! Las damas se ofenden con mucha facilidad. —Sus hoyuelos hicieron nuevamente acto de presencia—. «Regla número seis: Las damas gustan de que se reconozcan sus logros, pero una dama virtuosa es inmune a los halagos huecos. Los halagos deben ser justificados, jamás pronunciados con el fin de adular.» Esta es tremenda, ¿no te parece?

—A las damas no les gustan las lisonjas huecas.

—No solo a las damas. A todas las mujeres. La regla número dos lo deja bien claro. «Un caballero debe tratar a una dama con todo respeto, consideración y reverencia, ya sea de orígenes sencillos o de alcurnia, fea o guapa, pobre como una campesina o acaudalada como una princesa.» —Bajó las manos al regazo y esbozó una sonrisa desvergonzada—. Ya sabes que no debes adular a la señora Polley con halagos huecos.

—Me aseguraré de no hacerlo.

—Por supuesto que lo harás. Y ella te lo echará en cara. A ver, creo que la regla número uno es mi preferida. «Si una dama es amable, generosa y virtuosa, un caballero debe cumplir todos sus ruegos. No debe negarse a complacerla.» —Diantha encorvó los hombros—. Deberías cumplir esta regla incluso con las damas que no posean todas esas virtudes, porque así te convertirás en un caballero infinitamente mejor. La verdad, alguien debió de escribir estas reglas pensando en ti. —Su voz era más suave, menos alegre—. De la primera a la última.

Wyn sintió que le ardía el estómago.

—¿Qué hay de la regla que anima a un caballero a aprovecharse de una joven inocente cuando está ebrio?

—No. Esa no está en la lista. —Esos ojos azules se alzaron, iluminados por un brillo esperanzado—. Pero podríamos añadirla.

Wyn se puso en pie y salió de la biblioteca.

No recordaba todos los detalles de aquella noche en la posada de Kingston. Sí recordaba haberla tocado, pero no lo que sintió al hacerlo. Pese al lapsus de memoria, tenía claro que fue incapaz de usarla tal como había pretendido hacer, cegado por el deseo. La idea le resultaba repulsiva. Era la única noche de su vida que no lograba recordar con total claridad. Ese hecho lo había torturado más que la fiebre que había sufrido durante las últimas dos semanas.

En ese momento, se descubrió en el vano de la puerta de los aposentos de su tía abuela. El suelo estaba cubierto por una gruesa capa de polvo, en la que se veían las huellas de Diantha que llegaban hasta el tocador. Fiel a su naturaleza curiosa y aventurera, había estado explorando.

Cogió el frasco de perfume, realizado con cristal tallado de un intenso tono violeta que brillaba incluso en la penumbra como si fuera una piedra preciosa. Él mismo se lo había comprado en Viena. Había viajado hasta esa ciudad en busca, supuestamente, de otra joven aristócrata desaparecida por órdenes del director. Colin le había dado dichas órdenes y se había puesto en marcha en aquella ocasión sin Leam, su compañero, que por aquel entonces ya estaba hastiado de su trabajo. Sin embargo, era consciente de que lo estaban preparando para algo más, de que su misión no era como las anteriores que había llevado a cabo. La joven no era la verdadera razón de su viaje al extranjero. La verdadera razón, tal como descubrió, era él mismo.

Allí, en las estancias secretas del Congreso de Viena, fue examinado por los hombres que regían Inglaterra. Quedaron tan impresionados que todos lo aclamaron. Sus habilidades eran demasiado valiosas como para malgastarlas en jóvenes fugadas, afirmaron. La seguridad de Gran Bretaña dependía de sus intereses en el extranjero. El director lo liberaría de su deber y comenzaría a trabajar para ellos de inmediato. Le auguraron un futuro dorado. El muchacho al que habían vapuleado una y otra vez por su brillante intelecto era recompensado por él al llegar a la edad adulta.

Durante los tres meses que pasó en Viena, se dejó embriagar. Por los halagos de esos hombres poderosos, por el mejor tabaco, por el licor más exquisito, por las mujeres de sangre aristócrata que desnudas eran iguales que las demás, pero que le parecían más tentadoras porque estaban prohibidas. Mientras ellas le ofrecían sus cuerpos, sus maridos hablaban con orgullo de ideales, de victorias y de las personas de todo el mundo que servirían a Gran Bretaña. Durante todo ese tiempo, no obstante, la sangre galesa que corría por sus venas, la misma sangre que había luchado durante cientos de años para librarse del yugo de los reyes ingleses, le decía que las promesas de esos hombres poderosos brillaban como los diamantes, pero apestaban como las cloacas.

Huyó con el pretexto de que su tía abuela había enfermado después del Año Nuevo y descubrió que era cierto.

Se quedó con ella hasta que recobró la salud, y mientras tanto lo alentó a no temer el orgullo del que su padre y sus hermanos siempre lo habían acusado. Tenía motivos para sentirse orgulloso. Había logrado todo aquello que se había propuesto lograr con el sudor de su frente y con su inteligencia. Su tía le dijo que tomara la decisión que le dictara el corazón.

Accedió a trabajar para esos hombres. El duque de Yarmouth le dio su primera misión: encontrar a una traidora y asesinarla.

Sin embargo, al final resultó que no era una traidora. Se trataba de una chiquilla, que le suplicó que creyera en ella. Que le suplicó su ayuda.

Abrió el frasco de perfume y el olor le llegó a la nariz. Cerró los ojos y vio de nuevo los ojos serios de su tía abuela, tan parecidos a los de su madre. Grises, inteligentes y tiernos. Pero no siempre eran serios. Su tía abuela le enseñó a reírse. Le enseñó muchas cosas, pero casi había olvidado la risa. Había olvidado cómo reírse hasta que se encontró con cierta jovencita leal, fiel y fuerte, a la que le encantaba reírse, que adoraba la diversión, que buscaba la felicidad en cada recoveco y en cada curva de la vida que le había tocado vivir. Ella le había enseñado una clase de valentía que también se le había olvidado.

Soltó el frasco de perfume y regresó a la biblioteca. Diantha se encontraba junto a la ventana, contemplando el crepúsculo, tan quieta como una sílfide que estuviera lista para salir volando en cualquier momento, pero atenta a sus pasos. Se volvió de inmediato.

—Cuando me encontré con el señor Eads, tiré el cubo de manzanas que había recogido —dijo—. Con los nervios de conseguir que se fuera con su caballo, se me olvidó ir a recogerlas. Y ahora ya está muy oscuro para salir. Me he pasado casi todo el día deseando comer tartaletas de manzana, así que confieso que estoy muy desilusionada.

Esos ojos azules relucían en la penumbra con un brillo sagaz. No era una joven inocente, como él tampoco era el niño al que su padre castigaba por rencor. Diantha era una mujer decidida y con un propósito en mente, y con esas palabras, cuidadosamente elegidas para eludir lo que existía entre ellos, le estaba diciendo que no permitiría que le impidiera alcanzar dicho objetivo.

—Mañana iremos a la huerta y podrás intentarlo de nuevo —replicó él—. La última actividad que haremos antes de partir.

La vio pestañear varias veces, el único gesto que traicionó su sorpresa. En ese momento, volvió un poco la cara y lo miró de reojo.

—Me encantaría aprender a ordeñar la vaca.

—¿Ah, sí?

La vio esbozar el asomo de una sonrisa que, al final, apareció en toda su gloria. Wyn sintió el impacto de esa sonrisa en todo el cuerpo. Seguramente fuera el hombre más tonto que pisaba la faz de la tierra.

Ya podía apresurarse Kitty Blackwood. Como no apareciera pronto y se llevara a Diantha, él acabaría haciendo una insensatez que los perjudicaría a ambos. Haría algo muy poco caballeroso.

Y, en esa ocasión, nada lo detendría.

18

—A mi vestido le está saliendo moho. —Diantha lo sostuvo a la luz matinal que se filtraba por la ventana.

—Es por culpa de toda esta lluvia. —La señora Polley cogió el otro vestido de Diantha—. Y este está fatal sin un planchado.

—Tal vez podamos lavarlo para que desaparezca el moho. —Diantha frotó la manchita que había en el bajo del vestido de muselina de rayas. El vestido verde estaba verdaderamente mal, con el dobladillo roto y muy arrugado tras haber tratado de escapar del señor Eads en la huerta.

Suspiró. Esa noche quería parecer toda una dama. Tal vez incluso tener un aspecto tan elegante como la dama a la que pertenecía la casa donde se habían refugiado.

—¡Aún no hemos mirado en el ático!

—No pienso rebuscar en los armarios de los demás.

—Señora Polley, golpeó usted a un extraño en la cabeza con una quesera, pero ¿se niega a echar un vistacito en un ático en busca de una plancha?

—Una pena que rompiera esa quesera. —La señora Polley meneó la cabeza—. De haber tenido un atizador, lo habría usado.

Diantha contuvo una risilla y enfiló el pasillo para dirigirse a la puerta que daba al ático. Wyn había salido a dar un paseo con *Galahad* y Owen estaba recogiendo huevos. Tenía los pies fríos, pero podía deambular en camisola y enaguas sin tener que preocuparse por el decoro. Wyn ya le había visto los pechos desnudos, por supuesto, pero no lo recordaba, así que era como si no lo hubiera hecho.

Subió la escalera que conducía al ático, una estancia cuyo techo presentaba un ángulo muy pronunciado. Al igual que el ático de Glenhaven Hall, había baúles de viaje y muebles viejos por todas partes. Encontró un baúl que no estaba cerrado con llave y al abrirlo el penetrante olor de las bolas de alcanfor lo inundó todo. Al ver el contenido, suspiró encantada. Fue sacando un vestido tras otro, mientras acariciaba la muselina, la seda y la lana, y volvió a suspirar, ya que echaba de menos su propia ropa.

Desvió la mirada a un baúl cercano. Lo abrió. Escarpines, botas, chinelas, pañoletas, enaguas, camisolas, cintas, ridículos, ligas, medias, chales, pellizas y pañuelos con iniciales bordadas (todas las prendas apestando a alcanfor) acabaron en sus manos. Sin embargo, el olor le daba igual. Podía vivir un día con la nariz arrugada mientras que el resto de su persona no lo estuviera.

Cogió un vestido y se lo colocó frente al cuerpo. Era varios centímetros corto. Se le verían las enaguas. Aunque eso no sucedería si también se ponía las enaguas de la dama.

Se tomó un respiro en su carrera criminal, ya que estaba a punto de delinquir de nuevo, para meditar el asunto. Pero no veía delito alguno. Devolvería las prendas en buen estado antes de abandonar la Abadía al día siguiente. Además, a Wyn no le importaría verle los tobillos. Había amenazado al hombre que la había puesto en peligro con una pistola, la había acariciado íntimamente mientras estaba borracho y había caminado bajo una lluvia torrencial tirando de las riendas de su caballo un día entero. Y lo había visto, lo había tocado, cuando estaba en mangas de camisa, sin corbata. También le había preparado la cama. A esas alturas, habían llegado a un punto en el que verle los tobillos le estaba permitido.

Antes de retrasar más el momento, porque la Culpa comenzaba a asomar su espantosa cabeza, cogió un vestido estampado de muselina azul y un montón de ropa interior, cerró los baúles con un pie y voló escaleras abajo.

Se detuvo de repente.

Wyn estaba plantado en el pasillo, con su gabán, sus pantalones y sus botas, con un aspecto estupendo, mirándola fijamente como si estuviera paralizado con un pie en alto. Esos ojos grises no tardaron en clavarse en sus pechos.

En ese momento, Diantha descubrió otro detalle muy útil: estar delante de un caballero con las enaguas y la camisola a plena luz del día no era lo mismo que ser despojada de dichas prendas por el caballero en cuestión en la oscuridad. Era excitante, algo que les estaba prohibido a las damas a menos que fueran unas descocadas, y no solo tuvo la impresión de que llevaba menos ropa de la debida, sino que se sintió desnuda bajo su atento escrutinio. Todo su cuerpo ardió de pasión.

Wyn apartó la mirada y ella se cubrió los pechos con las prendas que llevaba en las manos.

—Buenos días, Diantha —le dijo él a un punto cercano a sus pies descalzos—. Parece que has visitado el ático.

—Sí. —Su lengua era como papel de lija que se le había quedado pegado al paladar—. En busca de ropa limpia. La mía está un poco estropeada.

—Ah. —Su lenta mirada subió por sus pies, sus piernas, más allá de sus caderas y de la ropa que llevaba en los brazos, hasta su cara. Pero no añadió nada más.

—Estas prendas huelen mucho a alcanfor —susurró ella—. Pero supongo que puedo enmascarar el olor con perfume. —Los nervios hicieron que se encogiera de hombros. Él desvió la mirada hacia un hombro y, después, hacia un brazo desnudo.

—Es posible. —Su voz sonaba un poco ronca—. Hará falta mucho perfume, sin lugar a dudas.

—Supongo.

—Cantidades ingentes.

—Oh. Sí.

Esa espantosa incomodidad de nuevo, como en la cocina el día anterior. Le revolvía un poco el estómago. Pasó junto a él en el estrecho pasillo, corrió hacia su dormitorio y cerró la puerta al entrar, tras lo cual se apoyó en ella.

—¿Qué la ha asustado, señorita? —La señora Polley se acercó a ella a la carrera—. ¿Ha visto un fantasma?

Solo a un hombre.

—Señora Polley, me gustaría estar guapa hoy.

Su dama de compañía frunció el ceño. Pero hizo lo que Diantha quería.

A la postre, dio igual que la señora Polley se pasara un cuarto de hora arreglándole el pelo o que su vestido, que apenas le llegaba a los tobillos, estuviera solo un poquito arrugado del baúl y fuera del mismo color que sus ojos; como tampoco importó que los flecos de su chal de cachemira se agitaran con la brisa como alas de mariposa y que sus zapatos fueran excepcionales para una dama. Wyn casi no la miró cuando salieron de la casa.

Owen los acompañó y se dedicó a lanzarle un palo a *Ramsés* y a hablar de las minas.

—Creo que perder a su hermana fue un golpe durísimo para él —comentó ella cuando Owen corrió en paralelo a la acequia en pos del perro—. Habla muchísimo de las minas.

—Fue su vida hasta hace poco. —Wyn caminaba a su lado, con las manos entrelazadas a la espalda, el gabán negro y la nívea corbata tan elegantes como siempre; las botas, tan relucientes. El sol volvía a brillar, dorado como un melocotón maduro, y la brisa que acariciaba las mejillas de Diantha era fresca, si bien dichas mejillas parecían siempre acaloradas cada vez que él estaba cerca.

—Ella siempre participa en las historias que cuenta. Tal vez la eche de menos.

—Tal vez.

—Tú hablas muy poco de tu vida.

Wyn la miró de soslayo.

—No tengo motivos para hacerlo.

—Un hombre que amenaza con hacernos daño me parece suficiente motivo, en mi opinión.

—Dado que ayer eliminaste ese particular problema sin ayuda, no tiene sentido hablar más del tema.

—Sé que no debo preguntar por tu salud, pero... ¿habrías podido ayudarme?

—Estoy seguro de que ya conoces la respuesta a esa pregunta.

Cierto. De haber sabido que se encontraba en peligro, él habría hecho cualquier cosa con tal de defenderla, de la misma manera que la estaba defendiendo de sí mismo al no beber.

—¿Eso quiere decir que te sientes mejor?

—Tan bien como cabe esperar.

—¿Quieres que te devuelva la pistola y las balas?

—Sí, gracias. —Al llegar a la cerca, tapizada por enredaderas de grandes flores blancas, él cogió una y se la ofreció con una floritura—. Por salvarme de la ira de Duncan Eads.

Ella se la colocó en el pelo.

—En fin, no podía permitir que te matara.

—Por supuesto. —Pero él ya no sonreía.

Durante el resto del paseo hasta la huerta, él se mostró educadísimo. Permaneció a su lado sin decir nada que no pudiera decirle a cualquier dama a quien acabara de conocer y que no lo hubiera visto presa de un sufrimiento que ella misma le había provocado. La ayudó a pasar por encima de la cerca con mano firme, pero solo se la sostuvo el tiempo necesario. Cuando encontraron su escarpín perdido, clavado en la tierra, él se lo devolvió sin mediar palabra, como si los caballeros se encontrasen todos los días zapatos de mujer clavados en el musgo que crecía junto a las acequias.

Owen encontró el cubo y echó a andar hacia los manzanos, pero estaba más interesado en comer manzanas que en recogerlas, y pronto se cansó de la actividad. Atravesó la acequia, por la que corría agua en abundancia después de las últimas lluvias, y se dejó caer en la hierba de la cuesta que había al otro lado. *Ramsés* lo siguió y se tumbó junto a él, con la lengua fuera.

Después, Owen se quedó dormido y todo cambió, como si un dios hubiera descorrido una cortina que él mismo había corrido de antemano. Tras acercarse por su espalda, bajo las ramas de un vetusto árbol retorcido, Wyn dijo:

—Parece que no te has puesto perfume después de todo. —Esa voz ronca le provocó un hormigueo por todo el cuerpo.

—Pues no. —Se volvió hacia él. A la luz que se filtraba entre las ramas de los árboles, sus ojos parecían relucir—. Supongo que debo tener un espantoso olor a alcanfor.

En la mejilla de Wyn apareció una arruguita.

—Yo no diría eso. —Sacó el puro que había cogido de la casa.

—Pero seguro que lo piensas.

—No. No estoy pensando en eso ahora mismo. —Se apartó de ella.

Fue incapaz de no seguirlo. En ese momento, se le antojaba

algo natural. Lo seguía como un pájaro que migraba al sur en invierno, sin pensarlo.

—¿Me enseñarás a fumar?

Él la miró por encima del hombro, con una ceja enarcada y una sonrisa torcida.

—Si quieres...

—Siempre he querido fumar un puro, pero nunca he tenido la oportunidad. Quiero decir, que nunca he tenido la oportunidad de pedírselo a un caballero que no me tomara por una polvorilla. Pero como contigo ya no tengo ese problema...

—No creo que seas una polvorilla. —No la miró mientras hablaba, tenía la vista clavada en el puro.

—Ya has dicho en dos ocasiones lo que no crees que soy, pero no lo que crees.

Lo que Wyn creía era que podía tumbar a esa muchacha en la hierba y hacerle el amor durante una semana. Sus ojos brillaban con el azul más puro bajo el cielo otoñal y sus mejillas relucían por el paseo. Y se moría por tocarla. Comenzaría allí donde sus delgados tobillos asomaban por debajo del bajo del vestido, demasiado corto, y después continuaría quitándole las medias a fin de deslizar las manos por sus pantorrillas y más arriba.

—¿En serio?

Ella frunció el ceño.

—Eres muy esquivo.

—Y tú demasiado curiosa, bruja.

Ella hizo una genuflexión.

—Polvorilla. —Cuando sus hoyuelos aparecieron, sintió la tensión en la entrepierna, como era de esperar.

Le ofreció el puro. Tal vez si fumaba, ella no sonreiría y él no volvería a convertirse en el tonto baboso en el que se había convertido al verla junto a la puerta del ático, con ese maravilloso canalillo a la vista gracias a la camisola. En un abrir y cerrar de ojos, su imaginación había visto cómo sus pechos se despojaban de la camisola, del corsé y de las enaguas, y había sentido sus pezones perfectos en la lengua.

—Es tuyo. —Rechazó el puro—. ¿No tienes otro?

—Es el último que me queda. —Consiguió que su voz pareciera normal gracias a las décadas de engaño y subterfugios—. Aprende con esto o no aprendas. Como gustes.

—Seguramente no vuelva a tener otra oportunidad. —Diantha se mordió el carnoso labio inferior, y de repente los años de práctica de Wyn se fueron al cuerno.

—Seguramente no. —Incluso a él le parecía que su voz sonaba demasiado ronca. Diantha lo miró a los ojos, pero él fue incapaz de apartar la mirada de sus labios. Unos labios preciosos, de un rosa oscuro, que estaban entreabiertos.

Por Dios, se moría por saborearla de nuevo. Se moría por sentir su lengua contra la suya y escuchar sus gemidos.

Ella cerró la boca, pero sus labios no perdían atractivo alguno de esa manera. Se imaginó lo que sería necesario para instarla a abrirla de nuevo. Si la besaba en ese momento, ¿qué haría ella...?

Se obligó a hablar.

—¿El puro, señorita Lucas?

—Gracias, señor Yale. —Lo aceptó—. ¿Qué tengo que hacer? Pegar su precioso cuerpo a él y rendirse.

—Aspirar, pero muy superficialmente, e intentar no respirar de verdad.

—¿Cómo se aspira sin...? ¡Ah! ¡Uf! —Estornudó, tosió y se tapó la boca mientras las volutas de humo se escapaban entre sus dedos—. Es imposible que lo haya hecho bien.

—¿Ya has tenido bastante?

—¡No! Si intentarlo de nuevo significa que me sonreirás de nuevo como acabas de hacerlo, lo intentaré.

Por el amor de Dios, había perdido todo atisbo de disciplina por culpa de esa mujer.

—¿Cómo te he sonreído?

—Como si te cayera bien. —Pronunció la frase sin coquetería alguna. De modo que él respondió con total sinceridad.

—Me caes bien, Diantha. Olvídate del «como si».

Ella sonrió y volvió a meterse el puro en la boca. Cuando sus labios lo rodearon y el humo comenzó a salir de entre ellos, estuvo a punto de quitárselo de los labios y cubrirlos en cambio con su boca.

Era una tortura. Seguramente peor que las noches febriles que acababa de pasar. Al menos, durante esas noches tenía el consuelo de imaginarse que moría.

Diantha volvió a toser.

—No voy a vomitar —dijo ella tras jadear—, si acaso es eso lo que te preocupa.

—No me preocupa. Al menos no a mí.

—¿Por qué diantres fumas estas cosas?

—Porque es lo que hacen los caballeros. Y ahora mismo, mitiga el deseo de beber brandy.

—Oh. —Ella pareció aceptar la excusa sin problemas, tal como aceptaba todos los aspectos de esa aventura, con muchas preguntas pero sin quejas. Salvo por un único instante, un instante en su dormitorio que le paraba el corazón cada vez que lo recordaba.

—Quiero hacerlo bien —dijo ella.

—Eres tenaz.

Su boca esbozó una sonrisa indecisa, y sus hoyuelos parecían no saber si hacer acto de presencia o no.

—Creo que eso ya lo sabíamos los dos —añadió él antes de entregarle el puro una vez más. Ella lo intentó de nuevo. A la postre, lo consiguió, de la misma manera que conseguía todo lo que se proponía, incluido él.

Wyn observó su cara, marcada levemente por las espinillas de la adolescencia, una cara encantadora que lo resultaba todavía más gracias al espíritu que brotaba de su interior. Había viajado miles de kilómetros, había atravesado junglas y salones elegantes, monzones y cámaras secretas. Desde que tenía quince años, apenas si se había detenido una larga temporada en un solo lugar, y durante todo ese tiempo, el camino nunca le había pesado. Sin embargo, en ese preciso momento, a la vista de su propia casa, bajo la mirada de unos ojos azules, se sentía perdido.

—Felicidades, señorita Lucas. —Le temblaba la voz—. Ya puedes solicitar la inscripción en cualquier club de caballeros de Londres.

—Espléndido. —Ella le devolvió el puro, rozándole los dedos, antes de apartarse—. Verás, en ocasiones deseo de todo corazón ser un caballero. Los caballeros pueden tener toda clase de aventuras... evidentemente. —Lo señaló al tiempo que colocaba un pie en la rama más baja del árbol y levantaba los brazos—. E incluso se puede contar con algunos caballeros para que rescaten a una damisela en apuros.

La siguió hasta el pie del árbol, y el temblor lo abrumó por completo, como los temblores que lo asaltaron varios días atrás. Sin embargo, eso era distinto. En esa sensación no había sufrimiento.

—Sin embargo y pese a todo lo que saben de ese tipo de damiselas, algunos caballeros se quedan un poco sorprendidos cuando estas deciden de repente trepar a un árbol —repuso él.

—Bueno, un caballero normal y corriente tal vez. Pero un héroe nunca se deja sorprender por acontecimientos imprevistos. —Diantha se apoyó en una gruesa rama y trepó hasta la siguiente, ofreciéndole una maravillosa vista de las pantorrillas que deseaba acariciar—. Sobre todo cuando dicha damisela solo busca un tesoro en ese árbol. —Señaló el nido de un pájaro situado en la horquilla de una rama y se estiró para verlo bien—. ¿Lo ves?

—Lo veo. Ahora que has encontrado tu tesoro, ¿tendrías la amabilidad de bajar antes de que me vea obligado a ver cómo te rompes el cuello por culpa de una caída?

—Supongo que no te haría gracia que muriese de forma tan poco dramática después de todo lo que te he hecho pasar.

—Cierto, sobre todo por eso.

—¿Crees que los padres están lejos?

—¿Por qué? ¿Quieres robar los huevos y llevárselos a la señora Polley a fin de que los cocine para la cena?

—¡No! —Diantha ladeó la cabeza—. Creo que hablas por experiencia.

—Es posible que tengas razón.

La vio hacer un mohín.

—¿Cuántos años tenías? —le preguntó ella.

—Era lo bastante joven como para que me considerasen inocente de la fechoría. —«Inocente de su fechoría», pensó. Se quedó sin aliento—. ¿Piensas bajar o voy a tener que subir a buscarte?

Ella sonrió, enseñándole los hoyuelos.

—No te atreverías.

Se acercó al tronco.

Ella bajó a toda prisa. Cuando llegó a la última rama, le ofreció una mano y después la otra. Cualquier dama capaz de trepar a un árbol con semejante presteza era capaz de bajar sin problemas. Pero quería abrazarla. La sujetó por la cintura y ella permitió que la dejara en el suelo.

Sabía por qué lo había hecho. Dos semanas antes, ella habría aprovechado la oportunidad para invitarlo a que la tocara más. Sin embargo, en ese momento, solo pestañeó mientras sus pechos subían y bajaban más deprisa, al ritmo de su acelerada respiración, y esbozó una sonrisilla antes de apartarse. La soltó. Ella ya sabía de lo que era capaz y no volvería a cometer el error de ponerse en sus manos. Su rápida huida del pasillo esa misma mañana lo demostraba.

Diantha miró de nuevo el nido.

—¿Eso quiere decir que has sido un ladrón desde tu juventud, como Owen?

—No.

La vio enarcar una ceja con expresión escéptica.

Sonrió.

—No de forma continuada, quiero decir. Vamos, la señora Polley ya tendrá la cena preparada y tenemos que ordeñar una vaca.

—Huevos y pan de nuevo. Y manzanas. Estaré encantada de cambiar el menú pronto. ¿De verdad nos vamos mañana?

—De verdad. —O se volvería loco. Kitty y Leam ya habrían llegado si estuvieran en Londres. Tal vez tendría que llevarla a la ciudad en persona. Pero ya sabía que era demasiado lista y que no podía engañarla. Cuando llegaran a Inglaterra, le diría cuál era su destino. Tal vez ella protestara, pero no creía que lo hiciera durante mucho tiempo. Ya había aprendido cuál era la verdadera naturaleza de los hombres y en ese momento estaba recelosa.

—Para ser un caballero londinense, Wyn, pareces muy a gusto en un cobertizo.

—Es un establo, Diantha, y ya te he dicho que no soy de Londres. —Colocó un taburete junto a la vaca rojiza y blanca.

—No eres de Londres. —Ella tenía el cubo vacío sobre una rodilla, encima del vestido de muselina de rayas. La muselina manchada era más adecuada para las tareas de la granja que el vestido azul del ático, además de que no olía a alcanfor—. Pero has pasado mucho tiempo en la ciudad, ¿no es verdad?

—Aquí y allá. —Le quitó el cubo.

—¿Dónde es allá?

—Creo que esta es una de esas ocasiones en las que insistes en seguir preguntando y yo tengo que ser esquivo de nuevo. —Se sentó en el taburete, puso el cubo bajo la hinchada ubre de la vaca y Diantha fue incapaz de apartar la mirada.

No le parecía malo mirarlo durante tanto tiempo. Le parecía lo más normal del mundo.

Se lamió los labios.

—¿Crees en el destino?

—No —respondió él, que se quitó el gabán y lo dejó en un banco, y la camisa blanca se ciñó a sus hombros—. Pero no me cabe la menor duda de que tú sí.

—¿Por qué?

—Un Plan Maestro... —Se desabrochó los puños de la camisa y se la remangó.

—Oh. —Le costaba articular palabra. Si Dios había inventado una imagen que la hiciera temblar por entero, era la de Wyn Yale quitándose la ropa. Se aferró a la puerta de la cuadra para no caerse—. Pero tengo la sensación de que el destino suele trastocar los planes hechos por los hombres —murmuró—, de modo que es complicado.

—Seguro que sí.

Se acercó más a él. La atraía de esa manera, desde el primer día. Tal vez fuera por la forma en la que la camisa se le ceñía a los hombros, o por la fuerza de sus brazos que dejaba al descubierto la camisa remangada. Le costaba respirar con normalidad. Claro que no era de extrañar. Wyn acababa de poner las manos en las ubres de la vaca, y dichas manos también eran fuertes y habilidosas, y aunque era una tontería y también un detalle un poco raro, la imagen la llevó a pensar en esas manos en sus propios pechos. Y después, por enésima vez, pensó en sus labios en sus pechos, en cómo la había tocado y en todo lo que él le había dicho.

—¿Qué me dices de la reencarnación? ¿Lo crees posible?

—Seguramente no. —Los músculos de sus manos y de sus brazos se tensaron, y los chorros de leche comenzaron a caer en el cubo, provocando ligeros tintineos—. ¿Vamos a enzarzarnos en una discusión de las filosofías del mundo, señorita Lucas? —le preguntó él con una sonrisa burlona.

Diantha creía en la reencarnación. En ese preciso momento, estaba convencida de que ya había estado en esa situación, con él. Pero no ordeñando una vaca, por supuesto. Sino realizando tareas mundanas. Juntos y a solas. Lo sentía en el corazón, y era muy desconcertante, porque no creía en esas pamplinas del corazón. Sin embargo, la reencarnación le parecía un tema totalmente distinto.

—He estado leyendo últimamente —consiguió decir—. Siempre he creído que la colección de mi padrastro, conformada por diarios arqueológicos y demás publicaciones académicas, era muy inusual. Pero la biblioteca de esta casa es curiosísima. Una selección increíble para una dama, desde luego.

—Tal vez la dama no viviera sola aquí.

—Es posible que tengas razón. Ayer me encontré un libro que versaba sobre las religiones de las Indias Orientales.

—De ahí la reencarnación.

—Antes de ayer, me encontré con un libro que hablaba de un hombre llamado Buda que, al parecer, solía pasearse sin camisa. Había ilustraciones. —Clavó la mirada en los musculosos brazos de Wyn y pensó que tal vez no debería culpar a Annie por haberse fugado con su granjero. Cada vez que Wyn movía la mano, un músculo tensaba la camisa por encima del codo. Semejante efecto la alteraba muchísimo—. Parece que Buda fundó una religión nueva, una bastante interesante con algunas ideas maravillosas.

—¿Has leído el libro?

—¿Tú no lo habrías hecho?

Él sonrió. Una sonrisa que la acaloró, sobre todo en cierta zona de su cuerpo. Quería que volviera a tocarla. En ese lugar.

—La verdad es que no entendí ni la mitad. —Hablaba con un hilo de voz, lo que era una tontería. La leche sonaba más fuerte al caer al cubo—. Se te da muy bien eso.

—He practicado mucho durante los últimos días. ¿Te acercas

o tengo que llevarte la vaca? —Wyn se levantó del taburete para acuclillarse en la paja, a su lado.

La vaca volvió la cabeza y la miró con sus enormes ojos.

—¿Es más fácil que fumarse un puro?

—Diría que tiene más o menos la misma dificultad. Es como ponerse los zapatos o barrer un portal. Creo que podrás hacerlo.

—¿Alguna vez has barrido un portal?

—En otra época, hice de todo. ¿De verdad quieres ordeñar la vaca? Porque...

—¡De verdad! —Cogió una ubre. La sentía cálida y suave. Dio un tirón—. No sale nada.

—No es como tirar de una campanilla, bruja. No puedes llamar a una criada con la ubre.

—Es usted muy gracioso, señor Yale.

—Eso van diciendo por ahí, señorita Lucas.

Su alegría se esfumó al escucharlo.

—¿Quién? ¿Todas las damas de Londres?

—No. —Extendió un brazo y le cubrió la mano con la suya, de modo que todas las damas de Londres desaparecieron sin más.

Su palma era grande y maravillosamente cálida, y quería quedarse allí sentada para siempre, con sus manos unidas. Wyn le cambió de posición los dedos, pero apenas si podía prestar atención. Estaba muy cerca, junto a su hombro, tan cerca como cuando la ayudó a bajar del árbol y ella había estado en un tris de besarlo.

—Entonces ¿quién lo dice? —insistió con voz un poco chillona.

Wyn le envolvió la mano con la suya.

—Todos los caballeros de Londres, por supuesto. Aprieta de esta manera. —Su voz sonaba ronca.

Eso quería decir que no eran imaginaciones suyas. Él también lo sentía, también sentía esa emoción que le aceleraba el corazón y que le debilitaba el cuerpo por la expectación. Tenía que sentirla.

Si no cambiaba el rumbo de sus pensamientos, le suplicaría que la besara dentro de poco.

—¿Crees que sería muy inocente que una persona creyera en el destino y en la reencarnación a la vez? —preguntó.

—Jamás he tenido la necesidad de obligar a un hombre a que ciñera sus creencias más profundas a los parámetros de un sistema diseñado por otras personas.

Su mano, guiada por la de Wyn, captó el ritmo. A continuación, se arrepintió de haberlo aprendido tan pronto, porque él apartó la mano.

—Pero crees en Dios. —La cabeza le daba vueltas—. ¿Verdad?

—Debo admitir que no estoy muy convencido.

—¿Y en qué crees?

—En los buenos modales, en la capacidad de raciocinio humano y en el infierno. —Las palabras cayeron como pesadas losas en el establo, que olía a paja.

Los dedos de Diantha se detuvieron por voluntad propia. Las ganas de echarse a llorar la abrumaron.

Con voz clara, pero más baja, él añadió:

—Y, de un tiempo a esta parte, en la esperanza.

Diantha soltó la ubre y se volvió para mirarlo de frente. No había ni rastro de pesadumbre en su cara. El deseo iluminaba esos ojos plateados, y algo más que no atinaba a comprender hizo que se olvidara del llanto. Vio aparecer un tic nervioso en su mentón al tiempo que inspiraba hondo, tras lo cual soltó el aire en mitad del silencio que los rodeaba, un silencio interrumpido solo por los animales y por los alegres trinos procedentes del seto exterior.

La mirada de Wyn se clavó en su boca, y en ese momento habría dado cualquier cosa por que la besara. La misma vida.

No pudo evitarlo, se inclinó hacia delante. Él hizo lo propio. Sus alientos se mezclaron, una intimidad para la que no estaba preparada en absoluto.

Wyn acortó la distancia que los separaba. Sus labios apenas se rozaron, fue la caricia más inocente del mundo.

Y después dejó de serlo. Se convirtió en algo más.

La cogió de la nuca con una mano, unió sus labios, y la besó como llevaba varias noches soñando que la besaría, como si no hubiera nada más que quisiera hacer salvo besarla, acariciando todo su cuerpo de la misma manera que ella lo acariciaba. La saboreó, empleó la lengua para separarle los labios, y ella sucumbió. Le permitió entrar en su boca, tocarla como ya la había tocado antes, pero no era lo mismo. En ese momento, la caricia de su boca despertó el recuerdo del roce de esas manos sobre su cuerpo, del roce de su cuerpo mientras ella lo abrazaba consumido por la fiebre, de modo que supo que era distinto. Quería más que besos. Lo quería a él. Le dolía todo el cuerpo por el deseo.

Wyn le acarició la mejilla con el pulgar mientras enterraba los otros dedos en su pelo; y fue sublime, fue la caricia más tierna que le habían regalado. Reverente y deliciosa como esa parte de su interior que lo necesitaba. Levantó una mano y le pasó los dedos por el antebrazo. La caricia la dejó muerta de deseo. Delirante de placer. Escuchó algo que brotaba del pecho de Wyn antes de que él la besara con más pasión, succionando su lengua y provocándole el desesperado anhelo de sentir ese cuerpo contra el suyo, esas manos por todas partes. Se inclinó todavía más hacia delante.

La vaca mugió.

Wyn se apartó y retiró la mano.

Diantha inspiró hondo y abrió los ojos. La mirada de Wyn parecía perdida. Acto seguido, algo relució en sus ojos plateados, algo enervante que hizo que se le cayera el alma a los pies.

Se puso en pie de un salto.

—No... No digas «Por Dios, no» —consiguió decir—. Por favor.

—¿Qué? —Parecía confundido—. No iba a decir...

—No te lo he pedido. —Se llevó una mano a los labios húmedos—. No puedes meterme en mi baúl de viaje y llevarme de vuelta a casa.

Lo vio agachar la cabeza y pasarse una mano por la nuca. Las emociones la abrumaron con una belleza agónica. No lo soportaba. Lo deseaba demasiado. No en sus partes femeninas, cuya reacción a su apostura y elegancia comenzaba a resultarle familiar. El anhelo se extendía por su pecho y por sus extremidades. Se sentía profundamente emocionada, y sabía que era lo correcto, que estaba destinada a que solo él la besara.

Retrocedió un paso.

—No digas algo espantoso ni me amenaces.

Wyn levantó la cabeza y en sus ojos brilló la furia un instante.

—No voy a hacerlo. Maldita sea, Diantha...

—Y no emplees ese lenguaje conmigo. Rompe las reglas. La número siete. —Se adelantó y cogió el cubo—. Gracias por enseñarme a ordeñar una vaca. Ahora me voy. —Cargando con el cubo, se apresuró a salir del establo porque sabía que si no se marchaba, se arrojaría a sus brazos, y lo primero parecía más sensato si quería llegar a Calais algún día.

Sin embargo, en ese preciso momento no quería estar en Calais. Quería estar entre sus brazos.

19

En el caso de que la señora Polley se percatara de que sus señores no se hablaron durante la cena, disimuló muy bien. Por suerte, Owen se pasó todo el rato parloteando, como era habitual, y todos disfrutaron de la comida hasta que Wyn se levantó de la mesa y se despidió con gran elegancia, como también era habitual.

La señora Polley envió a Owen a la caseta del guarda.

—Ese hombre nos despertará mañana bien temprano y tendremos que enfrentarnos otra vez a la lluvia, al barro y sabrá Dios a qué más, así que es mejor que duermas bien, muchacho.

Owen cogió otra galleta, se llevó una mano a la gorra y se despidió de Diantha con un «Buenas noches, señorita», tras lo cual silbó para que *Ramsés* lo siguiera.

Diantha llevó su plato al fregadero.

—Tenemos que recogerlo todo antes de marcharnos.

—Ya me he encargado de eso, señorita —le aseguró la señora Polley mientras limpiaba la mesa.

—Gracias, señora Polley. Ha sido de gran ayuda durante estos últimos quince días y me alegro mucho de que decidiera acompañarnos.

—Bueno, señorita, no podía permitir que una dama tan joven recorriera tontamente esos mundos de Dios con un hombre de aviesas intenciones.

«De aviesas intenciones», repitió para sus adentros. Si eso significaba que Wyn pretendía que ella desarrollara una enorme inclinación por sus besos y sus caricias, en ese caso sí que sus intenciones habían sido aviesas.

—Señora Polley, mi viaje tiene un propósito claro. Y pese a lo mucho que le he exigido al señor Yale, siempre ha tratado de comportarse como un caballero.

—Un caballero siempre es un caballero —rezongó la señora Polley mientras guardaba las tortas de avena.

Ya en el dormitorio, la mujer ayudó a Diantha a desatarse el corsé después de que ella dejara el manchado y arrugado vestido sobre una silla. Apenas recordaba cómo era la vida en la casa de su padrastro, cómo era la vida llevando ropa limpia, cómo era la vida sin conocer a un galés guapo y misterioso.

Su dama de compañía se quedó dormida sin mediar palabra. Diantha se había acostumbrado a ese hecho, y puesto que echaba de menos sus conversaciones nocturnas con Faith, había comenzado a hablar sola hasta que se quedaba dormida ya que, de todas formas, no despertaba a la señora Polley. Sin embargo, esa noche era incapaz de descansar. Sus labios y sus emociones habían tenido un día muy estimulante y, además, le rugía el estómago.

A la postre se levantó, se puso el vestido verde y se lo ató a la cintura con un ceñidor. Con el mayor sigilo, bajó a la cocina.

Al llegar al recibidor, percibió el olor a tabaco. Debería haberlo previsto. Wyn también trasnochaba, tal como atestiguaban las ocasiones en las que la había acariciado. Sin embargo, en dichas ocasiones siempre había estado borracho.

Con un sinfín de mariposas en el estómago, Diantha enfiló el pasillo y se dirigió a la cocina. Lo encontró frente a la chimenea. Sobre las ascuas ardía un puro.

—Buenas noches. —Aunque no se volvió para mirarla, Wyn había reparado en su presencia. Parecía tener un sexto sentido para percibir esas cosas.

—Pensaba que el puro con el que me has enseñado a fumar hoy era el último que te quedaba —comentó, porque ¿qué otra cosa podía decir sino?

—Lo es.

—¿Y por qué no te lo fumas?

Él se volvió en ese momento y la miró con un brillo extraño en sus ojos plateados. Con un brillo... ardiente.

El miedo la invadió de repente.

—No ha remitido del todo, ¿verdad? La enfermedad. Ha vuelto.

—No.

—Pero vuelves a tener esa mirada enfebrecida. Quieres una copa de brandy, ¿a que sí?

—Por supuesto que quiero una copa de brandy. —Se pasó una mano por el pelo y se la colocó en la nuca—. Pero te deseo más a ti.

La emoción fue tan grande que Diantha sintió un escalofrío.

—Puedes tenerme —comentó con voz trémula—. Solo de forma temporal, por supuesto —añadió, porque el pánico que se reflejó en esos ojos grises fue peor que el brillo febril—. A la postre, debo aceptar la proposición matrimonial del señor Hache, ese ha sido el plan desde siempre. Pero puedes tenerme primero.

—No puedo.

—De todas formas estoy comprometida. Aunque ya era consciente de ese hecho cuando me marché de casa de Teresa. Así que si alguien lo descubre...

—Nadie lo descubrirá —la interrumpió él con firmeza—. Mi trabajo consiste en asegurarme de que eso no suceda.

—Mi familia lo descubrirá. —Pronto sabrían que no se encontraba en Brennon Manor y comenzarían a buscarla.

—Ciertos miembros de tu familia tienen motivos de sobra para confiar en mí. —Parecía muy serio.

—Sabía que había algo... que ocultabas algo —dijo en voz baja—. El señor Eads te llamó «Cuervo» y no soy tan tonta como para no saber que ese tipo de nombre especial tiene cierta relevancia. Pero no sé por qué eso significa que mi familia confiaría en ti si saliera a la luz que he estado contigo durante estas últimas semanas. En cualquier caso, son conscientes de mi tendencia a demostrar un comportamiento inapropiado. Mi padrastro me lo señala todos los días.

Wyn respiraba con dificultad. Tenía los hombros rígidos.

—Me dedico a rescatar a jóvenes como tú.

—¿A rescatar? ¿A jóvenes como yo?

—A jóvenes perdidas, para ser más concretos. A jóvenes que han huido de casa. Aunque de vez en cuando ha habido algún niño o algún amnésico, por suerte para mí. O un caballo. —Eso último pareció decirlo con ironía—. Pero casi siempre me asignan casos de jóvenes desaparecidas. Al parecer, se me da muy bien convencer a las jovencitas de que hagan mi voluntad.

—¿Te asignan casos? ¿Quiénes te los asignan?

—Es lo único que puedo revelarte. —Se volvió—. Y ahora, si eres tan amable de salir de esta estancia y de no regresar hasta mañana por la mañana, te lo agradeceré de corazón.

—Pero quiero que me beses.

—No tienes ni idea de lo que estás diciendo. Eres una inocente.

—Estoy dispuesta a no serlo durante más tiempo. Llevo un siglo dispuesta para dejar de serlo. Tal vez lo lleve en la sangre, puesto que mi madre es... —Guardó silencio, abrumada por una repentina desesperación—. Tampoco te estoy pidiendo mucho.

—¿Que no me estás pidiendo...? —Era evidente que trataba de contenerse—. Permíteme expresarlo en términos que te resulten sencillos de comprender. Los héroes no desvirgan a jovencitas inocentes.

—¡Por el amor de Dios! —Se golpeó las faldas con las palmas de las manos—. Estoy harta de intentar convencerte de que me beses y me... en fin, todo lo demás.

—Sí, bueno, el problema es precisamente ese «todo lo demás». —Wyn se pasó una mano por la nuca, y el gesto hizo que la camisa se le pegara al torso.

Diantha estuvo a punto de abalanzarse sobre él. Apretó los puños.

—Mi orgullo —«y mi autocontrol», añadió para sus adentros— ya no soporta tantos golpes. —En contra de sus deseos, se dio media vuelta, pero de repente se volvió, lo miró de nuevo y le soltó—: Cuando me besaste... Esa forma de... Y luego me miras de una manera a veces... Como un lobo acechando a su presa.

—Es la bebida —confesó él en voz baja.

Diantha tragó saliva. El corazón le latía con fuerza.

—¿La bebida?

—Mi cuerpo ansía la embriaguez. Llevo un ansia en la sangre que me impulsa a entregarme a la bebida y que es superior a mis fuerzas. Me impulsa a buscar el placer, la satisfacción y el desahogo a toda costa. —Su mirada no la abandonó en ningún momento—. No lo haré contigo. Porque solo serías un cuerpo femenino.

—¡Oh! —No había imaginado que pudiera ser así—. ¡Uf!

—Diantha... —dijo Wyn en voz baja—, sabes que para mí eres preciosa.

—Has dicho que soy guapa, pero con el debido respeto, los caballeros suelen infringir la regla número seis con mucha frecuencia. —Dolía. De forma horrible. En realidad, no debería resultarle tan doloroso—. Y, la verdad, sería mutuo. Eso de... lo de buscar simplemente placer y satisfacción. Así que creo que sería lo adecuado. —Logró superar el nudo que sentía en la boca del estómago.

—No. —Wyn pronunció de nuevo esa palabra tan intransigente—. Permíteme comportarme como el caballero que crees que soy.

Diantha deseó mandarlo al cuerno por ser un caballero cuando menos le apetecía que lo fuera. Sin embargo, la opresión que sentía en la garganta le impidió hablar. De modo que se abrazó por la cintura a fin de aliviar un poco la espantosa sensación que se había adueñado de su estómago, se dio media vuelta de nuevo y se tropezó con el cubo de leche que había dejado antes en el pasillo, distraída por el beso. Acabó tirada en el suelo con un estrépito, sobre un charco de leche y con las faldas levantadas.

Wyn salió al punto al pasillo y se arrodilló a su lado con una rapidez que Diantha habría apreciado muchísimo de no estar tan abochornada.

—¿Te has hecho daño? —La examinó de arriba abajo con la mirada.

—Solo en el amor propio. Este no era el esplendoroso mutis que había previsto.

—Los mutis esplendorosos están sobrevalorados, la verdad. —La agarró de una mano.

Diantha pensó que podría pasarse la vida sentada en ese charco de leche si él seguía mirándola con tanta intensidad.

—¿Quién iba a pensar que esa vaca acabaría ganándome la partida? —murmuró—. Supongo que a partir de ahora deberé tener cuidado cuando me ponga los zapatos y barra el portal.

Wyn sonrió, tiró de ella para levantarla y después la soltó.

—Hasta ahora pensaba que este pobre vestido solo tendría que soportar indignidades como la lluvia, el barro y el moho. —Se rio, aunque fue una carcajada trémula ya que él no se apartó—. Es evidente que estaba equivocada.

—Estabas equivocada —repitió él en voz baja.

Diantha alzó la vista de repente.

Wyn colocó una mano en la pared, al lado de su cabeza, y se inclinó hacia delante.

Diantha abrió y cerró la boca mientras buscaba una réplica apropiada e intentaba morderse la lengua para no suplicar. No volvería a suplicarle. Cerró los ojos con fuerza para evitar la tentación y los abrió al punto cuando sintió el roce de su aliento en la mejilla y después... ¡Ay, Dios! Después sintió sus labios. La suave caricia le provocó un escalofrío, y se estremeció por su proximidad.

Wyn se separó de ella mientras examinaba su cara. Esos ojos grises parecían relucir en la oscuridad. Se inclinó despacio y la besó en los labios.

—No me lo pidas —le susurró con voz ronca—, porque, que Dios me ayude, no quiero llevarte a casa.

Ella negó con la cabeza.

—Pero yo...

Sus labios la besaron con escasa delicadeza, con un inequívoco afán posesivo. La besó con pasión, con determinación. La besó hasta que se le aflojaron las rodillas. Sin embargo, no la tocó en ninguna otra parte del cuerpo.

Y después sus manos le aferraron la cabeza, enterró los dedos en su pelo y comenzó a besarla en las mejillas y en el mentón.

—Te deseo demasiado —susurró en ese lugar tan sensible situado tras el lóbulo de la oreja.

Diantha tuvo la impresión de que estaba rezando, de que era una súplica surgida del fondo de su alma. La besó en el cuello y la caricia le provocó una descarga que le recorrió todo el cuerpo.

—No soy un buen hombre —añadió él.

Le permitió que le echara la cabeza hacia atrás para besarla en la garganta y se estremeció al experimentar tan sublime placer. ¿Cómo era posible que algo así fuera tan maravilloso?

—Sí que eres un buen hombre, lo sé. —Lo aferró por el chaleco, lo pegó a su cuerpo y lo besó en los labios.

Wyn era todo músculo. Le pasó las manos por los brazos y esa simple exploración despertó el ansia de sentir sus manos en el cuerpo, sobre todo entre los muslos. Colocó las manos en su torso y gimió por su dureza, por el contraste con su cuerpo, porque era duro, masculino y justo lo que deseaba en ese momento. Forcejeó con los dedos hasta que logró desabrocharle el primer botón del chaleco. Buscó el siguiente y el delicioso dolor que palpitaba entre sus muslos se agudizó, arrancándole un gemido.

Wyn le inmovilizó las manos.

—No, Diantha —dijo, malhumorado—. No.

—Se acabaron las negativas. —Liberó una mano y le desabrochó otro botón.

—Si me desvistes, perderé el poco control que me queda.

—Gracias a Dios. —Le mordió el labio inferior tal como él le había hecho en la posada y le introdujo la lengua entre los dientes para acariciar la suya. Lo escuchó gemir al tiempo que la abrazaba y le plantaba las manos en el trasero.

—¿Dónde has aprendido eso? —le preguntó Wyn, que apenas podía respirar—. No me digas que te lo ha enseñado otro.

—Lo he aprendido de ti. Ya te he dicho que fuiste el primero. El único. —Desabrochó el último botón. Enloquecida de deseo, le acarició el pecho y cerró los ojos para disfrutar aún más de las sensaciones—. ¡Ay, Wyn! —La emoción era tan grande que la tensión se había apoderado de su cuerpo—. Enséñame más cosas, por favor. —Se pegó a él por completo y movió las caderas.

Wyn bajó una mano por su muslo y al tiempo que se inclinaba para besarla en la boca, la instó a separar los muslos. Acto seguido, se pegó a ella y Diantha por fin disfrutó de ese delicioso y duro cuerpo.

—¡Ooooh! —lo aceptó entre los labios y entre los muslos con avidez, deseosa por descubrir qué sucedería a continuación.

Wyn se apartó de ella, le aferró una mano y la instó a caminar hacia el recibidor. Diantha lo siguió dando traspiés, chorreando leche y extasiada. A mitad de la escalinata, Wyn se detuvo, la pegó de nuevo a su cuerpo y la besó otra vez.

—Te llevaría en brazos —le dijo de forma atropellada—, pero me temo que no tengo... ¡Maldita sea! —La alzó en brazos y siguió escaleras arriba.

Al llegar al dormitorio que ocupaba, la dejó de nuevo en el suelo. Diantha lo abrazó mientras él le acariciaba la espalda y las caderas. Se pegó a él todo lo posible y dejó que capturara sus labios otra vez.

En ese momento, escuchó que la puerta se cerraba e interrumpió el beso. Miró a su alrededor, reparando en el escritorio lleno de libros, en la cama de cuatro postes con sus cortinas descorridas.

—Estoy en el dormitorio de un hombre. —En el dormitorio de Wyn.

—Ya has estado aquí antes. —Le mordisqueó el lóbulo de una oreja, se lo lamió y Diantha estuvo a punto de desmayarse de placer.

—Para velarte. No para... no para...

—Para entregarme tu cuerpo. —Le aferró la cintura con sus fuertes manos y pegó la frente a la suya. Le costaba trabajo respirar—. Diantha, dilo para que no haya confusión alguna.

—Para entregarte mi cuerpo. —Estaba aterrada, pero lo deseaba con todo su ser.

Las manos de Wyn ascendieron por su espalda y le desataron el ceñidor que le sujetaba el vestido.

—Tendremos que casarnos después de esto.

«¿Tendremos?», pensó ella. ¿Como si fuera una obligación? Wyn podía compartir esa experiencia con ella aunque sus sentimientos no fueran profundos. Sin embargo, a esas alturas y ya en su dormitorio, a punto de entregarle su virginidad, comprendió con repentina claridad que siempre que se imaginaba haciendo las cosas íntimas que hacían los hombres y las mujeres, se imaginaba con Wyn. Siempre.

Evidentemente no era algo mutuo.

—No puedo casarme contigo, ni con... ni con el señor Hache hasta que encuentre a mi madre.

El ceñidor cayó al suelo.

—Si te hago mía, él no te tendrá.

—No se lo diremos. —Se estremeció mientras él le bajaba las mangas del vestido por los brazos.

—Un hombre tiene otras formas de descubrir que una mujer ha perdido la virginidad, además de la palabra de esta. —Hablaba con voz ronca y con la mirada clavada en sus pechos, cubiertos tan solo por el fino lino de la camisola. Sus pezones, endurecidos y enhiestos, eran claramente visibles bajo la tela.

De repente, sintió una especie de vértigo y deseó cubrirse de nuevo.

—En ese caso, descubriré la manera de que parezca lo que no es. Las mujeres son más listas que la mayoría de los hombres.

—Sin embargo, pocas tienen tu determinación y tu arrojo.

—Ahora mismo no te estás refiriendo a mi virginidad, ¿verdad?

Wyn sonrió y Diantha se percató del brillo febril de su mirada. La deseaba. Supuso que si alguna vez se ahogaba, sería en sus ojos. Él le colocó una mano en una mejilla. Una mano fuerte y decidida.

El aire pareció abandonar sus pulmones.

—Estoy muy nerviosa de repente. O tal vez no sea de repente, porque ya lo estaba antes. No me digas que no parezco demasiado nerviosa como aquella noche en casa de sir Henry, porque sé que esta vez sería mentira.

—Pareces... —Wyn tragó saliva al tiempo que le miraba de nuevo los pechos y el movimiento de su garganta hizo que a Diantha se le secara la boca—. Perfecta.

Diantha creyó derretirse como la mantequilla. Posiblemente también oliera como la mantequilla, ya que estaba empapada de leche. Sin embargo, a Wyn no parecía molestarle. La rodeó con un brazo y la pegó a él. Sus cuerpos se tocaron. Inclinó la cabeza para besarla de nuevo en el cuello y después le acarició una oreja con la nariz.

—No tenemos por qué hacer esto. —Sus manos comenzaron a subirle la camisola por detrás—. Podemos parar ahora, si es lo que quieres. En cualquier momento.

—Si piensas que después de llevar quince días abalanzándome sobre ti voy a parar ahora, tendré que reconsiderar la opinión que me merece tu inteligencia. Y... —Se quedó sin aliento—. ¿Cómo puedes pensar que quiero que te detengas justo cuando estás haciendo eso?

Wyn acababa de cubrirle las nalgas con las manos para acariciárselas, convirtiéndole las rodillas en gelatina.

—Dios, eres tan suave...

Diantha se puso de puntillas y lo besó en la mejilla.

—Regla número cinco: Un caballero respeta siempre los deseos de una dama.

Era una fresca. Pero no le importaba. No cuando estaba entre sus brazos.

—Estaba pensando justo en eso.

—¿En qué, exactamente?

—En ser un caballero. —Sus manos la abandonaron para despojarse del chaleco—. Sería poco caballeroso esperar que una dama se quitara la ropa mientras el resto de los presentes está vestido.

Hipnotizada, Diantha observó cómo se desataba la corbata, revelando su perfección masculina.

—¿El resto de los presentes?

—Quienquiera que esté cerca en ese momento. —Sus ojos relucían mientras se sacaba los faldones de la camisa del pantalón.

—Ah. —Diantha lo miraba sin pestañear—. Yo...

Wyn le tomó la cara entre las manos y le enterró los dedos en el pelo, tras lo cual la acercó para besarla.

—Y ahora, bruja —murmuró contra sus labios—, como buen caballero que soy, debo decirle a la dama que me preceda.

Diantha sentía los latidos del corazón en la garganta.

—¿Que te... que te preceda? —repitió, con una voz semejante a un graznido—. Creo que soy incapaz de hablar bien. Es bochornoso.

—Sin embargo, es lo normal. —La besó de nuevo para alentarla—. Precédeme... en las caricias.

La embargó una pasión abrasadora y sintió que le ardían desde las mejillas hasta los dedos de los pies, pero sobre todo en ese lugar situado entre los muslos. Jamás se había imaginado tocando su cuerpo desnudo. Evidentemente, era demasiado inocente.

—¿Que te acaricie?

El resplandor dorado del fuego iluminaba sus ojos grises. Sus deliciosos labios esbozaron una sonrisa.

—Vamos. ¿Ahora va a ponerse tímida, Lady Intrépida?

—¡No! —exclamó ella.

Bañado por la luz del fuego, Wyn era grande, muy guapo y muy viril, con todos esos músculos y esa complexión atlética, y sus anchos hombros y su delicioso torso, que se iba afinando hasta llegar a la cintura. La línea de vello oscuro que descendía desde su ombligo y se perdía bajo sus pantalones le provocó una nueva oleada de deseo. Diantha levantó una mano y colocó dos dedos en el hueco de su garganta. El contacto le hizo la boca agua. Wyn inspiró despacio y ella reparó en el movimiento de su pecho. Extendió los cinco dedos y descendió por su piel.

El placer la instó a cerrar los ojos y sintió que tenía el lugar situado entre los muslos tan mojado como la boca. La piel de Wyn era caliente, firme y sentía los latidos de su corazón en las puntas de los dedos mientras los desplazaba hacia un pezón. Lo vio cerrar los ojos mientras contenía el aliento y la abrazaba con más fuerza.

—Es posible que haya vuelto a sobrevalorar mi caballerosidad —comentó con voz tensa.

—¿A sobrevalorar?

—Diantha, sigue tocándome —la instó, sin abrir los ojos—. Tus manos... —Hablaba con una voz muy ronca—. Te lo suplico.

La súplica tenía algo especial que Diantha reconoció, aunque estaba distraída con su peligrosa exploración. Reconoció el deseo que también escuchó en su voz la noche que lo abrazó. Lo obedeció. Colocó las palmas de las manos con los dedos extendidos en su pecho y se limitó a sentir. La suavidad y el calor de su piel. El contorno de sus músculos que la dejaban lánguida por el deseo. Los fuertes latidos de su corazón. Sus manos comenzaron a moverse como si supieran qué hacer por sí solas. Le aferraron los hombros, recorrieron sus clavículas, disfrutaron de la aspereza de su mentón y se detuvieron en su pelo. Wyn olía de maravilla. A humo del fuego y a hombre. Diantha se puso de puntillas y siguió el rastro de sus manos con los labios. Él le colocó las manos en la espalda, extendió los dedos y el gesto hizo que se sintiera protegida, deseada y querida.

Sabía que Wyn podía protegerla. Lo había sabido desde el principio.

Al cabo de un momento, esas manos le aferraron la camisola.

—Un caballero no debe comprometer la modestia de una dama para hacerle el amor —murmuró—. Debería permitirte que siguieras vestida. Pero quiero verte, bruja. Quiero verte por entero.

Diantha se sintió muy alarmada.

—¿Ah, sí?

—Durante la fiebre, el único pensamiento que me mantenía cuerdo era la posibilidad de ver tu cuerpo algún día.

—Pero... —¡Era imposible! Nadie la había visto desnuda, ni siquiera sus hermanas ni su doncella. A los catorce años incluso volvió el espejo contra la pared. Su madre fue quien la animó a hacerlo, aduciendo que así no estaría angustiada todos los días—. A lo mejor si apagamos antes la vela...

—Diantha, no me lo niegues. —Sus ojos la miraban con un brillo abrasador.

Cerró los ojos para no ver su reacción cuando se quitara la camisola. Él la ayudó.

El silencio se prolongó.

—¡Por Dios! —lo escuchó exclamar con voz ahogada.

Diantha se tapó el abdomen con una mano.

—Sé que no... quiero decir que si pudiera...

—Si alguien le pidiera a Dios que creara a la mujer perfecta, tendría que negarle dicha petición. Porque ya te ha creado a ti.

Diantha abrió los ojos de golpe y lo vio contemplándola, extasiado. Después la tocó, justo en el lugar donde tenía las horribles estrías blancas, que se extendían sobre sus caderas y sobre el abdomen. La niñera le había dicho que esas marcas y las que tenía en los pechos señalaban los lugares donde la piel antes estaba más estirada, y que jamás desaparecerían. En ese momento, los dedos de Wyn las acariciaban con ternura.

—Mi preciosa y única Diantha.

Sintió que un sollozo se le atascaba en la garganta, pero no podía permitírselo. Eso era una fantasía. No debería llorar, ni siquiera aunque se tratara de lágrimas de alegría.

—¿Lo dices de verdad? ¿Estás hablando en serio?

—Sí, lo digo de verdad. ¿Por qué iba a mentirte? Ya te tengo aquí, dispuesta. No necesito mentirte y lo que estoy haciendo es disfrutar contemplándote y diciéndote lo que pienso mientras espero a que tus hoyuelos aparezcan de nuevo.

—Ahora mismo no estás mirando mis hoyuelos.

—Es que me distraigo con mucha facilidad. —La besó en los labios al tiempo que le rodeaba la cintura con las manos y la pegaba a él.

Por fin estaban piel contra piel. Diantha sintió que sus pechos se aplastaban contra su torso y se percató de su erección, rozándole justo allí donde más deseaba que la tocara.

—Dios mío, Diantha. —Wyn le aferró el trasero y se frotó contra ella—. Si deseas una prueba de lo mucho que me gustas, solo tendrás que esperar unos minutos y acabaré haciéndote mía aquí en el suelo. No puedo esperar más.

Diantha se apartó de sus brazos, embargada por una mezcla de alivio y deseo.

—¡A la cama!

Wyn se quitó las botas mientras caminaba y acabó aferrándose a un poste como si necesitara un apoyo para guardar el equilibrio. Diantha no sabía si sentarse o si acostarse, y al final acabó en una postura a caballo entre esas dos bajo la mirada de Wyn.

—¿A qué esperas? —le preguntó con voz temblorosa.

—A despertarme de repente y volver a la realidad —respondió él con absoluta seriedad.

En ese momento, Diantha soltó un suspiro de gozo.

—Esta es la realidad.

Tras desabrocharse los pantalones, Wyn se los quitó y entonces le tocó a ella el turno de contemplarlo. En realidad, no pudo contenerse. Estaba asustada y asombrada, y el deseo que se había apoderado de su entrepierna era casi doloroso. En ese instante, supo sin la menor duda lo que sucedería a continuación. Su cuerpo se lo dijo.

Wyn se acercó a ella y bajo su apasionada mirada se sintió verdaderamente hermosa.

—Me muero por besarte —lo oyó murmurar—. En todos lados. —Le acarició un pezón con un pulgar, frotándoselo una y otra vez de una forma maravillosa. Después, se inclinó y lo tomó entre los labios.

—¡Sí! —exclamó ella con un suspiro—. Estaba deseando que hicieras eso desde la noche de Knighton.

—Esa noche te traté muy mal. —Su lengua lamió el sensible pezón varias veces—. Te toqué sin que me invitaras a hacerlo y...

—Sí que te invité a hacerlo. —Arqueó la espalda para sentir la caricia de su mano en la cintura y levantó las caderas en clara invitación—. ¿Por qué no me hiciste tuya?

—No podía —respondió, y sus caricias se detuvieron—. El alcohol me había dejado impotente.

Diantha parpadeó.

—¿Entiendes lo que quiere decir? —susurró contra su mejilla con voz trémula.

—Creo que sí. —Diantha miró hacia abajo—. No... está siempre así, ¿verdad?

La pregunta le arrancó una sonrisa.

—Si tú estás cerca, sí. —La sonrisa desapareció—. Salvo aquella noche. —La aferró con fuerza por la cintura—. Espero que no te sientas ofendida ahora que... ahora que sabes que no tomé tu virginidad aquella noche movido por el honor, sino por la impotencia.

—No te creo.

—Diantha...

—No creo que lo hubieras hecho en el caso de encontrarte bien. No si yo te hubiera rechazado. —Le acarició el torso con las yemas de los dedos y cerró los ojos—. Lo importante —añadió al tiempo que descendía por su cintura— es que esta noche no has bebido.

Wyn jadeó cuando cerró los dedos en torno a su miembro. Era tan duro como parecía, tan suave y tan caliente como lo que ella sentía entre los muslos.

—Si te rechazo ahora mismo, ¿me dejarás marchar?

—No me rechazarás —respondió él con cierta aspereza, poniendo de manifiesto el ansia de la que le había hablado.

—No. —Diantha era consciente de que le temblaba la voz tanto como le temblaba el cuerpo. El deseo era tan doloroso que necesitaba que él lo aliviara. Separó las rodillas y Wyn se colocó entre ellas.

Su cuerpo estaba muy caliente y el roce de su piel la dejó sin aliento.

—No te haré daño —le aseguró en voz baja.

—Lo sé —replicó ella con un hilo de voz—. ¿Me lo harás algún día?

La besó en la frente, en la comisura de los labios, en la garganta y en los labios.

—Nunca más.

—Pero...

La acarició con los dedos, demostrando una gran habilidad. Diantha se quedó petrificada. Siguió acariciándola con destreza y su cuerpo pareció recordar el momento en el que la penetró con el dedo, ya que la recorrió un estremecimiento mientras alzaba las caderas. Él la penetró al instante.

Después, se quedó inmóvil, respirando de forma superficial.

—¡Dios! —exclamó con voz ahogada y ronca—. ¿Estás bien?

—Sí. Eso creo —respondió Diantha. Se sentía un poco incómoda, como si no hubiera espacio en su cuerpo para acogerlo del todo, y aturdida porque en realidad sí lo hubiera. Le pasó una mano por un hombro, reparando en la fuerza masculina que poseía. Se sentía rodeada por completo por él, aunque en realidad ella también lo estaba rodeando. Jamás había imaginado semejante nivel de intimidad. Por más que había imaginado cómo sería ese momento, nunca había pensado que pudiera ser así—. No me duele. No mucho. ¿No debería dolerme la primera vez?

Wyn le enterró los dedos en el pelo.

—A lo mejor nos encargamos de esa parte en Knighton.

—Creía que no recordabas lo de Knighton —susurró ella.

La besó en la boca con ternura.

—Jamás podría olvidarlo.

—Pero todavía hay más. —Diantha echó la cabeza hacia atrás, aceptando sus besos en la garganta al tiempo que deslizaba los pies por el cobertor y lo sentía tan dentro, tan duro y tan unido a ella—. ¿Verdad?

—Mucho más. —Sus ojos grises relucían como los diamantes—. Déjame enseñártelo.

—Sí.

Y se lo enseñó. O más bien y en respuesta a sus muchas preguntas, como buen caballero que era, la instruyó.

Wyn se mostró muy paciente. Pero era un gran instructor. Y ella era una alumna aventajada. Mientras la tocaba y despertaba en su cuerpo un deseo que a su vez avivaba el suyo, Diantha aprendió que los placeres de la carne podían convertirse en una tortura que llevaba al borde de la desesperación. Sin embargo, las emociones que sentía también procedían del corazón. Porque entre los besos y las caricias, solo perdió el control cuando lo escuchó murmurar su nombre.

En ese momento, experimentó un placer inesperado, un placer que la abrumó y la embargó por completo, recorriéndola de arriba abajo y arrancándole gemido tras gemido, e incluso algún grito.

—¡Ay, no! —Le clavó los dedos en la cintura, pegándolo aún más a ella y desando que siguiera y siguiera—. Bésame para que deje de gritar.

Wyn la besó. Después, le aferró una rodilla y la instó a colocar dicha pierna en torno a su cadera. Eso le encantó, el hecho de que la intimidad pudiera ser aún mayor a medida que sus cuerpos se acariciaban y se rozaban. El calor se hizo abrasador mientras él aumentaba el ritmo de sus embestidas, tan tenso que sus músculos le parecieron piedras. En un momento dado, se hundió hasta el fondo en ella, y la llevó de nuevo al éxtasis.

—¡Ooooh!

Wyn cerró los ojos, la abrazó con fuerza y se quedó quieto, salvo por la parte de su cuerpo que estaba enterrada en ella.

—¡Dios! —gimió, y sin apenas aliento, añadió—: ¡Diantha!

Ella estaba ocupada tratando de recuperar el aliento también. Tenía la frente sudorosa y los labios húmedos. Wyn también tenía la piel mojada. Se apoyó en los codos, inclinó la cabeza y la besó en los labios al tiempo que su torso le rozaba los pezones. Los besos le parecieron distintos en ese momento, ya saciados. Su sabor era más salado. Wyn le pasó un pulgar por el labio inferior y después siguió acariciándole la garganta y un hombro. Su cuerpo estaba tan sensible que acusó las caricias por entero.

Acto seguido, se apartó de ella, aunque dejó un brazo en torno a su cintura. Se colocó a su lado en el colchón, cerró los ojos y exhaló un largo suspiro, tan trémulo como los erráticos latidos del corazón de Diantha.

Ella se volvió para mirarlo y contempló su rostro. Sus pómulos y su mentón. La fuerza de esos hombros y de esos brazos que la habían rodeado. Sentía una extraña opresión en el pecho. A lo largo de los últimos días, había conseguido muchos propósitos. Sin embargo, el más simple de todos, el simple hecho de respirar, se le resistía.

20

Wyn escuchó la suave, aunque algo entrecortada, respiración de la mujer que le había entregado su cuerpo virginal con una pasión generosa, y lo paralizó una sensación totalmente desconocida. Se quedó inmóvil un minuto entero, seguido de otro, y de otro, mientras permitía que el frío de la habitación desterrara el sueño a fin de poder pensar, razonar y comprender. Abrió los ojos y clavó la mirada en el dosel, estudiando los detalles de la madera tallada gracias a la luz de la luna.

Veía las imperfecciones de la veta, el nudo del tercer tablón, un manchurrón de barniz con forma de espiral que le confería carácter al adorno principal. Podía concentrarse en esos detalles. Pensó en concentrarse en dichos detalles. Pensaba con claridad. Con absoluta claridad. Y, sin embargo, se sentía contento.

Más que contento. Su cuerpo se sentía satisfecho como no se había sentido desde que tenía uso de razón. La sed no estaba agazapada bajo la superficie, no había ni rastro de ansia en sus venas, ni un ápice de la rabia que el anhelo no podía saciar. No anhelaba nada. Apenas si recordaba la última vez que sintió algo que no fuera esa necesidad desesperada, de modo que la paz le resultaba desconocida.

—A decir verdad —murmuró la dulce belleza tendida a su lado—, las historias de Teresa no me prepararon del todo para esto.

Volvió la cabeza, con la intención de sonreírle, pero solo atinó a mirarla. Diantha estaba de costado, con las rodillas dobladas. Tenía las manos debajo de la mejilla, y la rodeaban sus rizos castaños. Esas largas pestañas enmarcaban unos ojos de expresión soñolienta.

Sí que anhelaba algo. Por el amor de Dios, ¡con fuerza!

—La señorita Finch-Freeworth parece una dama con muchos conocimientos.

—No tantos como yo creía. —Diantha hablaba como si estuviera a punto de quedarse dormida, pero esos labios sonrosados esbozaban una sonrisilla. Acto seguido, abrió los ojos de par en par—. Solo mencioné el apellido de Teresa el primer día, antes de darme cuenta de que no era una buena amiga si iba pregonándolo por ahí a los cuatro vientos. ¿Cómo es que te acuerdas?

Cogió una manta y la cubrió con ella, permitiéndose acariciar de nuevo esa piel sedosa. Hacía mucho tiempo que no se permitía tocar a una mujer de esa forma. Hacía mucho tiempo que no se creía merecedor de un placer tan sencillo y sincero.

—Ya te lo he dicho, bruja. —Le acarició la mejilla, suave como el rocío, con el dorso de los dedos—. Tengo una memoria infalible.

—Wyn —susurró ella al tiempo que se deleitaba con la caricia—, ¿me contarás ahora lo de rescatar a esas muchachas?

—No me corresponde a mí hablar del tema. Les corresponde a las personas para las que trabajo.

Ella lo miró.

—¿Eres un espía?

—No.

Diantha se sentó y las mantas cayeron en torno a su cintura, dejando al aire sus generosos pechos, con los pezones rosados y suaves en ese momento.

—Pero si fueras un espía, no podrías decírselo a nadie. Te limitarías a continuar con tus tejemanejes secretos, aunque si los hiciera otra persona, dirían que es un malhechor. —Tenía un brillo travieso en los ojos, de modo que intentó concentrarse en ellos, pero el frío de la estancia le estaba endureciendo los pezones, y se moría por saborearlos de nuevo.

—¿Más historias de la señorita Finch-Freeworth? —consiguió preguntar.

Ella sonrió, mostrándole los hoyuelos, y enarcó las cejas con gesto travieso.

—De sus hermanos.

—Ah. ¿Había hermanos con los que pasaste parte del tiempo en Brennon Manor? —Los hoyuelos consiguieron que sus ojos no bajaran de su cuello, pero también que su anhelo se multiplicara. Le encantaría acariciarlos con la lengua antes de recorrer otras zonas. Todas las zonas de su cuerpo. La conocería por completo—. ¿Tengo motivos para sentirme celoso?

—¿De los espantosos hermanos de Teresa...? —Cerró la boca de golpe—. ¿Te pondrías celoso?

Le rodeó la cintura con un brazo y miró esos ojos relucientes.

—Sí. —Se merecía mucho más que un escándalo y un velo de viuda. Durante cinco años, solo había tenido un objetivo: acabar con un duque. En ese momento, era incapaz de recordar el motivo.

Le enterró la cara en la curva del cuello y aspiró su aroma. Lo embriagó, olía a aire fresco y a ella. Sin embargo, hacía mucho más que embriagarlo. Hacía que se sintiera completo. Diantha hacía que se sintiera completo.

—Eres mía, bruja —susurró contra su piel—. Mía, en lo bueno y en lo malo.

Diantha no tenía experiencia en ese tipo de situaciones, pero se temía que solo eran las palabras habituales entre amantes. Al fin y al cabo, ella misma tenía en la punta de la lengua unas palabras que no tenía la menor intención de pronunciar porque las creía unidas al placer que él le había proporcionado a su cuerpo, un placer indescriptible y maravilloso. Y en cuanto a «en lo bueno y en lo malo», le dio la impresión de que lo decía a regañadientes, pese a murmurárselo seductoramente contra la garganta. De modo que dijo aquello que sabía que era verdad.

—Me ha gustado lo que acabamos de hacer.

—¿En serio? —Los labios de Wyn, que estaban contra su cuello, esbozaron una sonrisa.

—¿Podemos repetirlo? ¿Ahora?

Él le besó la barbilla antes de besar las comisuras de su boca, y despacio, con ternura, acabó besándola en los labios, momento en el que se pegó a él.

—Por favor —susurró—. Si admito que me ha gustado mucho, ¿podemos repetirlo?

—Todavía no, bruja. Un hombre necesita tiempo para...

Su elegante mano se cerró en torno a su miembro y procedió a demostrar, para sorpresa de ambos, que Wyn necesitaba de menos tiempo del que había creído en un principio.

Wyn se despertó al amanecer, deseándola de nuevo.

Despeinada y sonrosada, con un aspecto vulnerable mientras dormía, Diantha respiraba de forma pausada. No podía despertarla, ni siquiera para saciar la agobiante sed que volvía a asaltarlo.

Se vistió y fue al establo donde *Galahad* y *Lady Priscilla* lo saludaron con suaves relinchos. Owen, que se encontraba sentado en el taburete junto a la vaca, se llevó la mano a la gorra.

—Buenos días, señor.

—Nos vamos hoy. Si prefieres quedarte aquí, dejaré la potrilla a tu cuidado y le diré al señor Guyther que tienes autoridad sobre ella.

El niño se quedó boquiabierto.

—Me gustaría mucho, señor.

—Es un animal muy valioso. —Owen tenía un talento natural con los caballos. Él no tardaría mucho en volver y Guyther supervisaría la situación—. ¿Estás seguro de que quieres asumir la responsabilidad?

—¡Sí, señor!

Le quitó la manta a *Galahad* y lo ensilló.

—Cuando termines de ordeñar la vaca, ve al pueblo y pídele a la señora Cerwyn más hierbas de las que me preparó hace poco. Espera a que tenga listo el paquete y vuelve.

Wyn cabalgó hasta la casa de Guyther. El administrador lo recibió mucho mejor que en su anterior encuentro en el pueblo. Los galeses eran gente desconfiada y sabia, y los habitantes de Abbaty Fran Ddu no entendían por qué no volvió cuando su tía abuela enfermó aquella última vez ni por qué no asistió al funeral. Sabían que estaba en Londres. Desconocían, por supuesto, que entre la última vez que lo vieron y la enfermedad que acabó con su tía, él había matado a una muchacha (a la que en realidad trataba de ayudar), y que la había matado porque había actuado de forma impulsiva, demasiado orgulloso de sus habilidades, demasiado confiado y demasiado borracho. Desconocían que no soportaba la idea de tener que contárselo a la mujer que le había enseñado cómo ser un buen hombre. Tampoco entendían por qué había tardado cinco años en regresar. Claro que en diez días se habían acostumbrado a su presencia. Además, sentían curiosidad por los motivos que lo habían llevado allí y por la dama que lo acompañaba. Guyther se lo dejó bien claro.

Habló con el administrador acerca de la propiedad y después volvió a la casa mientras la neblina se despejaba, dejando una mañana plomiza. Owen se había marchado ya, de modo que Wyn se ocupó de *Galahad* y después se marchó al fondo del establo. Una bala de heno recién cortado y el calorcillo del sol. Como si volviera a ser un muchacho, se quitó la chaqueta, se tumbó de espaldas, usó un brazo a modo de almohada y escuchó los sonidos de los animales y del arroyo en la distancia, los trinos de los pájaros y el día al despuntar.

Escuchó que Diantha se acercaba antes siquiera de verla, sus pasos eran ligeros.

—He visto que volvías con *Galahad*. No... ¡No te levantes! —Se dejó caer de rodillas junto a él, mientras la luz del sol se derramaba sobre su pelo—. Me ha sorprendido que salieras a cabalgar cuando vamos a ponernos en marcha hoy.

—Supuse que estarías durmiendo. —Le cogió una mano y se la llevó a los labios. Ella le colocó la otra sobre el pecho y lo instó a tumbarse de nuevo en el heno.

—No podía dormir. —Tenía una expresión muy decidida en esos ojos azules y los hoyuelos bien a la vista. Se le subió encima—. Estaba soñando con lo que hicimos anoche y al final acabé por despertarme.

Se echó a reír al escucharla.

—¿Has desayunado ya, bruja?

Diantha se sentó a horcajadas sobre sus caderas, con las faldas alrededor de los muslos.

—No quiero comer.

—Es una novedad.

—Quiero que me hagas otra vez el amor. Ahora. En un establo, el mismo lugar donde me besaron por primera vez. —Su sonrisa lo dejó mareado.

—Tu dama de compañía...

—La señora Polley no se ha despertado y todavía no he visto a Owen. —Frotó su entrepierna contra su verga por encima de los pantalones.

Wyn la aferró por las caderas y gimió cuando Diantha comenzó a acariciársela con la mano. Al cabo de un instante, ella se apoyó en sus hombros, se inclinó hacia delante y comenzó a frotarse contra él, moviendo las caderas hacia delante y hacia atrás.

—Haces que esto sea maravilloso —susurró ella, casi con timidez, con los párpados entornados.

Wyn le colocó una mano en la nuca y la instó a inclinarse más. Sus labios eran tan dulces esa mañana como lo fueron la noche anterior. De hecho, lo eran aún más.

—La idea es que sea así, bruja —murmuró al tiempo que le enterraba los dedos en el pelo.

Esos ojazos azules se abrieron de par en par.

—¿Nunca te atribuyes el mérito de nada bueno?

—Atribuirse el mérito del placer durante el sexo sería un exceso de arrogancia del que ni siquiera yo soy capaz.

—No eres un hombre muy orgulloso, aunque supongo que tú crees que sí. Y si el sexo es tan placentero de forma natural, ¿por qué tantas mujeres casadas van por la vida insatisfechas y con la cara avinagrada?

Wyn se echó a reír y la besó, y durante un tiempo no hubo prisas, solo la calidez de sus labios y de su cuerpo entre sus manos, mientras ella le clavaba los dedos en los hombros. Cuando la escuchó gemir de deseo y lo aprisionó entre sus muslos, frotándose contra él en busca del placer, no entendió la necesidad de retrasar más lo que ambos querían. Le introdujo la lengua en la boca para saborearla. Los dedos de Diantha tironearon de su camisa y de su chaleco con impaciencia.

—Ay, por favor, quítatelos —le pidió con un hondo suspiro al tiempo que se pegaba a él—. Quiero tocarte.

—Hay un dormitorio a menos de veinte metros.

—Estoy reescribiendo la regla número uno. —Le desabrochó el chaleco y se lo quitó—. «No le niegues nada, aunque no sea especialmente virtuosa.»

—Me veo obligado a sucumbir, porque eres buena de corazón

y generosa a más no poder, Diantha Lucas. —Ella se levantó de su regazo mientras él se quitaba el chaleco, pero el brillo travieso de sus ojos grises distrajo a Diantha—. Y, por supuesto, yo soy cómplice de tu pérdida de virtud —añadió.

—Solo porque te obligué. —Lo tocó y la emoción del contacto la recorrió por entero. Tocarlo no era un sueño. Trascendía lo sublime.

—Nadie me obliga a hacer algo que no desee. —Se cogió los faldones de la camisa.

—Admite al menos que te estuve incordiando. —Lo ayudó con la camisa, ya que quería una excusa para poder recorrerle la espalda, para sentir la fuerza que se ocultaba bajo su piel y para deleitarse con las emociones que la abrumaban—. Es verdad que si los demás no se adhieren a mis deseos al principio, suelo convencerlos de una manera o... —Sus dedos se detuvieron al llegar a su espina dorsal—. ¿Qué...?

—¡No me toques! —Wyn se volvió a toda prisa y le aferró la muñeca con una fuerza brutal.

Una hilera de cicatrices circulares ascendía desde la base de su espalda por la columna, todas del tamaño del pulgar de un hombre, con una textura dura y rugosa.

—¿Por qué no? —La voz le salió ronca.

Wyn aflojó el apretón.

—Diantha, perdóname. —Inspiró hondo.

—Son muy antiguas. ¿Te siguen doliendo?

—No.

—Parecen quemaduras. —Unas cicatrices brutales—. Hechas a propósito.

—Ciertamente.

—¿Con un atizador?

—Nada tan dramático. Solo con puros, la forma de castigo preferida de mi padre y de mi hermano mayor.

—¿Por qué te hicieron eso?

Él clavó la vista en el suelo.

—Porque leía libros que ellos no leían. —Soltó una carcajada amarga—. Porque leía libros, sin más.

—¿Porque leías libros? Por Dios, qué maldad.

—Diantha —susurró—, es agua pasada. Fue hace veinte años.

—Si de verdad es agua pasada, ¿por qué no puedo tocarte ahí?

Sus ojos plateados se clavaron en ella y observaron su semblante. Le rodeó la cintura con un brazo y la pegó a él. La besó, y no fue un beso destinado a distraerla, sino que estuvo motivado por algo distinto, por algo más. Al cabo de un instante, se limitó a abrazarla mientras sus corazones latían al unísono y ella se juró que no le pediría nada más a la vida.

—Déjame tocarte —le suplicó, susurrando.

Wyn apoyó los labios en su frente y se quedó quieto mientras ella lo rodeaba con los brazos y metía las manos por debajo de la camisa.

—Uno. Dos. Tres. —Sus dedos exploraron la piel dañada sobre la columna, donde el dolor debió de ser agónico—. Cuatro. Cinco. Seis.

—Siete. —Le acarició la mejilla con la suya—. La primera vez, estaba leyendo un libro sobre las siete maravillas del mundo antiguo. Después de eso, les hacía gracia intentar reducir sus esfuerzos al camino ya conocido. Verás, tenían que demostrar su puntería pese al whisky consumido.

—¿Cuáles son las siete maravillas del mundo antiguo?

—La mayoría ya no existe. Eran magníficas estructuras erigidas por el hombre. Les dije a mi padre y a mi hermano que quería visitar la gran pirámide de Giza algún día. —Guardó silencio un rato—. Creo que tenía seis años por aquel entonces.

—Fuiste precoz. —Deslizó la mano por su ancha espalda por debajo de la camisa—. Demasiado listo para ellos.

—Más listo de lo que me convenía. —Sus pulgares acariciaron los costados de sus pechos, libres del corsé.

—Me gusta que sea listo, señor Yale.

—Y a mí me gusta cuando te sientas en mi regazo, bruja.

Diantha lo besó en el hombro, apartando la tela para poder rozarle la piel con los labios.

—¿Vas a hacerme el amor ahora?

—¿Me permitirás que te lo haga en una cama en vez de un montón de heno mohoso?

—Me gusta el heno mohoso. —Le mordisqueó la barbilla sin afeitar. Tocarlo y verlo de esa manera, cuando no estaba acicalado a la perfección, le provocaba unos vuelcos en el corazón deliciosos, aunque un poco raros—. Claro que supongo que debería rendirme a la vasta experiencia del elegante caballero londinense.

—El elegante caballero londinense echándose una siestecita en un montón de heno. —Le acarició el pezón con el pulgar.

Ella se estremeció y echó la cabeza hacia atrás. El sol brillaba con fuerza a través de la portezuela del establo. En algún lugar no muy lejano, los ladridos de un perro se mezclaban con los trinos de los pájaros.

—¿Tiene experiencia haciendo el amor en montones de heno, señor Yale?

—¿Se llevará una gran decepción si le contesto que no, señorita Lucas?

—Estás siendo esquivo.

—Una vieja costumbre. —Su pulgar se coló por debajo del corpiño—. Tendré que remediarla. —La acarició.

Ella se quedó sin aliento, necesitada de sus besos.

Los ladridos de *Ramsés* adquirieron un matiz frenético. Las manos de Wyn se detuvieron.

—Diantha...

Ella lo besó de nuevo en los labios.

—¿Tenemos que irnos esta mañana? —Le acarició el torso con las manos—. Tengo la intención de llegar a Calais lo antes posible, pero me gusta este lugar. Será difícil marcharnos, sobre todo ahora que brilla el sol. —Sonrió contra su mentón—. Me alegro de habernos perdido en este sitio.

—Diantha. —La agarró de la cintura y la apartó de él—, levántate. Y haz algo con tu pelo y con tu vestido.

—¿Qué?

—Por favor. Ahora. Viene alguien.

—Alguien... ¿Aquí?

La cogió de la mano y ella se puso en pie. Wyn la ayudó a quitarse las briznas de heno de las faldas antes de recoger su chaleco y su chaqueta. En ese momento, ella escuchó los cascos de los caballos y el traqueteo de las ruedas del carruaje sobre el camino empedrado.

—Ay, no. ¿Crees que los dueños han vuelto? Si nos hubiéramos ido hace una hora...

Él la observó.

—Vuelve a la casa por el sendero que rodea el cobertizo. Que la señora Polley te ayude a vestirte como es debido.

Ella asintió, pero se acercó a la puerta.

—Antes quiero echar un vistazo.

—No hace falta. —Se quedó donde estaba.

—Pero me muero por ver si es una gran dama o...

El carruaje se detuvo delante de la casa, un enorme y reluciente carruaje de viaje tirado por cuatro caballos del mismo color. El lacayo que estaba sentado en el pescante junto al cochero lucía una librea azul.

—Lleva un blasón en la puerta —susurró—. ¡Nuestra anfitriona es una aristócrata!

Wyn no se había movido y tenía una expresión muy seria, de modo que la inquietud se apoderó de Diantha. Miró el carruaje una vez más.

—Y... tiene ruedas azules. Qué raro, pero creo... creo que reconozco el carruaje.

—Sospecho que ya lo has visto en Savege Park. —Por fin se puso a su lado—. Pertenece a los condes de Blackwood.

En ese momento, vieron que lady Katherine Blackwood descendía del carruaje con la ayuda de su lacayo, tan elegante y tan guapa como de costumbre. La cuñada de Serena y la mujer del mejor amigo de Wyn.

Al cabo de unos instantes de confusión, la emoción de Diantha se transformó en estupefacción. Se le escapó un jadeo, seguido de un gemido de puro dolor. Cuando por fin miró a Wyn, su cara era una máscara impenetrable.

—Vuelve a la casa, Diantha. Yo llevaré a lady Blackwood a la sala de estar. Por favor, reúnete con nosotros cuando puedas.

Aunque apenas comprendía qué estaba pasando y solo tenía sospechas, Diantha se marchó sin mediar palabra, porque era incapaz de decir lo que quería sin gritar. O sin llorar. Y tal como le había sucedido con todos aquellos que le habían hecho daño en el pasado, los niños del vecindario, sus compañeras de clase o su madre, se negaba a llorar delante de él.

21

Wyn se abrochó la chaqueta mientras caminaba hacia la puerta principal de la casa al tiempo que Leam descendía del carruaje tras su esposa. El conde de Blackwood era un hombre alto, ágil y fuerte. Su expresión ceñuda resultaba intimidante.

—Milady —dijo Wyn al tiempo que aceptaba la mano que le había tendido la condesa—, está usted preciosa pese a las incomodidades del viaje.

—No ha sido tan incómodo después de todo. El carruaje tiene una suspensión magnífica. —Sonrió mientras sus ojos oscuros lo examinaban, tras lo cual los clavó en la casa—. ¿Dónde está? ¿Hemos venido en vano o has conseguido retenerla durante todo este tiempo?

«No lo suficiente», pensó.

—Está dentro. Habíamos planeado ponernos en marcha hoy mismo.

—En ese caso, hemos llegado justo a tiempo. —La sonrisa de Kitty lo desarmó por completo—. Wyn, tienes buen aspecto. Y tu casa es preciosa aquí escondida en este valle como si fuera un monasterio. ¿Qué significa Abbaty Fran Ddu?

—Abadía de los Cuervos Negros.

El conde carraspeó.

Kitty estaba al tanto de la existencia del Club Falcon, pero no lo sabía todo, como por ejemplo los nombres en clave que el director les había asignado hacía años a sus cinco agentes. En aquel entonces, Wyn solo compartió la información con su tía abuela, y ambos se echaron unas buenas risas por la coincidencia. Les pareció adecuado. Como si fuese obra del destino.

Wyn señaló la puerta principal.

—Entremos. Ordenaré que preparen un refrigero, aunque sea modesto. La Abadía cuenta con una servidumbre muy reducida ahora mismo.

—Por supuesto, la farsa —comentó Kitty—. Los espías recurrís a cualquier treta con tal de mantener a las damas al margen de vuestras actividades.

—No somos espías —la contradijo su marido—. Yale, ¿en qué lío te has metido?

—Yo también me alegro de verte, Blackwood. He echado mucho de menos tu semblante ceñudo. Veo que el mechón blanco es más grande desde la última vez que te vi. Seguro que es por culpa de tu mal humor.

—Constance me ha dicho que Gray te mandó a buscar un caballo hace un mes —replicó el conde con un leve acento escocés que ponía de manifiesto que no estaba muy contento—. ¿Un dichoso caballo?

—Leam, ¿de verdad es necesario esto? —Kitty tomó a su marido del brazo—. Wyn, en serio, la curiosidad me está matando. A Leam también, porque de lo contrario no estaría aquí. Tu nota, que por cierto recibimos justo cuando llegamos a la casa de Londres, era demasiado concisa. Llegamos a la ciudad el miércoles.

—Gracias por venir tan pronto, milady —dijo Wyn, que miró a Leam—. Milord...

—Ni se te ocurra mirarme con esa ceja enarcada...

—Como se te ocurra llamarme «muchacho» te destripo, Leam.

—No estás armado, Wyn.

—Eso parece. Pero llevo cuchillos y pistolas escondidos. ¿Qué llevas tú?

—Eso es lo que más preocupa, lo que lleve encima —terció Kitty con un brillo socarrón en los ojos—. Por supuesto que hemos venido lo antes posible, por el bien de Diantha, tal como deseabas que hiciéramos. Y ahora acompáñanos al interior de esta preciosa mansión. ¡Las rosas están en plena floración! Es un jardín divino. ¿Por qué no nos has invitado antes a este lugar?

Porque no lo había pisado desde que conoció a Kitty. Y antes de conocerla, durante los años que trabajó junto a Leam para el Club Falcon, la casa pertenecía a su tía abuela, la mujer que lo salvó, que le ofreció un refugio, un hogar, y que le enseñó todo lo que más apreciaba y valoraba. Pertenecía a la mujer que le enseñó a ser lo contrario de lo que más despreciaba: su padre y sus hermanos.

La señora Polley los recibió en el vestíbulo.

—Milord, milady, les presento a la señora Polley, que se encuentra al servicio de la señorita Lucas y que prepara unas galletas de avena excelentes. Señora Polley, ¿sería tan amable de llevar a la sala de estar un refrigerio para los condes de Blackwood?

La señora Polley puso los ojos como platos, pero se marchó a toda prisa después de saludar con una genuflexión.

Leam miró a su alrededor al entrar en la sala de estar.

—Yale, creo que la señora Polley no te tiene mucho cariño —comentó.

—Si tú supieras...

—Me lo imaginaba. —El acento escocés había desaparecido y en ese momento solo apreciaba el aristócrata educado en Cambridge y en Edimburgo.

—¿Qué es lo que hay que saber, Wyn? —Kitty se acercó a la ventana para echar un vistazo al exterior.

Leam se acomodó en un sillón.

—¿Tengo que seguir esperando mucho más o me levanto y busco yo el whisky?

—Mejor espera sentado —respondió Wyn—. Me temo que no hay licor en esta casa. Y, por cierto, solo son las nueve de la mañana. ¿Te duelen las articulaciones, vejestorio?

—¿Te lo has bebido todo antes de que yo llegara, Yale?

Wyn se volvió hacia Kitty.

—¿Por qué no lo has dejado en Londres?

Ella se echó a reír.

—Se negó. Dijo que no podía dejar a una mujer casada y a una virgen en manos de un espía galés mientras viajaban por los páramos camino de Londres.

—Gracias por el voto de confianza, amigo mío.

Un brillo extraño iluminó los ojos de Leam.

—Entonces, ¿no hay whisky?

Kitty ladeó la cabeza.

—Wyn, ¿sigue siendo virgen? ¿Es ese el embrollo del que la has rescatado? ¿Ese tipo de embrollo en el que las jóvenes impetuosas acaban metidas de vez en cuando?

Leam comenzó a tamborilear con los dedos sobre el brazo del sillón mientras contemplaba a su mujer con expresión pensativa.

—No —respondió Diantha desde el vano de la puerta—. No es ese tipo de embrollo. —Entró en la sala de estar, se acercó a Kitty y la saludó con una genuflexión—. Buenos días, lady Blackwood. Milord.

—¿Cuántas veces tengo que decirte que me llames Kitty? —protestó la condesa al tiempo que le tomaba una mano—. Somos familia. Por eso precisamente el señor Yale nos ha pedido ayuda.

—Siento mucho que hayas tenido que hacer un viaje tan largo por mi culpa. —Diantha se colocó de forma que le daba la espalda a Wyn. Estaba muy pálida—. He traído poco equipaje y estaré lista para partir en cuanto lo decidáis, aunque supongo que antes querrás descansar del viaje.

—De hecho, anoche nos detuvimos en una posada que está apenas a cinco kilómetros de aquí y he dormido estupendamente. —Kitty miró a Wyn, tras lo cual miró de nuevo a Diantha—. ¿Qué tal si primero tomamos un poco de té?

—Como quieras, Kitty —respondió Diantha con voz apagada, si bien miró a Wyn de reojo con mucho disimulo antes de bajar la mirada.

La condesa tomó a Diantha del brazo.

—Pero antes, me encantaría dar un paseo, si no te importa acompañarme.

—Será un placer. Los jardines llevan descuidados un tiempo, pero el camino está despejado de matorrales.

La muchacha que se había sentado en su baúl de viaje al margen del camino había desaparecido y en su lugar se encontraba una dama educada y fantasmal.

—Caballeros —dijo Kitty—, regresaremos en breve. —Y se marcharon.

Leam se frotó el mentón.

—Has vuelto a hacerlo, ¿verdad?

Wyn había clavado la vista en la puerta.

—¿El qué he vuelto a hacer?

—Conquistar el corazón de una jovencita para lograr tu objetivo.

Wyn se volvió despacio.

—Me asombra que un hombre que se pasó años fingiendo ser un viudo apesadumbrado, cuando no lo era en absoluto, para granjearse la confianza de las mujeres me critique al respecto.

Leam frunció el ceño. La luz que se filtraba por las ventanas resaltaba el mechón de pelo blanco.

—Wyn...

—Leam, como vuelvas a llamarme por mi nombre de pila otra vez, vas a tragarte sin masticar las tortas de avena y leche de la señora Polley.

El conde sonrió pero siguió observándolo con atención. Los años de amistad y compañerismo fueron evidentes en su mirada.

—¿Has perdido la navaja de afeitar por el camino?

—¿Y tú has perdido el sentido común para hacerme esa pregunta?

—Es que veo delante de mí a un desconocido sin afeitar y sin corbata que habla de sentido común y que no tiene ni gota de alcohol en la casa. —Enarcó las cejas—. ¿Qué has hecho?

Wyn se llevó las manos a la espalda.

—Puedes felicitarme, Blackwood.

Leam lo miró, asombrado. Tardó un tiempo en hablar.

—Es interesante que ella no parezca muy contenta al respecto.

—Porque vuestra presencia la ha sorprendido. Está desilusionada porque se le han truncado los planes. —Se acercó a la puerta—. Gracias por venir. Con Kitty no tendrá escapatoria.

—Es asombroso que consiguiera escapar de ti. Más bien inaudito.

—¿A que sí? Es una mujer de recursos y yo no me encontraba en mi mejor momento. —En ese instante, lo veía con claridad. La preocupación de sus amigos estaba justificada. La bebida le había pasado factura. Era un milagro que no hubiera

258

cometido más errores semejantes al de Chloe Martin—. De no ser por eso, no os habría pedido ayuda.

—¿Por qué estás tan seguro de que con nosotros no tendrá escapatoria?

Wyn contaba con la habilidad de analizar perfectamente a los demás para anticiparse a sus reacciones. Con Diantha había cometido errores sin precedentes. Claro que el alcohol lo había abotargado y a esas alturas la conocía mejor. Se preocupaba demasiado por el bienestar de su familia como para provocarles un motivo de inquietud escapándose de nuevo.

Caminó hasta la ventana y contempló el jardín.

—Sospecho que has inventado una historia para explicarle a lord Carlyle el hecho de que su hijastra llegue a Londres con vosotros.

—Antes de partir de Londres, Kitty le envió una nota a lady Savege. Serena le dirá a Carlyle que nos ha pedido el favor de que nos desviemos hasta Brennon Manor de camino a Londres para recoger a la señorita Lucas, así les ahorramos el viaje a los criados de lord Carlyle.

—Ah.

—Kitty pensó que era mejor contarle a Serena lo de la fuga de su hermanastra, aunque no el motivo. La historia de Serena con lady Carlyle no es muy alegre.

—¿Y el barón no lo encontrará extraño? —le preguntó Wyn.

—Es poco posible que el barón repare en ese tipo de detalles —respondió Blackwood—. Es un padre negligente.

—Os seguiré hasta Londres en cuanto zanje ciertos asuntos que tengo pendientes aquí.

Wyn salió al jardín y vio que las damas paseaban entre los setos tomadas del brazo.

En cuando Diantha lo vio, apartó la mano del brazo de Kitty.

—Me gustaría hablar en privado con usted, señor Yale.

Él hizo una reverencia.

—Como desee.

—Estoy deseando probar las galletas de la señora Polley —comentó Kitty, cuya mirada volaba de uno a otro—. Os dejaré para que habléis. —Y se marchó.

—Kitty dice que les enviaste una nota hace más de quince

días. —Diantha hablaba con voz tensa. Su postura también era rígida. Se encontraban a la sombra del gran roble que se inclinaba sobre el patio.

—Envié un mensajero a Londres la mañana que salimos de Knighton.

—¿De Knighton? —Parpadeó varias veces—. Ahora lo entiendo.

—Seguramente no del todo.

—Sé que el señor Eads nos estaba siguiendo de verdad. Pero no fue fortuito que acabáramos en este lugar, ¿verdad?

—Necesitaba llevarte a algún sitio del que no pudieras escapar y donde no hubiera otros viajeros que pudieran reconocernos. Este lugar me pareció el mejor.

—No te perdiste en ningún momento.

—Hace cinco años, heredé esta propiedad tras la muerte de mi tía abuela. La Abadía me pertenece.

—¿Es tuya? —Abrió los ojos de par en par—. Cuando llegaron Kitty y lord Blackwood, me dio la impresión de que conocías demasiado bien la propiedad, pero... —Tomó una honda bocanada de aire y le dio la espalda con brusquedad—. La gente del pueblo debe de conocerte.

—Podría decirse que algunos me han visto crecer. Desde que cumplí siete años, esta casa se convertía en mi hogar durante los meses de verano.

—Pero todos parecían...

—Se les ordenó que no te revelaran la verdad.

Esos ojos azules se llenaron de lágrimas.

—Entonces, todo lo que... —Frunció el ceño—. La biblioteca. Todos esos libros inapropiados para una dama. Y... ¿Las reglas para convertirse en un caballero?

—Mi tía abuela me las dictó y yo las escribí cuando era pequeño, para tenerlas presentes cuando me convirtiera en un hombre. Como comprobarás, mi tía no tuvo tanto éxito como esperaba. Porque me atengo a dichas reglas cuando me conviene.

—¡Ya basta! Lo estás tergiversando todo.

—Diantha, ya te dije que no soy un buen hombre.

—¿Sabes lo que creo? —Lo miró echando chispas por los ojos—. Creo que te gusta fingir que las reglas son muy importantes para ti a fin de justificar tu existencia deshonesta y clandestina. Sin embargo, es un engaño. Esas reglas establecen principios decentes y honestos, pero tú no deseas reglas que rijan tu vida, de la misma forma que yo tampoco quiero reglas en mi vida, y por eso tiras por la borda todo lo que significan y después te sientes con el derecho a decir que no eres un buen hombre. —Meneó la cabeza—. Mi madre solía hacerles eso a mis hermanos, y también me lo hacía a mí. Usaba las cosas buenas y las retorcía hasta que parecían malas.

—¿Y por qué tratas de rescatarla?

Por un instante, Diantha se quedó lívida.

—Porque está metida en un lío. —Algo brilló en las profundidades de sus ojos azules.

Wyn no había visto ese brillo jamás cuando hablaba con él, solo cuando se dirigía a los demás. Un brillo deshonesto. Su mente comenzó a trabajar a marchas forzadas. Diantha le estaba ocultando algo. El hecho de que no se hubiera dado cuenta antes ponía de manifiesto lo mucho que ella lo trastornaba. La había visto inventar historias para lograr que los demás hicieran su voluntad y, sin embargo, su arrogancia y el deseo que sentía por ella le habían impedido ver que también podía hacer lo mismo con él. Desde el primer día.

Le estaba ocultando algo.

—Diantha...

—Te has reído de mí. —Se alejó de él—. Te has reído de mí desde el principio.

—No, no lo he hecho.

—¿Adónde pensabas llevarme hoy? ¿A Devon?

«A Calais», pensó.

—A Londres —dijo, en cambio. Pero pensaba llevarla a Calais. Había perdido el sentido común en lo referente a ella. Pese a su experiencia con personas desaparecidas, había estado a punto de llevarla a Calais a fin de que localizara a su madre con la dirección escrita en una vieja carta como única pista. Había estado a punto de llevarla a Calais porque lo único que deseaba en esos momentos era perderse con ella, dejar atrás la vida que había llevado y comenzar de nuevo. Sin embargo, la llegada de un carruaje procedente de Londres lo había devuelto a la realidad, le había hecho recordar la responsabilidad que cargaba sobre los hombros—. Tu hermanastra y lord Savege se encuentran en la ciudad, esperando que llegues de Brennon Manor. Tu padrastro también.

—¿Cómo lo sabes?

—Envié un mensajero a Devon.

El rostro de Diantha perdió de nuevo el color.

—¿Cuándo?

—Justo después de que encontráramos a la señora Polley.

Diantha parecía tener problemas para respirar con normalidad.

—Te reíste de mí desde el principio, sí. ¿Por qué no me lo contaste?

—Cuando te dije que mi intención era la de acompañarte a casa, huiste de mí y acabaste tirada en el camino con un perro como única protección. No podía permitir que volvieras a hacerlo. Sin embargo, comencé a sospechar que no permitirías que tu familia sufriera por tu desaparición.

—Entiendo. —Y añadió con un hilo de voz—: Deberías habérmelo dicho cuando... —Apartó la mirada—. Hace días.

Debería habérselo dicho, sí. Desconocía por qué no lo había hecho. Tal vez porque temía perderla cuando no se encontraba lo bastante bien como para ir tras ella. Pero a esas alturas nada podía hacer para cambiar las cosas. Diantha se sentía traicionada, y con razón.

—Llevo demasiado tiempo alejado de la Abadía y tengo asuntos que atender. Os seguiré hasta Londres y te visitaré tan pronto como hable con tu padrastro.

—Supongo que dadas las circunstancias no tienes alternativa —replicó ella con voz firme—. Un caballero jamás da marcha atrás, pase lo que pase. Las reglas de tu tía son más importantes para ti de lo que crees.

—Las reglas tienen poco que ver con esto. Por mi parte y por la tuya.

—¿Por la mía? —Lo miró furiosa—. Bueno, sí. Si el matrimonio se basara en la lujuria, me alegraría mucho casarme contigo, porque eso es lo que siento por ti. Pero después de haber visto los dos matrimonios de mi madre, he aprendido que dicha institución es una farsa si no hay sinceridad y respeto. —Se le quebró la voz—. ¿Cómo has podido mentirme durante tantos días? Después de que... —Se volvió con brusquedad y echó a andar hacia la casa. Acto seguido, se detuvo—. ¿Por qué me hiciste el amor anoche, después de haberme dado largas durante tanto tiempo?

Porque ansiaba abrazarla y disfrutar de la frescura de su belleza todos los días, respondió para sus adentros.

—Ya lo sabes —contestó, en cambio.

La vio contener el aire.

—¿Sabes dónde escondí la pistola y las balas? En el cajón de tu escritorio, en tu dormitorio. ¿Ves? Aunque tú no confías en ti, yo sí lo hago. —Diantha cuadró los hombros y se alejó con rapidez hacia la casa.

22

Mi queridísima lady Justice:

Tal es la admiración que siento por usted que no puedo ocultar las noticias: he perdido a otro miembro del Club Falcon. Dado que usted se ha convertido en una experta en rastrear a mis compañeros de club, me pregunto si podría convencerla de que buscara a esta y la trajera de vuelta al rebaño. Es difícil no verla: camina encorvada, lleva bastón y es miope. No tengo la menor idea de dónde se ha metido. Tal vez sus habilidades detectivescas nos ayuden a resolver la situación.

Con toda mi gratitud y mi creciente afecto,

PEREGRINO
Secretario del Club Falcon

A Peregrino, a secas:

Es usted un mequetrefe. No tenía la menor idea de que uno de sus miembros fuera una dama. No soy una cabeza de chorlito, don Pajarraco. Ha decidido describir a una mujer de aspecto desagradable para que mi misión parezca ridícula. Pero su intento de golpe maestro lo delata: no habría mencionado a una dama si no hubiera una en su club. A ningún caballero se le habría pasado siquiera por la cabeza.

Punto para lady Justice.

Es usted un arrogante y se aburre mucho, de ahí que quiera burlarse de mí para entretenerse. La riqueza indolente corrompe tan rápido como el poder absoluto. Usted, señor Peregrino, está corrompido.

LADY JUSTICE

Mi queridísima dama:
Corromperme con usted sería como vivir el cielo en la Tierra. Ponga la fecha, la hora y el lugar. Yo llevaré una rosa roja y mi ardor.
A sus pies,

PEREGRINO

Querido Peregrino:
No me he perdido. Estoy en Londres. No me has visto todavía porque sigo enfadada contigo por abusar de Cuervo con esa misión tan insultante. Iré a verte, por desgracia para mí, ya que ahora mismo no siento mucha simpatía por tu persona.
Con cariño,

GORRIÓN

P. D.: ¿Qué diantres te ha pasado? Te has vuelto un idiota en tu correspondencia pública con lady Justice. Creo que estás coladito por ella. Me da en la nariz que esa circunstancia acabará siendo un problema si la dama resulta ser un anciano de setenta años.

23

Las doncellas y los criados ataviados con la librea negra y dorada de la residencia londinense de los condes de Savege atendieron a las tres damas que tomaban el té, pensando que se trataba de una reunión de amigas íntimas muy queridas.

Sin embargo, era un cónclave de mentirosas redomadas.

—Mi padre no tiene por qué saber la verdad —dijo lady Savege en voz baja—. Le diremos que Diantha y Wyn retomaron su amistad aquí en la ciudad nada más llegar y que él le declaró su amor de inmediato.

—Eso será lo mejor —replicó la condesa de Blackwood también en voz baja.

Diantha se volvió, dándole la espalda a la ventana a través de la cual contemplaba la calle. Kitty estaba sentada frente a Serena, con la bandeja del té entre ambas. Sus cabezas, una rubia y otra castaña, estaban muy juntas.

—¿Vas a mentirle a papá sobre mi paradero? —Miró a ambas aristócratas asombrada, aunque el asombro se convirtió pronto en resignación. Al fin y al cabo, ya había aprendido que un elegante caballero londinense era capaz de mentir sin pestañear siquiera. ¿Por qué no iban a hacerlo también las damas elegantes?—. Pero mi intención siempre ha sido la de contárselo todo después. Solo oculté la verdad antes de hacerlo para poder llevarlo a cabo.

—Sí, querida. —Serena ladeó la cabeza—. Pero ahora que ya ha acabado, debemos idear un plan alternativo.

En el fondo, no había acabado. Ella no había llevado a cabo su plan. Estaba tan cerca de hablar con su madre como cuando lo estaba al partir de Devon. Sin embargo, Kitty no le había contado a Serena toda la verdad sobre su errante viaje. Le había dicho, en cambio, que había huido de Brennon Manor por la simple aventura. Tal vez esa fuera una mentira prudente. Serena y la madre de Diantha no se habían llevado bien cuando vivían en Glenhaven Hall.

—Creía que yo era la única que le mentía a papá para llevar a cabo mis imprudentes planes —dijo a la postre.

Kitty cogió la tetera.

—Nadie más necesita estar al tanto de tu viaje. Solo nosotras tres, Alex y Leam. Wyn me ha asegurado que la señora Polley también guardará silencio. —Miró a Diantha con interés. Aunque no habían hablado de Wyn durante el viaje hasta Londres, Kitty debía de sentir curiosidad sobre los detalles del tiempo que habían pasado en la Abadía.

Diantha regresó junto a la ventana a intentó concentrarse en los árboles y no en la calzada por la que esperaba ver aparecer a un purasangre negro con un jinete ataviado con un gabán también negro. La ventana de la sala estaba orientada hacia un jardín de planta cuadrada situado en mitad de una plaza, en el centro de Londres. Habían llegado la noche anterior y, de momento, apenas había visto la ciudad, aunque tampoco le apetecía mucho salir. Se sentía abatida, no como una joven emocionada por embarcarse en su presentación en sociedad. Mucho menos como una mujer a punto de comprometerse.

Escuchó el frufrú de las faldas de Serena cuando se acercó a ella y después sintió la mano de su hermana en un brazo.

—Diantha, es una de las personas que más aprecio en este mundo. Kitty y Viola opinan lo mismo. —Su hermana hablaba con una serenidad que Diantha siempre había admirado—. No alcanzo a entender por qué te escapaste de casa de Teresa cuando sois tan amigas, ni tampoco por qué te muestras tan reticente con el cortejo del señor Yale. De todas formas, ya no hay marcha atrás.

—Sigo queriendo mucho a Teresa. —Su amiga se asombraría mucho cuando descubriera hasta dónde la había llevado su plan—. Y soy consciente del honor que supone la propuesta del señor Yale. Sé que soy muy afortunada. Pero no me gusta que me haya pedido matrimonio solo porque se siente obligado.

—No pensaba admitir hasta qué punto debía de sentirse obligado.

—Muchos caballeros les proponen matrimonio a las damas por motivos bastante menos honorables. —Kitty siguió disfrutando del té—. Y Wyn no es el tipo de hombre que se toma a la ligera este tipo de alianzas.

Serena frunció el ceño.

—¿Temes que alguien crea que lo has manipulado para obligarle a pedirte matrimonio? Nadie sabe cómo hemos llegado hasta aquí. Ni siquiera Tracy. —Serena no poseía una belleza clásica. Era demasiado alta, tenía los hombros demasiado anchos y su pelo rubio no era tan dorado como el de Charity ni como el de Tracy. Su madre siempre había dicho que Serena jamás se casaría con un buen partido, o más bien decía que jamás se casaría, pero lo había hecho. Había encontrado un partido excepcional que había acabado con su soltería y la había convertido en condesa. Serena estaba muy contenta. Alex era muy solícito con ella, y cuando la miraba sus ojos brillaban con orgullo y con algo más que Diantha jamás había visto en los ojos de los dos maridos de su madre. Afecto real y deseo.

De repente, se le ocurrió que hasta ese momento no había sabido identificar qué significaba dicha mirada en los ojos de un hombre. A esas alturas, ya sabía lo que era. Wyn le había asegurado que le caía bien. Le había dicho que la deseaba. Sin embargo, le había mentido en lo más importante.

—Gracias. —¿Qué otra cosa podía decir? ¿Que no le importaba lo que pensara la alta sociedad si supiera que había manipulado a Wyn para que se casara con ella? ¿Que aunque al principio todo le pareció una aventura muy natural, en realidad sí que lo había manipulado y él le había mentido y al final tenían que casarse? Inspiró hondo para armarse de valor.

Serena le dio un apretón en la mano.

—Y ahora debemos ir a la modista a fin de que cuando el señor Yale llegue, estés preparada para mezclarte con la alta sociedad con la misma elegancia que él.

—No creo que eso sea posible. —Y si lo fuera, él no la reconocería. Estaba confundida y dolida, y ni la ropa elegante ni las invitaciones a los eventos sociales que se amontonaban en la consola de la entrada lograrían aliviarla.

Al día siguiente, Tracy llegó del campo y apareció en la casa mientras Serena dormía una siesta con el bebé. Diantha se puso un vestido de paseo con un delicado volante y una elegante pelliza de terciopelo, y su hermano la llevó de compras en su faetón. Londres le pareció estar conformado por un sinfín de calles y de edificios, de caballos, carretas, carruajes, vendedores y pilluelos que corrían de un lado para otro. Tal vez habría disfrutado más de la experiencia si no se hubiera pasado todo el rato preguntándose si cierto galés habría caminado por esa acera alguna vez y si habría mirado los escaparates de las tiendas que ella visitaba.

—Estás muy guapa, Di —le dijo Tracy con una sonrisa mientras caminaba tomada de su brazo—. Mucho más guapa que antes con todos los granos. No tanto como Chare, por supuesto...

—Charity es preciosa. —Miró el escaparate de una tienda en el que se exponía una gran variedad de puros que parecían burlarse de ella—. Yo solo cuento con mis ojos. Eso es lo que me decía mamá.

—Bueno, hace mucho que no te ve y nunca le gustó tu carácter. —Le guiñó un ojo, pero sus ojos azules, tan claros y brillantes como los de Charity, dejaron entrever la incomodidad que siempre estaba presente cuando hablaban de su madre.

—Quiero hablar con ella, Tracy. —Allí estaba. El dolor que le provocaba la deshonestidad.

Mientras viajaba con Wyn le había parecido fácil ocultarle la verdad que descubrió en el molino. En ese momento y a tenor de todo lo que él le había confiado sobre sus padres y sus hermanos, se preguntó si él habría simpatizado con ella de haberle confesado por qué necesitaba hablar con su madre.

Tracy se puso muy serio.

—Te va a resultar difícil. Más bien será imposible, teniendo en cuenta que no sabemos dónde está. —Le dio unas palmaditas en una mano y, después, saludó con una inclinación de cabeza a unos caballeros que caminaban en dirección contraria a la suya.

Uno de ellos se llevó la mano al ala de su sombrero de copa y le guiñó un ojo a Diantha.

—Tracy, ¿está bien visto que los caballeros de la ciudad les sonrían a las damas con las que se cruzan por la calle?

—No a todas. Acabo de decirte que estás muy guapa. Te acostumbrarás con el tiempo. Todas las jóvenes lo hacen —le aseguró con una sonrisa.

Diantha había visto a muchas de esas jóvenes durante el paseo. También había visto muchas damas guapas, muchas damas elegantes, a jovencitas vestidas de forma impecable cuyas expresiones delataban su inocencia. Sin embargo, todas estaban en la ciudad con un propósito en mente: encontrar marido. Un marido como Wyn. Ese era el tipo de mujer con quien debía casarse. No con una polvorilla como ella.

—No le gustaba mi carácter, es cierto —murmuró—. Siempre decía que no tenía remedio. Que era una desobediente.

Tracy la miró, tras lo cual devolvió la vista al frente y carraspeó.

—Bueno, Di. No hay motivo para hablar otra vez de...

—Charity era obediente.

—A ver, que conste que quiero a Chare tanto como te quiero a ti, pero ella también tiene sus propios problemas, te lo aseguro.

—Supongo que el abandono de mamá justo antes de que se casara debió de resultarle muy doloroso.

—Hablando de bodas. —El buen humor de su hermano reapareció—. Aunque no me gustaría que se te acercara ninguno de estos caraduras, algunos de mis amigos son tipos decentes. Sería estupendo que te casaras con alguien con quien yo me llevara bien. —Por un momento pareció pensativo—. Lo que quiero decir es que con indiferencia de lo que nuestra madre dijera, siempre me has caído bien. Siempre. Incluso cuando eras un trasto que se pasaba el día corriendo entre los pies de papá y lo mantenía apartado de ese sillón que tanto le gustaba, porque no paraba de perseguirte cuando deberías haberte pasado el día en la habitación infantil.

—¿Eso hacía?

—Recuerdo una vez que le escondiste la botella de brandy. —Rio entre dientes—. Tendrías cinco o seis años. Cuando descubrió que había desaparecido, se subió por las paredes. Pensaba que había sido otra vez un criado que tenía la mano un poco larga. Pero cuando descubrió que fuiste tú, se echó a reír y te llevó al lago para dar un paseo en barca.

Siempre había sido una polvorilla.

—No lo recuerdo.

—Siempre estabas haciendo trastadas. Incluso con Carlyle. Desde el primer día que madre te llevó a Glenhaven Hall con Charity. Nunca te ha dado reparo decirle a un hombre lo que quieres. —La miró con el ceño fruncido—. Di, estoy decidido a concertar un buen matrimonio para ti. Ese es el motivo por el que tanto Carlyle como yo te hemos traído a Londres, por supuesto. Y por eso Serena va a acompañarte para que conozcas a las damas de alcurnia. Dichas damas saben quiénes son los hombres más decentes, el tipo de hombre que jamás heriría los sentimientos de una jovencita.

Diantha pensó que debería hablarle de la propuesta de matrimonio de Wyn, pero descubrió que era incapaz de articular palabra.

—Es que ya has sufrido bastante con eso de que mamá se marchara como se marchó. —La voz de Tracy era muy seria—. Mereces ser feliz. Hemos acordado una magnífica dote que atraerá a los cazafortunas habituales, pero que me parta un rayo si no te entrego a un hombre que sea adecuado para ti.

En la granja de los Bates, Wyn le había asegurado que no era el hombre adecuado para ella. Pero tal vez lo que había intentado decirle, con mucho tacto y sutileza, era que ella no era la mujer adecuada para él.

Una hora más tarde, Tracy se encontraba en el salón, con el rostro lívido mientras miraba a Diantha.

—No lo permitiré —dijo con una firmeza poco habitual en él.

—Vamos, Lucas —replicó el conde de Savege, que estaba junto al aparador—. Yale es un pretendiente adecuado para tu hermana y ellos ya lo han acordado. —Se sirvió una copa de una licorera y se acercó a Tracy. Era unos centímetros más alto. Un hombre atractivo y fuerte, con porte seguro y autoritario que la habitual simpatía de Tracy era incapaz de igualar. El conde le ofreció la copa—. No hay por qué romper el acuerdo al que ellos han llegado.

Serena frunció el ceño.

—Tracy, ¿tienes algún motivo de peso para no darles tu aprobación?

Tracy soltó la copa en la mesa.

—No necesito motivo alguno —respondió con firmeza y con el ceño fruncido—. Lo que quiero es lo mejor para mi hermana, y Yale no lo es. Me temo que es mi última palabra. Voy a decirte una cosa, Savege, en muchos asuntos referentes a mi familia has intervenido y casi siempre para bien. Pero esta vez la decisión es mía y no voy a consentir que te metas en mis asuntos. —Se volvió hacia Diantha—. Lo siento, Di. No podrás casarte sin mi consentimiento hasta cumplir los veinticinco, pero no pienso dártelo si eliges a Yale. —Hizo una tensa reverencia y se marchó.

Diantha clavó la vista en la puerta con un nudo en las entrañas.

—Hace años que no lo veía tan molesto —dijo Serena—. ¿Qué narices le pasa con Wyn?

—Nada que se me ocurra —contestó Alex—. ¿Diantha?

Ella negó con la cabeza.

—Debemos decirle la verdad a Tracy —dijo Serena tras suspirar.

—No. —Diantha se retorció las manos, que tenía en el regazo. Tracy acababa de darle a Wyn una salida para eludir la responsabilidad que lo ataba a ella.

—Lo de tu hermano es una simple bravata —le aseguró Alex—, pero si lo deseas, lograré hacerlo entrar en razón.

—No lo deseo. Prefiero dejar las cosas así.

Serena se puso en pie.

—Entonces, ¿olvidamos todo este asunto y ya está? No me gusta. Diantha, estás cometiendo un error.

—¿Por qué tarda tanto Wyn en venir a la ciudad? —le preguntó Alex a Diantha, que decidió responder con la verdad.

—A lo mejor desea retrasar lo inevitable.

Serena meneó la cabeza.

—Wyn no es así. ¿Es que no escuchaste lo que te dijimos Kitty y yo el otro día?

—Pues sí. Pero supongo que después de haber pasado quince días viajando con él, conozco mejor sus deseos al respecto que vosotras. —Se puso en pie y descubrió que le temblaban las piernas—. Hizo todo lo posible para convencerme de que regresara a Brennon Manor. La verdad, solo le faltó atarme y llevarme de vuelta a casa por la fuerza. Me ayudó porque se sintió obligado y me pidió matrimonio porque era lo más honorable, pero no quiere este matrimonio y yo no quiero forzarlo. La decisión de Tracy puede parecer incoherente, pero obligarlo a que cambie de opinión tal vez sea un error. —Inspiró hondo—. Espero que ambos lo entendáis. Estoy segura de que el señor Yale se alegrará cuando lo sepa. —Salió del salón y se marchó a su dormitorio. Una vez allí, se acercó a la ventana y, con la vista clavada en la calle, se preguntó por qué Wyn tardaba tanto en llegar a Londres.

Wyn no llegó al día siguiente, ni a lo largo de los siguientes quince días. Serena acompañó a Diantha a multitud de salones donde conoció a otras jóvenes y a muchos caballeros cuyos halagos dejaron bien claro que ninguno de ellos ponía en práctica la regla número seis.

Kitty y su buena amiga, lady Emily Vale, le mostraron aquellas partes de Londres no dedicadas a las reuniones sociales.

—No entiendo a los caballeros —confesó Diantha mientras contemplaba el retrato de un canoso soplador de cristal veneciano, que colgaba en la pared de un museo.

—Los hombres son irracionales —afirmó lady Emily, que se encontraba a su lado, como si fuera una verdad universal.

—*C'est vrai!* —exclamó madame Roche, la dama de compañía de lady Emily. Después, se colocó mejor el chal de encaje que llevaba en torno a los hombros e hizo un mohín con sus labios rojos. Llevaba la cara empolvada—. Los caballeros no siempre dicen la verdad. A veces es *tragique.* —Se alejó hacia un cuadro en el que se apreciaba un paisaje invernal en el que Kitty parecía interesada.

Diantha observó a lady Emily. Su perfil clásico, su piel clara, sus tirabuzones de color rubio platino sujetos por sencillas horquillas en un recogido sin pretensiones. Se proclamaba una intelectual y una solterona, aunque no tenía más de veintitrés años. Se vestía con sencillez, pese a la fastuosidad de sus padres, y exigía que la llamaran Cleopatra. Además, su dama de compañía era la mujer más elegante que Diantha había visto en la vida.

—Cleopatra, ¿usted también piensa que los hombres son irracionales?

—Pues sí. Casi todos son niños que habitan el cuerpo de un adulto, proclives a enzarzarse en juegos tontos, a la indulgencia excesiva y a la crueldad ocasional hacia sus amigos o hacia los desconocidos por igual.

—Niños pequeños... —Diantha tomó una honda bocanada de aire—. ¿Recuerda la boda de lady Katherine y de lord Blackwood en Savege Park?

Emily apartó sus ojos verdes del cuadro.

—Sí. —Tenía la costumbre de mirar a las personas con una expresión que parecía pensativa, siempre con el ceño fruncido por encima de sus anteojos de montura dorada.

—La noche de la boda, mi hermana celebró un baile. Yo no había cumplido los dieciséis, pero me puse mi vestido más bonito y asistí a la fiesta. Fue espléndida. La música, las damas y los caballeros de la ciudad todos tan elegantes. Nadie reparó en mí, por supuesto, y al final acabé saliendo a la terraza.

—Ojalá la hubiera acompañado. El baile no me apasiona, pero Kitty es una gran amiga mía, así que supongo que aquella noche estuve bailando.

—Aquella noche yo ansiaba bailar con todas mis fuerzas.

—Qué curioso.

Diantha esbozó una sonrisa fugaz.

—La terraza estaba vacía, así que empecé a bailar yo sola. Después, salió un grupo de jóvenes caballeros. Los conocía a casi todos desde hacía años. Eran muchachos que vivían cerca de casa, así que les pregunté si querían bailar. Sé que una dama no debe hacer algo tan atrevido, pero estaba tan emocionada por la música y por la boda que me salté... las reglas.

—¿Alguno de ellos le dio el gusto?

—Me dijeron que jamás bailarían conmigo, aunque fuera la única mujer en varios kilómetros a la redonda. Me dijeron que con mi vestido blanco, mis granos y mis curvas parecía una oveja, e hicieron algunos gestos groseros. La verdad es que no debería haberle dado importancia. —Sin embargo, poco antes de que su madre se fuera de casa, esta le había dicho que estaba tan oronda como una oveja—. Pero me puse a llorar delante de ellos, mientras se reían de mí.

—Qué desagradables. Me sorprende que lady Savege los invitara.

Diantha se encogió de hombros.

—Hasta entonces siempre se habían comportado con educación. Pero esa noche estaban borrachos.

—Señorita Lucas, un hombre que pierde la compostura cuando está ebrio no es un hombre digno cuando está sobrio. Sin embargo, es cierto que cuando ingieren licores fuertes se convierten en unos idiotas y en unos sinvergüenzas.

—¿Todos ellos?

Lady Emily enarcó sus finas cejas.

—¿Conoce alguna excepción?

—Aquella noche, después de que esos muchachos me dijeran cosas tan horribles... —comenzó Diantha, que se enrolló la cuerda del ridículo en los dedos—, el señor Yale me rescató. Creo que lo conoce.

—Un poco.

—Él también había bebido. Pero me ayudó. —Lo había escuchado todo desde la sombra de un árbol que se alzaba junto a la terraza, desde donde había pasado desapercibido para los demás hasta que se acercó—. Les dijo que se fueran y ellos lo obedecieron. Después, hizo gala de una gran caballerosidad. —La invitó a bailar y se convirtió, irremediablemente, en su héroe.

Lady Emily pareció reflexionar al respecto.

—Tal vez un hombre deba poseer un corazón cruel para demostrar crueldad cuando ha bebido.

—¿Lo ha visto? —No debería importarle. Tras la rotunda negativa de Tracy, ya daba igual. Sin embargo, el miedo comenzaba a afectarla porque el fantasma del señor Eads siempre estaba rondando sus pensamientos—. Últimamente, quiero decir. Aquí en la ciudad.

—No. ¿Y usted?

—Lo vi hace varias semanas. Me ayudó a solucionar un problema que se me presentó. Perdí a mi doncella mientras viajaba y él me ayudó. Se encargó de contratar a una dama de compañía y después me llevó... —A un lugar mágico del que deseaba no haberse marchado—. Me llevó con mi familia.

Lady Emily volvió a mirar el cuadro.

—Señorita Lucas, no me cabe la menor duda. Verá, hace unos años también me ayudó a superar una situación difícil. Tenía problemas para convencer a mis padres de que no deseaba casarme con el hombre que ellos habían elegido. El señor Yale fingió cortejarme para que así mis padres olvidaran a su candidato.

—¿Lo hizo? ¿Y usted...? ¿Usted...?

—¿Qué?

Diantha no podía preguntarle lo que deseaba preguntarle. Al fin y al cabo, Emily era una aristócrata cuatro años mayor que ella y una intelectual. No había modo de saber si aún era virgen. En su caso, habían bastado unos cuantos días con Wyn para entregarle alegremente su virginidad.

—Lo que quiero decir es que debió de sentirse muy satisfecha con el cortejo de un hombre como el señor Yale, aunque fuera fingido.

Los ojos verdes de lady Emily la miraron con un brillo curioso.

—Mis padres no insistieron en su empeño de casarme con su amigo.

—¿Y no querían que se casara con el señor Yale?

—Sí. Pero él los hechizó hasta tal punto que después, cuando el cortejo llegó a su fin, ni siquiera lo culparon.

—¡Oh! La culparon a usted.

Lady Emily sonrió, pero su mirada siguió clavada en Diantha como si estuviera analizándola. El sol que entraba por la ventana se reflejaba en su pelo. Lady Emily era una mujer rica, pero no era tan sofisticada ni tan rica como su amiga Kitty. Casi siempre tenía un libro en la mano e incluso en ese momento llevaba el catálogo de la exposición de la galería de arte. Además, Diantha jamás la había escuchado chismorrear hasta ese momento.

—Y el señor Yale... —intentó preguntar de nuevo—. Quiero decir, supongo que la admiraba muchísimo.

—Fue de lo más agradable conmigo. Pero no, no creo que me admirara de la forma a la que usted se refiere. Creo que se sentía responsable de mí, aunque nunca entendí por qué, lo que de nuevo nos lleva al inicio de la conversación sobre la irracionalidad del sexo masculino y de esta forma cerramos el círculo. —Abrió el catálogo—. Señorita Lucas, se me ha agotado la paciencia para seguir hablando de hombres. Espero que no le importe si comenzamos a hablar de otro tema más edificante.

Diantha ya sabía que, en realidad, Wyn la había considerado una responsabilidad. Sin embargo, acababa de encontrar la prueba. Se dedicaba a rescatar jovencitas. Tal como había tratado de explicarle, eso había hecho, ni más ni menos.

Wyn viajó hasta Yarmouth, avanzando hacia el noreste tan rápido como podía la potrilla. Era una locura. Porque se encontraba realmente mal. Las medicinas de Molly Cerwydn lo aliviaban en parte, pero sin la cura del cuerpo de Diantha, el ansia lo embargaba de nuevo. Si Duncan aparecía en algún punto del camino, era hombre muerto.

Sin embargo, sabía que Duncan no aparecería. Pese a las palabras de Diantha sobre la honorabilidad del escocés, si Duncan hubiera querido acercarse a él, lo habría hecho en la Abadía, aprovechando su debilidad. Los hombres de acción no se guiaban por la conveniencia de las jovencitas.

Cabalgó hasta llegar a la costa y ver el castillo que se alzaba en el acantilado, sobre el mar, construido con arenisca, con sus almenas y su imponente majestuosidad medieval. El guarda de la entrada lo invitó a pasar al patio central y desde allí le indicó cómo llegar al salón para que esperara a Su Excelencia.

Wyn rehusó. Dejó la potrilla en manos de un mozo de cuadra y sin mirar atrás, salió del castillo y cabalgó hasta el anochecer para poner toda la distancia posible entre el duque y él. No podía cumplir la promesa que le había hecho a una mujer viva si se aferraba a la promesa que le hizo a la joven que mató. Debía olvidar los remordimientos por aquel error. Diantha se lo había dejado claro con su ahínco y su compasión. Había puesto su vida patas arriba, pero dado que no iban a ahorcarlo por matar a un miembro de la aristocracia, podía hacer lo que quisiera con esa vida, comenzando con su propiedad. La Abadía era muy próspera y rentable. Hasta ese momento, no había vivido de sus rentas porque se sentía culpable. Sin embargo, merecía que la atendiera como era debido y debía prepararla para su nueva dueña.

Durante su ausencia, la señora Polley había ido al pueblo y se había granjeado la antipatía de la gente del lugar. Un sentimiento mutuo. Sin embargo, las comidas que preparaba compensaban el distanciamiento con las personas a las que había conocido desde la infancia en opinión de Wyn. Además, manejaba a los criados que ya habían vuelto con gran eficiencia, si bien refunfuñaba demasiado.

—Señora Polley, le agradezco que se haya quedado en la Abadía.

—Un caballero distinguido no debería estar en la cocina, señor.

—Hace quince días no le parecía tan distinguido.

Ella frunció el ceño y lo expulsó de sus dominios. Mientras Wyn preparaba el equipaje para partir hacia Londres, llegaron dos cartas.

Londres

Estimado señor Yale:
He recibido su carta y la he leído con gran interés, junto con las otras dos que también me han llegado a lo largo de estas dos semanas solicitando la mano de mi hijastra. Por desgracia, no puedo prometerle nada. En tres ocasiones previas, he intentado orquestar el futuro matrimonial de mis hijas, y mis esfuerzos siempre han sido infructuosos. Las tres están casadas con hombres que yo no elegí. Por suerte, los aprecio a todos. De modo que dejaré que sea Diantha la que decida con quién compartir su felicidad conyugal. A la postre, siempre prevalecerá la Opinión Femenina.

Le deseo toda la suerte del mundo. Tenga en cuenta que sir Tracy Lucas es su tutor legal y que es a él a quien debe solicitar la mano de la señorita Lucas, no a mí.

Atentamente,

CHARLES CARLYLE,
Barón

La otra carta, escrita en un papel sencillo, procedía de un remitente inesperado: lady Emily Vale. Veinte minutos después, Wyn había ensillado a *Galahad* y ponía rumbo a Londres.

24

—Ah. Belleza e ingenio en una pequeña estancia. Me alegro de estar de vuelta en Londres.

Lady Constance Read, que se encontraba de pie junto a un archivador, se dio la vuelta con sus brillantes ojos azules abiertos de par en par.

—¡Wyn! ¡Has vuelto! —Le tendió la mano y él se inclinó sobre ella. La sonrisa que había convertido a hombres inteligentes en idiotas redomados apareció en su cara.

—De saber que serías la primera dama que iba a ver al volver a la ciudad, habría vuelto antes. —La primera visita lo había decepcionado. El mayordomo de los Savege le había informado de que Diantha no regresaría en varias horas. De modo que había acudido al Despacho Secreto para averiguar todo lo que pudiese.

Constance le dio un apretón en la mano y se echó a reír.

—Eres un sinvergüenza, pero lo ocultas con tu piquito de oro, como siempre. —Lo miró de arriba abajo—. Tienes muy buen aspecto. ¿Dónde has estado?

Le hizo una reverencia antes de contestar.

—Me honra usted, señora.

—¿Y...? —Ella se volvió de nuevo hacia el archivador. Dado que era la hija de un duque, Constance era recibida en todas las casas. Utilizaba su popularidad para su trabajo en el Club Falcon—. ¿Dónde...?

—He ido a ver a un hombre para llevarle un caballo. Pero supongo que ya lo sabes.

—Todavía estoy celosa porque Colin te asignara esa misión. ¿*Lady Priscilla* es tan bonita como dicen?

—Todavía más. Nuestro augusto secretario te habría enviado, seguro, de haber creído que te gustaba jugar a las cartas, beber brandy y revolcarte con jovencitas ligeras de ropa.

—Entiendo. Pero la recuperaste sin problemas y sin demasiadas distracciones, al parecer. —Le lanzó una mirada que dejaba entrever cierto interés.

No consiguió engañarlo. Lady Constance, una mujer rubia, voluptuosa y con una fortuna, era la fantasía de cualquier hombre. Pero hacía años que Wyn había averiguado el motivo que la había llevado a unirse al Club Falcon y por el que seguía en él después de que su primo Leam lo dejara, y no deseaba ahondar en la cuestión.

—¿Tan celosa te pusiste, Con? —Se acercó al escritorio que había en la sencilla habitación pintada de blanco. El Despacho Secreto contaba con muy pocos muebles y parecía muy normal. Sin embargo, dentro de los archivadores que se alineaban junto a las paredes se guardaban todas las cartas de todos los informadores del Imperio británico que habían llegado con éxito a Londres. La mayoría de dicha correspondencia nunca se había leído—. ¿Te habría gustado realizar la misión en persona o estás ocupada con asuntos más interesantes?

—Bah, no es nada. —Rebuscó en el archivador que tenía delante de ella—. Solo que has estado fuera mucho tiempo. No deberías haber tardado un mes en recuperar a la yegua y en devolvérsela al duque. —Ojeó los papeles que tenía delante, pero no les estaba prestando atención—. De verdad, Wyn...

—Querida Constance, ¿por qué no dejas esos papeles y me preguntas lo que quieres preguntarme? Así podremos olvidarnos del tema y hablar de asuntos más agradables.

Ella frunció sus carnosos labios y lo observó con detenimiento.

—No fuiste a Yarmouth directamente desde esa fiesta campestre.

—Déjame decirte que te pones muy guapa cuando estás enfadada. Creo que voy a tener que enfadarte más a menudo.

—¿Cómo crees que me he enterado de ese rodeo tan inusitado que has dado?

Wyn se apoyó en el escritorio antes de contestar:

—Soy tan ignorante como cualquiera. A menos, claro, que dicho cualquiera sea Colin Gray. —Cruzó los brazos—. ¿Qué habéis estado tramando?

Ella lo miró a los ojos un buen rato. A continuación, se sentó en la única silla del despacho y se llevó una mano a la frente con gesto contrariado.

—No puedo decírtelo. Si lo hiciera, después tendría que matarte, y eso me arruinaría el vestido. Es lo que tienen las manchas de sangre.

Wyn chasqueó la lengua al escucharla.

—Es un vestido demasiado bonito como para sufrir de ese modo, cierto.

Constance bajó la mano y lo miró con expresión seria.

—Wyn, estaba preocupada por ti. Sigo preocupada. Llevabas mucho tiempo sin ponerte en contacto con nosotros, aunque estabas en la ciudad. Ni siquiera con Leam. ¿Te vas a quedar en Londres una temporada?

Sus amigos creían que estaba empecinado en destruirse, y tal vez fuera verdad la última vez que lo vieron. Pero ya no.

—Que sepas que Colin está a punto de echarme del club.

—No lo creo. Al ver que no volvías de inmediato, se negó a enviar a alguien a buscarte. Me dijo que ya aparecerías cuando te apeteciera y que debería confiar en ti. Él confía ciegamente en ti.

—No envió a nadie a buscarme porque quiere saber si lady Justice conoce mi identidad o no.

—¿Ya te has enterado de eso?

—Llevo en la ciudad al menos tres horas, querida.

Ella se encogió de hombros.

—Piensa lo que quieras de los motivos de Colin. Pero seguramente te imaginas que está que trina desde que Leam volvió a la ciudad hace dos semanas. Creo que es por tu culpa, pero no me ha contado nada.

—El poeta es pura angustia dramática cuando quiere imponer sus nociones de rectitud moral a los demás.

La carcajada melodiosa de Constance inundó la estancia. Pero, de repente, su buen humor desapareció.

—¿Por qué has desaparecido tanto tiempo, Wyn? ¿Leam se ha enfadado contigo por algún motivo en particular?

—Si quieres saber lo que opina tu primo sobre este asunto, te recomiendo que se lo preguntes a él, querida. Ahora, aunque estoy encantado de volver a disfrutar de tu compañía, tengo que llevar a cabo una tarea esta tarde y solo dispongo de unas cuantas horas para ello.

Constance se puso en pie y se acercó a él, envolviéndolo con su olor a rosas blancas. Le rozó el brazo con los pechos.

—Me alegro de volver a verte —dijo en voz baja.

—Constance, tu dulce seducción no va a conseguir que me vaya de la lengua —repuso sin mirarla—. Este juego se me da mejor que a ti. —A menos que tuviera enfrente a una muchacha con hoyuelos. Sus amigos no lo reconocerían porque, de hecho, se había vuelto irreconocible; aunque su mente lo guiaba como de costumbre, ya no se dejaba regir por ella. Y... le gustaba que fuera así.

—No tienes corazón. —Constance le apoyó la mejilla en el hombro—. Te adoro.

—Soy todo tuyo.

—Nunca lo has sido —replicó ella con voz dulce—. Y creo que ya nunca lo serás.

Wyn se volvió para mirarla.

—¿Qué se supone que me quieres decir con eso? —preguntó con voz ronca mientras que ese corazón del que se suponía que carecía latía a un ritmo frenético.

—Solo que Colin te ha dejado una carta para que la leas. Pero mejor que te lo explique él. —Se dirigió a la puerta—. Si vuelves a irte de Londres sin decírmelo, te juro que enviaré a alguien a buscarte. O tal vez vaya yo en persona. Colin me ha confinado a trabajos en la ciudad, pero si vuelves a enfurecerme de esta forma, me convertiré en una cazadora vagabunda como tú, y como lo fueron mi primo y Jin. Te lo juro.

—Tu juramento es mi voluntad. Ahora, váyase, querida dama.

La puerta se cerró con un chasquido metálico. Echó el pestillo y se acercó a la carpeta que se encontraba encima del archivador. En la parte exterior, un secretario había escrito «Davina Lucas Carlyle, baronesa». La abrió y procedió a leer el informe.

—¿Te lo inventaste todo? —Diantha estaba sentada detrás de una maceta en un rincón de un enorme salón de baile a rebosar de invitados, que iban y venían desde la escalinata de entrada hasta más allá de las puertas de la terraza. Las alegres notas que tocaba la orquesta flotaban en el aire, y los murmullos, las risas y las conversaciones se mezclaban con los efluvios de los perfumes, las colonias, el champán y la cera que se iba consumiendo.

Teresa estaba sentada a su lado, en otra silla de brocado dorado, con sus lustrosos rizos cortos recogidos por una redecilla blanca de perlas del mismo color que su níveo vestido. Su amiga asintió con la cabeza y gesto serio.

Diantha no daba crédito.

—Supuse que lo habías adornado un poco. —Y había descubierto hasta qué punto se había quedado corta en sus suposiciones—. Pero... ¿todo?

Teresa tenía los ojos abiertos de par en par y parecían dos preciosos nenúfares.

—Todo no —precisó—. Annie me contó historias de sus escapadas románticas con los criados y los mozos de cuadra. —Retorcía los dedos sobre el regazo—. Yo solo te conté dichas escapadas como si fueran mías.

Diantha tenía el estómago revuelto. Pero no por el arrepentimiento ni mucho menos.

—Pero ¿por qué lo hiciste?

—¿Por qué no me escribiste para decirme dónde estabas? —replicó Teresa—. Después de que Annie volviera a Brennon Manor, el sentimiento de culpa me estaba matando por haberte ayudado a marcharte. Habría enviado a mis hermanos a buscarte, pero se fueron de caza con mi padre. Y no podía decírselo a mi madre, por supuesto, la habría mandado a la tumba. Pero, sobre todo, sabía que nunca volverías a hablarme si te delataba. ¡Me obligaste a prometer que no lo haría!

Diantha miró a su amiga fijamente.

—Si me hubieras traicionado, no te habría perdonado así como así, cierto. —Extendió el brazo y le cogió la mano a Teresa—. Siento mucho no haberte escrito. He estado... ocupada.

—Ocupada echándose en los brazos de un hombre que le había estado mintiendo desde el principio, tal como hizo su madre durante años, y tal como había hecho Teresa. Claro que tal vez estuviera predispuesta a considerar esas mentiras como traiciones.

A Teresa se le llenaron los ojos de lágrimas.

—Creo que voy a llorar del alivio. Di, me alegro muchísimo de que estés bien.

—Querida Te, no llores aquí. Y por favor, perdóname —susurró, a sabiendas de que también debería pedirle perdón a otra persona, a un hombre que se había preocupado tanto por ella como Teresa.

—Estás aquí, sana y salva. Te perdono. —Los temblorosos labios de Teresa consiguieron esbozar una sonrisa—. Y ahora ¿me vas a contar tu aventura? No fuiste a Calais, o eso supongo, porque tu madre no ha regresado al redil familiar.

—No fui a Calais. Fui a... Ay, es una historia muy larga. Mejor te lo cuento después. —O nunca. ¿Cómo contarle a Teresa lo que había pasado?—. Háblame de cómo te va en la ciudad. ¿Ha sido maravilloso?

—Mi madre solo habla de encontrarme un marido lo antes posible, día y noche. —Frunció el ceño—. Pero mi tía Hortensia lleva tres días acompañándome por todo Londres y todavía no me han presentado a un solo caballero con el que me apetezca hacer las cosas que Annie hace con el hijo del herrero.

Diantha sintió que le ardían las mejillas. Una reacción que no le sucedía antes, cuando Teresa le contaba sus historias. Pero ya sabía lo que era compartir esa intimidad con un hombre. Todo había cambiado.

—La verdad —susurró Teresa—, es que he besado a un caballero.

—¿En serio? ¿Después de que me marchara de Brennon Manor?

Teresa asintió con la cabeza.

—Vino a ver a mis hermanos antes de que se fueran de caza y yo me sentía muy culpable por haberte mentido sobre todo eso, así que dejé que me besara.

—¿Y qué te pareció? —Emocionante. Delicioso.

—Desagradable. —Teresa frunció el ceño, medio oculto por sus rizos cobrizos—. Tenía los labios húmedos y me dijo que yo tenía unos pechos muy grandes.

—Es que tienes los pechos muy grandes.

—Me dijo que eso era lo que más le gustaba de mí y que quería tocarlos.

—Me parece un idiota. —La sensación de las caricias de Wyn se había grabado a fuego en su piel. No podía olvidarla, aunque desconocía qué sentía por él—. Pero ahora ya sabes que no es un caballero y que no deberías permitir que te corteje. —Era una hipócrita de tomo y lomo. Pero Wyn sí era un caballero. También era un hombre, y le había dicho que necesitaba su cuerpo.

Teresa suspiró.

—Tranquila. —Diantha le dio unas palmaditas en la mano—. Conseguiremos que te presenten al caballero más apuesto que asista a este baile y tus pechos lo encandilarán.

El suspiro de Teresa se convirtió en una risilla tonta, justo lo que Diantha pretendía. Escudriñó el salón de baile a través de la frondosa palmera. El lugar estaba a rebosar de caballeros y de damas elegantes.

—Seguro que hay muchos solteros adecuados.

—Es el baile más esperado de la temporada social. La tía Hortensia dice que lady Beaufetheringstone lo ha decorado todo en oro para celebrar la coronación del nuevo rey y en negro para simbolizar el luto por la muerte del antiguo. Pero se rumorea que los crespones negros no son en honor al antiguo rey, sino por esa farsa de juicio que el nuevo rey le ha hecho pasar a la reina por su infidelidad. Por supuesto, todo el mundo dice que la reina es inocente.

—Ah, claro. —No se había enterado. En el caso de haber oído algo, no le había prestado atención. Cada día se le hacía más difícil estar pendiente de los cotilleos. Habían pasado dos semanas y Wyn todavía no había aparecido por Londres. O le había mentido sobre su intención de casarse con ella o el señor Eads lo había encontrado. Se le formó un nudo en el estómago.

—Di, no tienes buen aspecto. —Teresa la obligó a ponerse en pie—. Vamos en busca de un vaso de limonada. —Salió de detrás de la maceta, pero se detuvo de repente, de modo que Diantha se dio de bruces con su espalda.

—¡Ay! —Diantha se esforzó por mantener el equilibrio—. Lo siento... —Miró por encima del hombro de Teresa y se quedó sin aliento cuando sus pulmones decidieron salírsele por la boca. Casi se ahogó.

Teresa tenía los ojos como platos.

—¡Es él! —Y lo pronunció con un tono de voz que sugería que estaba reverenciando a un dios.

Sin embargo, el hombre que se encontraba solo junto a las puertas francesas, con la vista clavada en Teresa, no era un dios. Era un escocés muy corpulento, con unos ojos azules de expresión recelosa y con tendencia a manosear a las damas cuando quería que hicieran su voluntad.

Le resultó increíble que el señor Eads pudiera tener tan buena planta cuando se arreglaba. Llevaba el largo pelo negro recogido en una coleta y lucía un frac negro sobre el kilt de su clan, calcetines y relucientes zapatos. Sin embargo, seguía siendo muy grande, seguía siendo un asesino y... si se encontraba en Londres, tal vez Wyn también estuviera en la ciudad. La idea le provocó alegría y dolor a partes iguales.

—Te, ven conmigo —susurró, pero la música ahogó sus palabras y Teresa no le prestaba atención.

El señor Eads y su amiga se miraban como si no hubiera cuatrocientas personas a su alrededor. Sin embargo, la expresión del escocés no era recelosa en ese momento. Más bien demostraba una estupefacción como la de Teresa. Con un movimiento muy elegante, como si fuera un caballero de verdad, hizo una reverencia. Teresa se tambaleó hacia delante.

Diantha la cogió del brazo y la obligó a mezclarse con los invitados hasta llegar al centro de la multitud.

—¿Qué diantres has querido decir con eso de que es él? —Detuvo a su amiga junto a la pista de baile.

—¿Qué? —Teresa parpadeó.

—Has dicho «Es él». ¿Conoces a ese hombre?

—Me ha hecho una reverencia. —Parecía aturdida—. Deben de gustarle mis pechos.

—No seas tonta. A todos los hombres les gustan los pechos.

Teresa pareció recuperar el sentido común.

—Un momento. Acabas de decir que esta noche iba a conocer a un apuesto caballero que admiraría mis pechos. —Volvió la cabeza para mirar hacia las puertas de la terraza. El señor

Eads la seguía mirando fijamente. Soltó un suspiro de placer.

—A un caballero. —No a un asesino. Diantha enterró las manos en sus faldas—. Verás... Ay, por Dios. —Se le desbocó el corazón. No podía volver a mentir, mucho menos en esas circunstancias. Nunca más—. Te, tengo que decirte...

—Di, si intentas que me aleje de él, no te molestes. —Teresa tenía una expresión muy compuesta en ese momento.

—¿Alejarte de él? Pero si acabas de verlo. Lo has mirado una sola vez.

—¡Espera un momento! ¿Tú te vas a vivir una aventura épica para salvar a tu madre pero a mí no me puede gustar un caballero que me llama la atención? —Teresa entrelazó los dedos por delante del cuerpo—. Eres una hipócrita integral, Diantha Lucas.

—Lo soy.

—¿Lo admites?

—Pues claro que lo admito. Pero, Te, de verdad que no debes tener en cuenta a ese caballero. Verás, lo conozco. Muy poco. Y no creo que...

—¡Oh! —Los ojos de Teresa se llenaron de lágrimas una vez más—. ¡Preséntamelo!

—¿Que te presente a quién, querida niña? —La dama que se les acercó iba cubierta con metros y metros de tul, a juego con el techo y las paredes. En la cabeza llevaba un turbante con una pluma dorada de avestruz y un enorme alfiler con piedras preciosas, y en las manos, enfundadas en guantes de los colores de un pavo real, lucía un abanico oriental pintado con la cara de un caballero—. Vamos, ¿a quién quieres conocer, querida? Ese palo larguirucho de ahí no se merece tus suspiros... es un primo tercero y un jugador empedernido. Pero cualquier otro caballero presente esta noche será merecedor de la adoración de una muchacha con tan exuberantes atributos.

Teresa miró más allá de lady B.

—Está junto a las puertas de la terraza, milady. Un caballero muy alto y corpulento con pelo largo —dijo con la respiración alterada.

Su anfitriona chasqueó la lengua.

—Querida niña, es el conde de Eads y un bruto muerto de

hambre. Apenas ha aparecido en sociedad desde que volvió de las Indias Orientales hace casi siete años. Me pregunto qué está haciendo aquí, claro que bien puede estar buscándoles marido a sus incontables hermanas. Hermanastras. El pobre tiene por lo menos siete. Pero sí es verdad que tiene unas piernas estupendas.

Teresa y lady Beaufetheringstone asintieron con la cabeza para expresar que estaban de acuerdo.

—No voy a presentártelo, querida. —Lady Beaufetheringstone frunció los labios—. Eres demasiado joven e inocente para que te arrojen a la boca del lobo... de momento. —Cogió a Teresa del brazo—. Vamos, niña. Te presentaré a otros caballeros más adecuados. Esa cabeza de chorlito de Hortensia Piffle te encontrará un marido satisfactorio cuando las ranas críen pelo. Son dos gotas de agua, tu madre y ella...

Diantha las vio alejarse. No se preocupaba por Teresa. Si una de las anfitrionas más renombradas de la alta sociedad tomaba a su amiga bajo el ala, solo podía redundar en beneficio de Teresa. Además, su cabeza y su corazón estaban ocupados con otra persona.

¿Qué sabía Wyn acerca del señor Eads, de lord Eads en realidad, que no le había contado? Le dolió. Y no quería que le doliese, no por culpa de un hombre que al parecer la había abandonado a su suerte.

¿Por qué no había ido a verla?, se preguntó.

Se dio la vuelta y echó a andar a ciegas hacia las puertas francesas. Tenía que hablar con lord Eads. Debía asegurarse de que Wyn estaba a salvo, aunque no la quisiera. Se había dado cuenta de ese hecho un poco tarde. Cuando ya no tenía esperanza. Lo perdonaría si aparecía en Londres. Se lo perdonaría todo. Y le suplicaría que la perdonase a ella.

Su hermano apareció delante de ella con una sonrisa de oreja a oreja.

—Por fin te encuentro, hermanita. Estás muy guapa esta noche. Musgrove y Halstead llevan toda la noche pidiéndome que te presente.

Saludó a los amigos de Tracy, sonrió al escuchar sus halagos y les prometió sendos bailes, pero apenas les prestó atención.

Aquejada de una debilidad mezclada con un trágico anhelo, dejó que sus ojos vagaran por el salón de baile y, a través de un hueco entre los invitados, se encontró con la mirada de lady Emily Vale. Se obligó a esbozar una sonrisa que no sentía.

Los ojos verdes de Emily mantuvieron la expresión seria mientras dirigía su mirada por la pista de baile hasta llegar a la puerta del salón. Diantha desvió la vista hacia allí y el corazón amenazó con salírsele por la garganta.

Porque el señor Wyn Yale era el dueño de dicho órgano. Y ya estuviera ordeñando una vaca en mangas de camisa sentado en un taburete o en un salón de baile con atuendo de gala y tan guapo que la dejaba sin aliento, Diantha era consciente de que podía hacer lo que quisiera con ese desbocado órgano, porque estaba a su entera merced.

25

Diantha relucía bajo las velas de las arañas, vestida no de blanco virginal sino de dorado, como la luz que se reflejaba en su pelo. Las capas que conformaban sus faldas refulgían gracias a la habilidad de alguna modista y se agitaban en torno a sus pies cuando los bailarines pasaban frente a ella. Parecía ajena al resto de los invitados, y también parecía ajena al hecho de que lo estaba contemplando con esos labios sonrosados separados, mientras un suave rubor se extendía por sus mejillas, por su cuello y por la curva de sus pechos.

Wyn se acercó a ella y se arrepintió de no haber ido directamente a Londres, momento en el que comprendió de repente por qué no lo había hecho. Porque cuando la veía era incapaz de pensar, y mucho se temía que, puesto que no pensaba, podía hacer algo inesperado. Podía hacerle a ella algo inesperado.

Diantha se acercó a él con el ceño fruncido.

—Lord Eads está aquí.

—Buenas noches, señorita Lucas. —Le hizo una reverencia sin dejar de sonreír. Lo deslumbraba aun estando enfadada.

—¿Has oído lo que he dicho? Lord Eads.

—Por supuesto que te he oído. Estoy justo delante de ti. —Pero no lo bastante cerca. Su aroma a sol estival lo envolvía mientras contemplaba cómo esas manos, que lo habían explorado con total confianza, aferraban sus faldas.

—Sé que me has oído. Me estaba limitando a enfatizar que lord Eads está aquí. Y esta es la tercera vez que lo digo.

—Lo entiendo.

—Verás, lo enfatizo de esta forma tan ridícula en un esfuerzo por centrarme en la irritación y no preocuparme por el hecho de que está en la misma estancia que tú. ¿Qué haces aquí?

—Observando cómo deslumbras a esos caballeros junto a los que acabas de pasar sin mirarlos siquiera. No, no te vuelvas ahora. Tal vez no les guste que los veas lamiéndose las heridas.

Diantha soltó el aire con brusquedad.

—Y luego soy yo quien dice cosas sin sentido.

—¿Quiénes son, Diantha? A tu hermano lo conozco, pero a los otros no. ¿El señor Hache se encuentra entre ellos?

—Me los acaba de presentar Tracy. —Sus ojos adquirieron un repentino brillo—. Pero todos los días me rodean cientos de admiradores, así que me resulta difícil recordar sus nombres. —Hizo un gesto en el aire—. Me limito a llamarlos George.

—¿Y ese sistema funciona?

—¿Funciona?

—Que si los pone en su sitio tal como intentas hacer conmigo.

—¿Has oído que he dicho tres veces que lord Eads está aquí?

—Creo recordar que lo has mencionado, sí.

La vio retorcer el carnet de baile entre los dedos.

—¿Y por qué no te preocupa tanto como a mí? —Su tono de voz se había alterado y su preocupación parecía genuina.

La sonrisa de Wyn se esfumó.

—Diantha, hace años que conozco a Duncan Eads. Si de verdad quisiera hacerme daño, me lo habría hecho en Gales.

La vio parpadear varias veces mientras respiraba de forma superficial, haciendo que sus pechos se elevaran y tensaran el borde de su corpiño. No había ni rastro de sus hoyuelos.

—Eres una persona deshonesta.

—Lo he sido.

—No debería haber confiado en ti.

—No deberías. Pero lo hiciste y ahora ambos debemos superarlo.

Diantha se quedó lívida y lo miró con gesto interrogante. Sin embargo, el brillo que vio en ellos lo instó a contrariarla de nuevo. Tenía muy claro que ansiaba esa ternura y ese deseo que iban de la mano de su fuerza de voluntad y de su perseverancia. Ansiaba alzarla en brazos, sacarla del salón de baile y hacerla suya de nuevo. Ansiaba tenerla entre sus brazos, perderse en ella hasta descubrir todos los secretos que ocultaba y hasta que ella conociera todas las verdades de su vida. Todas las canalladas que había cometido y todos sus deseos heroicos.

Después, la vio cerrar los ojos.

—Tengo que decirte algo.

—Soy todo oídos. Como siempre.

—Parece que al señor Hache no le importa mi virtud o la falta de ella. Cree que una dama de carácter fuerte debe vivir ciertas aventuras de índole amorosa, tal como ha hecho él.

Los celos lo invadieron, unos celos abrasadores, que era justo lo que ella pretendía, la muy bruja. Carlyle no había mencionado a Highbottom en su carta, pero tal vez hubiera hablado con Tracy Lucas. Sin embargo, ese coqueteo era algo nuevo en ella y ansiaba saber por qué lo estaba empleando.

—Un librepensador, ciertamente —replicó entre dientes.

—No lo sé con seguridad. Debería habérselo preguntado, pero he tenido una quincena muy ajetreada desde que llegué a la ciudad.

Wyn intentó interpretar su expresión.

—Yo acabo de llegar.

—Me alegro. —Sonrió de forma educada, como si no le importara, aunque había cierta tensión en sus gestos que lo conmovió.

—He ido a Yarmouth, Diantha.

—¿A Yarmouth? —preguntó ella, tratando de disimular la sorpresa—. Y ¿cómo está el duque?

—No lo he visto. Dejé allí a *Lady Priscilla* y vine a Londres lo más rápido que pude.

—Ah. —Diantha frunció el ceño, hizo un mohín con sus deliciosos labios y su fachada se derrumbó—. No creas que puedes aparecer como si tal cosa por aquí, tan guapo y elegante con tu atuendo londinense, y que yo voy a olvidarlo todo. Creo que todavía estoy enfadada contigo.

—Diantha...

—Me gustaría que no me llamaras así. Para todos estos caballeros soy la señorita Lucas y sin duda habría sido mejor que para ti también lo hubiera seguido siendo.

293

—Esos caballeros, mucho me temo, no te han visto borracha como una cuba.

—Por supuesto que no.

—Ni tampoco te han visto rezar arrodillada en un suelo polvoriento.

Ella lo miró a los ojos al punto.

—¿Me viste? No quería que me vieras.

—¿Por qué estabas rezando, bruja? ¿Estabas suplicando que me muriera pronto para que pudieras retomar tu búsqueda?

Diantha no respondió de inmediato. A su alrededor, la música seguía y los bailarines giraban en la pista de baile.

—Rezaba para mantenerme fuerte. Para ser lo que tú necesitabas.

Wyn sintió que el corazón le daba un vuelco, algo desconcertante. Sin embargo, dicho desconcierto lo había acompañado desde que se encontró con Diantha Lucas en un carruaje del servicio de correos de Su Majestad.

—Es imposible mejorar lo que ya es perfecto.

Esos ojos azules relucieron. Y ese brillo la convirtió en la mujer que había visto trepar a un árbol, en la mujer a la que habían besado por primera vez en un establo, en la mujer que había cambiado su vida aunque él se había resistido en todo momento.

—Tienes buen aspecto —comentó ella.

—Me encuentro bien. Ahora. —Mejor que nunca.

—Quiero decir que estás muy bien. Que estás... —Esos ojos azules recorrieron sus hombros y su torso, y volvió a ponerse colorada—, bien.

—Mañana iré a verte. Quiero hacerte una pregunta.

—¿Una pregunta?

—Sí. Pero ahora no es el mejor momento. Tu hermano me está lanzando miradas asesinas. —Y si el escrutinio de Diantha continuaba, tendría que hacer un gran esfuerzo para no llevarla a algún lugar discreto a fin de que dicho escrutinio se convirtiera en algo mucho más satisfactorio.

La vio fruncir el ceño.

—No entiendo qué le pasa.

—A lo mejor no le ha gustado que te haya apartado de sus amigos. Me retiraré ahora mismo y les dejaré el campo libre a tus ansiosos admiradores. De momento.

—Pero... —Diantha le colocó una mano en un brazo, y el contacto le provocó un repentino acaloramiento—. ¿Qué pasa con lord Eads? ¿Me has dicho la verdad?

Wyn le aferró los dedos, cubiertos por un guante gracias a Dios, y tras inclinarse hacia ella susurró:

—Bruja, como vuelvas a tocarme de forma inapropiada, o de cualquier otra forma, en mitad de un abarrotado salón de baile, no me consideraré responsable de lo que pueda llegar a hacerte delante de los ojos de cientos de personas.

La vio tragar saliva con delicadeza mientras apartaba la mano de su brazo.

—Por favor, dime la verdad sobre él. Quiero ayudar en la medida de lo posible.

—Te he dicho la verdad. No creo que represente una amenaza para mí.

—Pero no lo sabes con seguridad.

—El hecho de que esté vivo es una evidencia irrefutable.

—A lo mejor solo está esperando una oportunidad.

—Podría haberlo hecho en incontables ocasiones durante el trayecto de ida y vuelta a Yarmouth. —Pese a la mirada furiosa del hermano de Diantha, Wyn se acercó más a ella y le dijo en voz baja, haciéndose escuchar por encima de la música y de las voces—: Diantha, no tienes por qué preocuparte al respecto.

—Me temo que no puedo evitarlo. Este asunto me crispa. Al ver que no venías a Londres de inmediato, me imaginé todo tipo de... todo tipo de... —Volvió la cara.

Wyn sintió una opresión en el pecho. No quería confundirla ni inquietarla. Lo que quería era verla esbozar su deslumbrante sonrisa, quería escuchar su risa y ansiaba disfrutar de su voluptuoso cuerpo a la mayor brevedad.

En ese momento, la vio separar los labios, asombrada, mientras exclamaba:

—¡Por el amor de Dios!

Aunque debería seguir su mirada para ver qué le había llamado la atención, Wyn fue incapaz de apartar los ojos de esos labios sonrosados y entreabiertos. En ese momento, un suspiro se escapó de dichos labios y él imaginó que le rozaba la piel. Casi podía saborearla, casi podía sentir ese cuerpo entre sus manos, casi podía sentir las caricias de esas manos sobre su piel. El recuerdo de esas maravillosas manos borró todo lo demás salvo el deseo de tenerla bajo su cuerpo.

—¡Son las hermanas Blevins! —la oyó exclamar.

Wyn apartó los ojos de ella. Dos damas fantasmagóricas ancladas en otro siglo hicieron su aparición, vestidas con encajes amarillentos y joyas deslustradas.

—Jamás se me habría ocurrido que pudiéramos encontrárnoslas aquí. —Diantha le colocó la mano en el pecho de forma impulsiva y a Wyn solo se le ocurrió una solución para atajar sus acuciantes necesidades.

—Señora Dyer, ¿le apetece bailar? —Le agarró una mano, con la otra le aferró la cintura y la llevó a la pista de baile.

Diantha se habría echado a reír de no ser por la preocupación que sentía. Sin embargo, la felicidad que comenzaba a extenderse por su interior demostró ser más fuerte. Wyn había ido a Londres, no se encontraba en peligro y estaba bailando con ella.

Sus brazos eran fuertes y su propósito, tal como descubrió al cabo de unos minutos, firme. Con una gran soltura, cruzó la pista de baile sorteando a las demás parejas a fin de alejarse de las hermanas Blevins. En realidad, no estaban bailando. Estaban huyendo.

—Señor Dyer, vamos a llamar la atención. —La alegría era incontenible—. Las damas del comité organizador de Almack's no me han concedido aún el permiso para bailar el vals.

—Lady B es una anfitriona mucho más liberal que dichas damas. —La guio por la pista de baile y, después, se internaron entre los grupos de invitados que no bailaban, momento en el que le colocó la mano en su brazo—. A las pruebas me remito.

Una de las puertas francesas estaba abierta y por ella entraba el aire fresco. La instó a salir a la terraza, la tomó de la mano y juntos caminaron hasta un jardín. La luna creciente brillaba en el cielo y el relente le provocó un escalofrío mientras rodeaban una fuente flanqueada por altos rosales. Era un lugar de recargada ornamentación, ya que contaba con robustas estatuas, setos altos y recovecos por todos lados.

—¿Qué vamos a hacer?

—Es un jardín oscuro —respondió Wyn en voz baja—. Imagínatelo.

Diantha era incapaz de pensar, solo podía sentir el roce de la mano que rodeaba la suya.

—Dímelo.

—Vamos a ponernos manos a la obra para engendrar esos niños que las hermanas Blevins nos animaron a tener. —La instó a doblar la esquina de un cenador y se detuvo de repente. Sin embargo, la soltó.

Diantha contuvo un grito indignado.

—No estás hablando en serio.

—Un establo es una cosa. Un baile al que asiste la mitad de la alta sociedad, otra muy distinta. —Wyn estaba muy cerca de ella y sus ojos brillaban en el juego de luces y sombras proyectadas por las enredaderas—. Necesitamos un plan.

Diantha tragó saliva.

—¿Para encontrar un establo?

—Un plan para lidiar con las hermanas Blevins —respondió con una nota paciente en la voz.

Diantha apenas logró escucharlo debido a los atronadores latidos de su corazón. Wyn recorrió su cuello y sus hombros con la mirada, que acabó posando sobre sus labios como si tuviera la intención de besarla. Eso la dejó sin aliento. La deseaba. A pesar de estar rodeada por todas las elegantes damas londinenses, Wyn la deseaba de verdad.

—Diré que tengo una repentina jaqueca y le pediré a Serena que me lleve de vuelta a casa —logró decir a duras penas.

—Eso bastará hasta que se me ocurra una solución a largo plazo.

—No estamos en el salón de baile. —Diantha no pudo resistirse—. Si te toco de forma inapropiada aquí, ¿también me harás algo de lo que no serás responsable?

—Cometí un error al decir eso —confesó él con voz ronca—. Debo ser responsable. Contigo, siempre.

Diantha le colocó la mano en el pecho, y los rápidos y fuertes latidos de su corazón le provocaron una oleada de deseo. Deslizó los dedos hasta llegar a su cintura mientras él se tensaba.

—Siempre tan caballeroso —murmuró.

—Ahora mismo, no tanto.

Diantha bajó la mano un poco más.

—¿Por qué me has arrastrado hasta un jardín oscuro para ocultarnos?

—Porque voy a dejarte que hagas lo que quieres hacer, sin detenerte.

Diantha pasó la mano por la parte frontal de sus pantalones. El hecho de que tuviera una erección solo por haberla mirado y haber bailado con ella le provocó una sensación abrasadora. Cerró los ojos al tiempo que rodeaba su miembro. Wyn le aferró los brazos y se inclinó hacia delante hasta que sus mejillas se rozaron. A medida que ella lo acariciaba, su cuerpo respondía e incluso logró arrancarle un gemido ronco de puro placer. En respuesta, a ella se le escapó otro. Tocarlo era maravilloso.

—¡Oh, Wyn! —exclamó—. ¿No crees que deberíamos ponernos manos a la obra ahora mismo para engendrar esos niños?

La boca de Wyn estaba muy cerca de la suya. Estaba muy tenso. Le agarró la mano con la que lo acariciaba y la presionó contra su miembro un instante que a Diantha le pareció eterno. Después, la apartó, soltó el aire con brusquedad y se alejó de ella. El deseo oscurecía su mirada.

—Señorita Lucas, iré a verla mañana.

—Wyn...

—Diantha, como no regreses ahora mismo al salón de baile, busques a tu hermanastra y te marches...

—¿Me harás el amor aquí mismo y me abandonarás para que me descubra la mitad de la alta sociedad tal como haría un canalla como Dios manda? —replicó ella con una sonrisa esperanzada.

—Algo así, salvo la parte del abandono. Vete. Ahora mismo. —La tensión se había apoderado de su mentón y de sus hombros, aunque lucía una expresión risueña.

—Me gustas así. Me gustas... sin el brandy —añadió en voz baja.

Ya no tenía el aura sombría, y la desesperación del cazador que empañaba sus ojos durante su estancia en Shropshire ya no rondaba las profundidades plateadas de sus ojos. Antes de llegar a Knighton, atisbó en varias ocasiones al verdadero hombre que se escondía tras el alcohol, y esos breves atisbos despertaron su deseo por él. A esas alturas, se había convertido por completo en ese hombre, de modo que el deseo que sentía por él era enloquecedor. Lo necesitaba. Porque Wyn hacía que se sintiera deseada. Hacía que se sintiera querida, y no por efecto del alcohol ni por exigencias de la responsabilidad, sino por sí misma. Dejó una lluvia de besos sobre su mentón mientras introducía las manos bajo su chaqueta a fin de reclamar los duros contornos de su cuerpo.

—¡Diantha, por el amor de Dios! —gimió Wyn, que le aferró el trasero y la pegó a él para que sintiera lo excitado que estaba—. Hablaba en serio. No puedo soportarlo más. —La besó con fervor en la frente, en las mejillas y en los ojos—. Y ahora vete. —La apartó de él con brusquedad.

Diantha era incapaz de moverse. Tenía el corazón desbocado, se sentía muy acalorada. Muy viva.

Él parecía de piedra. De una piedra ardiente.

—¡Vete!

Diantha tragó saliva.

—Que tenga buenas noches, señor Yale. Esperaré ansiosa su visita. ¿Le parece bien por la mañana?

—A primera hora.

Diantha se marchó. Corriendo. Mucho se temía que si no corría, se arrojaría de nuevo a sus brazos y lo obligaría a que le hiciera el amor a la luz de la luna. Sin embargo, no quería forzarlo a hacer de nuevo algo contrario a su naturaleza. Wyn había sufrido por ella y respetaría el honor que lo impulsaba comportándose como una verdadera dama, aunque fuera demasiado tarde.

Se topó con su hermano en la puerta de la terraza.

—Tracy, tengo una terrible jaqueca. ¿Me llevas a casa?

Su hermano inspeccionó el jardín con el ceño fruncido, pero después la complació.

26

Duncan salió de detrás de un carruaje al final de la larga fila de vehículos aparcados junto a la acera. En un lugar cercano, tres criados jugaban a los dados, a la luz que arrojaba la mansión Beaufetheringstone, y los cocheros se encargaban de los arneses de los caballos junto a los carruajes. Era una noche típica en Mayfair, salvo por el asesino escocés que se acercaba a Wyn y por la ligereza de sus propios pasos, que no se habían alterado ni siquiera para salir discretamente de un salón de baile repleto de conocidos.

—Un poco emperifollado para andar escabulléndote entre las sombras, ¿no te parece, Eads?

—Un poco despreocupado para ser un hombre marcado, ¿no, Yale?

—¿Marcado? ¿Seguro que no te confundes con otro tipo al que estás dando caza, amigo mío?

A la tenue luz de la farola de gas que tenía por encima, apenas pudo ver la sonrisa del escocés.

—Caray, sí que tienes nervios de acero. Ni siquiera te andas preguntando por qué estoy aquí.

—Gracias. —Metió la mano en el bolsillo interior, sacó una purera y se la ofreció al escocés, que negó con la cabeza. Wyn se guardó la purera. No quería fumar. Solo quería a la mujer con ojos brillantes que había tenido entre sus brazos durante muy poco tiempo después de asegurarle que ese hombre no era una amenaza para él—. Pero la verdad es que sí me lo estoy preguntando. ¿Por qué me sigues?

—Porque Yarmouth aún me paga.

En momentos como ese, Wyn podía sentir las cicatrices de su columna y el cuchillo que llevaba en la manga más de lo que creía físicamente posible.

—¿No trabajas para Myles? —El hecho de que no hubiera averiguado ese detalle varias semanas antes demostraba lo bajo que había caído antes de encontrarse con Diantha en el camino, un pozo del que comenzaba a salir poco a poco.

Duncan entrecerró los ojos.

—¿No te dijo que estaba trabajando para el duque?

—¿Quién?

—La muchacha.

—Si te refieres a la señorita Lucas —consiguió decir con una indiferencia notable—, no lo hizo. Pero me sorprende que tú le proporcionaras dicha información. ¿Esta noche?

—En tu casa cuando fui por mi caballo.

Duncan lo observó con detenimiento. A Wyn no le gustó el escrutinio ni descubrir que Diantha le había ocultado otro secreto. Sin duda alguna, quiso protegerlo, y comprendió por qué se había preocupado al ver que tardaba tanto en aparecer en la ciudad.

—Voy a dejarme de rodeos innecesarios y a preguntar únicamente por qué Yarmouth te sigue pagando para que seas mi sombra cuando ya le he entregado lo que quería.

—El caballo le importa un bledo, imbécil. Te quiere a ti.

Wyn se pellizcó el puente de la nariz.

—Duncan, no me digas que vas a matarme en esta esquina ahora mismo. Esta noche no. —No hasta que le hubiera contado a Diantha lo que había averiguado durante las investigaciones de esa tarde. No hasta que la hubiera puesto al día de la situación de su madre y del estado de su propio corazón.

Claro que si iba a morir en breve, tal vez sería mejor no contarle eso último.

No le temblaban las manos, ya no le temblaban después de tantísimos meses de inseguridad. Pero las tenía frías. No podía haber llegado a ese punto de la vida para que se la arrebataran.

—No quiere que te mate —masculló Duncan—. Solo que te dé un mensaje.

—Ah. —Wyn inspiró hondo sin hacer ruido—. Buenas noticias. ¿Qué dice el mensaje?

Duncan se puso serio.

—Quiere que vayas a verlo.

—Para encontrarnos en persona, supongo.

El escocés asintió con la cabeza.

—¿Y si decido no darle el gusto a Su Excelencia?

La expresión de Duncan era impenetrable.

—Irá a por la muchacha.

En ese momento, se quedó helado por completo, a excepción de la quemazón de su estómago. No tuvo que preguntar a qué muchacha se refería ni a qué se refería el duque con su amenaza. En el molino, Duncan adivinó que Diantha era más que un trabajo para él, y Wyn había visto cómo trataba el duque de Yarmouth a las muchachas hacía mucho tiempo.

Se quedó paralizado, incapaz de respirar.

—Maldita sea tu estampa, Eads. ¡Hijo de puta!

Duncan meneó la cabeza.

—Le dije que no le haría daño.

—No tendrías que haberle dicho nada sobre ella. No forma parte de esto. —Era imposible que las cosas hubieran acabado de esa manera.

—Se negó a aflojar el oro que me prometió. Exigió saber el motivo por el que no te había llevado a rastras a Yarmouth hace un mes.

—Eso quiere decir que ha contratado a alguien para amenazarla. —La cabeza le daba vueltas—. Has aparecido para avisarme, no porque te haya mandado él. Es lo menos que podías hacer, maldito seas. ¿Quién?

—Tiene a un hombre en la casa de Savege.

—Un criado. Un barrendero, tal vez, o el chico de los recados de una de las tiendas. —Wyn haría lo mismo si quisiera entrar en la casa de un aristócrata—. Debería ser fácil dar con él si es nuevo entre el personal.

Duncan meneó la cabeza de nuevo.

—Está decidido. Yale, ese hombre te odia.

—¿Por qué no me mata sin más? ¿Por qué insistir en verme? —Wyn consiguió tomar una bocanada de aire, aunque con mucha dificultad. Echó a andar hacia los establos, donde se encontraba *Galahad*. Sin embargo, se detuvo al llegar a la puerta y miró por encima del hombro. Un halo de luz rodeaba el corpachón del escocés—. Duncan, la próxima vez que nos veamos mejor que sea en el infierno, y mejor que salgas corriendo cuando me veas.

Wyn se dirigió a Brooks's. El vizconde de Gray solía estar en el club de caballeros casi todas las noches. Dado que estaba soltero y contaba con un amplio círculo de amistades políticas y de conocidos, Colin cultivaba la apariencia de un caballero indolente, aunque en realidad observaba, estudiaba y trazaba la estrategia del siguiente proyecto del Club Falcon.

Todavía era temprano y los asiduos se concentraban en la sala común, disfrutando de la conversación, de los juegos de cartas, de la cena y de la bebida. El olor a tabaco, mezclado con la colonia, flotaba en el aire, pero para Wyn el olor del brandy era mucho más fuerte.

No vio al vizconde por ninguna parte. Tal vez estuviera entre los innumerables invitados del baile de lady Beaufetheringstone. Sin embargo, ni siquiera Gray podía ayudarlo. Ella no debía permanecer en peligro. Ir a Yarmouth y entregarse al duque solo parecía una solución parcial. No podía confiar en la palabra del duque de que no le haría daño a Diantha si él se entregaba, ya que el aristócrata sospechaba que era importante para él. Wyn había contrariado a muchos hombres en su desempeño como agente de la Corona. Pero solo había amenazado de muerte a uno.

Se volvió hacia la salida. Tracy Lucas se encontraba allí, seguido por sus acompañantes del baile.

—Señor Yale.

—Sir Tracy. Un placer. —Wyn le hizo una reverencia aunque la impaciencia lo corroía. Ese era el único caballero de todo Londres al que no podía despachar sin más—. Caballeros. —Saludó con un gesto de cabeza a los demás.

—Me gustaría hablar en privado con usted, señor. —Lucas le hizo un gesto para que se distanciara de los demás.

—Por supuesto.

No tenía tiempo para eso. Sin embargo, la desesperación corría por sus venas y tuvo la desquiciada idea de que si Lucas era un hombre razonable, podría contar con su ayuda, podría decirle que se llevara a Diantha en mitad de la noche, que se la llevara al campo. El duque no se esperaría eso. Tal vez le diera más tiempo para encontrar una solución más efectiva contra el peligro en el que la había puesto, una solución que no implicara su viaje a Yarmouth para acelerar el fin de su vida.

Lucas se alejó apenas unos pasos antes de empezar a hablar.

—Tengo entendido que ha estado fuera de la ciudad.

—Sí. En mi propiedad hasta este mismo día.

—En ese caso puede que no lo sepa, pero Carlyle me ha dicho que ha pedido la mano de mi hermana, y a juzgar por cómo la estaba mirando esta noche, creo que es mejor que sepa algo: ella no... En fin, mejor no andarse por las ramas: ella no está buscando a alguien como usted.

Wyn se quedó petrificado. El olor de una botella de vino recién descorchada en una mesa cercana y el ruido del líquido al ser vertido en las copas le resultaban muy familiares.

—Señor, debo pedirle que tenga la amabilidad de explicarse.

—Y a eso voy. —El hermano de Diantha frunció todavía más el ceño—. Por eso precisamente tengo que decirle lo que pienso. Si de verdad la quisiera, lo que acabo de decirle habría valido para que me abofeteara con su guante. Usted ni siquiera ha parpadeado. Es un personaje muy frío, Yale, como la noche del banquete de bodas de Blackwood, cuando dejó a mi hermana llorando en la terraza de Savege Park.

«¿En Savege Park?», se preguntó.

Lucas asintió con la cabeza al tiempo que lo miraba con expresión cada vez más segura.

—Vi cómo la dejaba sola, en la oscuridad, con la cara toda enrojecida y llorosa. Ni siquiera tenía dieciséis años, por el amor de Dios. Menos mal que dejó de burlarse de ella cuando lo hizo. Casi salí para darle un puñetazo, pero no podía abandonar a la dama con la que estaba bailando en mitad de la pieza. Sin embargo, mi hermana se pasó el resto de la noche con los ojos enrojecidos, so sinvergüenza.

Wyn por fin encontró la voz para hablar.

—Lucas...

—No pienso morderme la lengua, señor, por mucho que Savege le abra las puertas de su casa. No me fío de usted. No lo he hecho desde aquella noche. Y he visto la cara de mi hermana mientras hablaban esta noche, como si quisiera echarse a llorar de nuevo. Después, los he perdido de vista, y más tarde mi hermana ha entrado corriendo desde el jardín de lady B, más agitada que nunca. Maldita sea su estampa, Yale, no está bien tratar a una dama de esa manera.

—Ha malinterpretado el asunto, señor.

Lucas sacó pecho.

—No lo creo, y no pienso permitir que vuelva a burlarse de ella. Ya lo ha pasado bastante mal con mi madre... con nuestra madre... —Se detuvo de golpe—. El asunto es que necesita mi consentimiento para casarse y no pienso dárselo.

—¿Lo que ella desea no importa?

—Es una muchacha impetuosa. Pero es buena, y haría cualquier cosa por alguien que le caiga bien. Por si no lo sabe, es leal hasta el fin. —Hablaba con voz ronca y Wyn se dio cuenta de que le tenía muchísimo afecto a su hermana—. Se merece algo más que un tipo que impuso sus atenciones hace tantos años a una muchacha tímida y feúcha. Ahora que tiene mejor aspecto, no voy a consentirlo.

Al parecer, Lucas no había visto a los muchachos en la terraza la noche del baile en Savege Park. Pero daba igual. En ese momento, ella se encontraba en un peligro mucho mayor que antes, y en esa ocasión él era el verdadero culpable.

—Entiendo —repuso, mientras sus pensamientos se fusionaban con una claridad muy peculiar hasta conformar la respuesta adecuada en la que encajaban todas las piezas—. Tiene ideas propias. Aunque seguro que ya lo sabe.

—¡Vaya que si lo sé! Es terca e imprudente, siempre lo ha sido. Pero eso no quiere decir que tenga que conformarse con un tipo como usted.

—Lucas. —Wyn bajó la voz—, su hermana desea una sola cosa y usted, creo, es el único hombre capaz de concederle dicho deseo.

Sir Tracy puso los ojos como platos.

—¿Qué quiere de...?

—Sabe dónde se encuentra lady Carlyle en este momento. ¿Verdad?

Lucas se quedó boquiabierto antes de sonrojarse por la rabia.

—¡Pero bueno! Creo que no...

—Me parece que sí lo sabe. Tengo motivos para creer que su madre lleva en Londres poco tiempo y que le envió una nota pidiéndole ayuda económica para un negocio. —En el Despacho Secreto, esa tarde había leído un sinfín de cartas antes de llegar a la última que completaba el dosier redactado por el informador, en el que se identificaba a la baronesa como una de las personas que buscaban inversores para fundar una red de prostitución de lujo. El informador había reseñado que la baronesa parecía una ávida fumadora de opio, que se había aliado con su socio, un financiero, para alimentar su adicción; pero que salvo por eso, vivía de forma modesta y que no suponía un motivo de preocupación para el gobierno en ese momento. Se sospechaba que tanto ella como su socio querían trasladar su negocio de nuevo a Francia—. ¿La ha visto?

—Sí. Una sola vez —admitió Lucas con voz ronca—. Pero ¿cómo sabe usted de ella a menos que esté relacionado con todo ese asunto?

—No tengo nada que ver. Ni siquiera sé su paradero exacto en la ciudad, razón por la que necesito su ayuda.

—¿Mi ayuda? De todas las...

—Cállese, Lucas. Y preste atención.

Lucas enarcó las cejas bajo los alborotados rizos rubios.

—Su hermana desea ver a su madre. Es su deseo más preciado.

Sir Tracy frunció el ceño y replicó:

—Me lo dijo el otro día. Me lo había dicho en unas cuantas ocasiones antes —añadió a regañadientes—. Pero ella no lo entiende.

—Lo entiende muy bien. Y usted debe permitir el encuentro. Debe concertar el encuentro entre ellas en un lugar seguro, a fin de que su hermana no corra peligro. ¿Puede hacerlo antes de que su madre se marche al continente?

—No. —Adoptó una expresión terca—. Si sabe en qué se ha

convertido mi madre, también sabe que una muchacha como mi hermana no debe exponerse a esa clase de negocios.

—Su hermana ya no es una niña. Es una mujer. Y ya sabe cuál es el negocio de su madre.

Lucas dejó caer los hombros.

—Es...

—Es terca e imprudente, pero también tiene muchos recursos y es muy lista. —Y guapa y generosa, y lo volvía loco de deseo, y con las siguientes palabras que pronunció, estaba renunciando a ella—: Mañana iré a verla y pediré su mano, y si me acepta...

Lucas se quedó boquiabierto.

—Ust...

—A menos que me prometa que la llevará a ver a lady Carlyle antes de que esta se marche de Londres.

Sir Tracy frunció el ceño.

—¿Y si se lo prometo?

—Me aseguraré de que tras mi visita de mañana, esté tan convencida como usted de que no soy el hombre adecuado para ella. Convencida del todo. —Sentía un vacío enorme en el estómago, el corazón le latía desacompasado y sus pulmones no sabían ni cómo funcionar. Si eso era lo que se sentía al ser un verdadero héroe, el heroísmo podía irse al cuerno.

Lucas lo miró con expresión recelosa.

—Y supongo que usted también acudirá a la cita. Para asegurarse de que cumplo mi promesa.

—Soy un hombre de honor, Lucas. Le concederé el beneficio de creer que usted también lo es.

—Bonitas palabras, Yale. Pero no soy una virgen inocente a la que engatusar.

Wyn nunca había imaginado que aprender tan bien las lecciones de su tía abuela lo llevaría a ese punto.

—Pues crea esto: no podría asistir al encuentro aunque quisiera. Debo abandonar la ciudad mañana por la mañana y desconozco cuándo volveré.

Sin embargo, poco después de su marcha, el hombre que Yarmouth tenía en casa de Savege sabría sin lugar a dudas que Diantha era para él poco más que un mero juego. Incluso antes de que él llegara a Yarmouth, Diantha estaría a salvo.

—No. —Lucas negó con la cabeza—. Es terca. ¡Solo tiene que ver cómo es con mi madre! Si lo quiere a usted, no lo soltará, le guste o no.

—No después de esto. Se lo aseguro.

Lucas meditó el asunto. Lo miró con los ojos entrecerrados.

—¿De forma permanente? ¿Nada de hacer las paces al día siguiente?

—Ni a la semana siguiente, ni al mes que viene. Le doy mi palabra. De caballero.

Con una retorcida sensación de alivio, vio que Lucas asentía con la cabeza, con gesto titubeante al principio, pero después con más convencimiento.

—De acuerdo —dijo sir Tracy a la postre—. ¿Tengo su palabra de honor, Yale?

—La tiene.

De la misma manera que una dama de ojos azules tenía el resto de su persona.

Wyn se alejó de Lucas y de los olores del vino y de la indignación, pero fue incapaz de desterrar la sensación de profunda pérdida que lo embargaba. Se dirigió a Dover Street. Era muy posible que muriera al llegar al castillo del duque, de modo que quería dejar todos sus asuntos en orden.

Las letras doradas y el picaporte con forma de halcón de la puerta del número 14 ½ relucían a la luz de la farola. Wyn tiró de la campanilla y se abrió un postigo, por el que se asomó un gigantón con cara de niño.

—Buenas noches, señor.

—¿Hay alguien en casa o soy el único pájaro en el nido esta noche, Grimm?

—Milord está dentro.

—Grimm, tengo una misión para ti. ¿Estás libre durante los próximos días?

El esbirro del Club Falcon asintió con un gesto serio de la cabeza. Wyn le dio la dirección de la casa de Savege, le ordenó que hiciera guardia hasta que él llegara al día siguiente y que les sonsacara a los tenderos y a los criados todo lo que pudiera acerca de cualquiera que acabara de entrar al servicio de la casa. Grimm se colocó su sombrero.

—Puede contar con Joseph Grimm, señor. Nadie le hará daño a la dama esta noche.

Tras alejarse de la puerta cerrada, Wyn encontró al secretario del Club Falcon en la entrada de la sala de estar.

—Bienvenido a casa, Yale.

Wyn aceptó la mano que le tendía el vizconde Colin Gray. El apretón del aristócrata era como él: poderoso, firme y seguro. Hacía diez años, Colin lo encontró en Cambridge, superando a sus maestros en todas las asignaturas y frustrado e inquieto como un animal enjaulado al que alimentaran con carne de matadero cuando en realidad ansiaba salir de caza. Colin lo llevó a esa casa, para que lo ayudara a fundar una agencia y a realizar un trabajo por el que rara vez le daban las gracias y que nunca festejaban. Ansioso por aprovechar su inteligencia, por demostrarles a su padre y a sus hermanos que se equivocaban, Wyn aprovechó la oportunidad sin pensárselo siquiera.

—Le he encomendado una misión a Grimm. —Soltó la mano del vizconde y entró en la sala de estar, una estancia sencilla decorada con paneles de madera, con una elegancia discreta, en la que solo cabían cinco personas. Los cincos miembros originarios del club, de los cuales solo quedaban Constance y él, además de Gray. Aunque no por mucho tiempo.

El vizconde se acercó al aparador.

—¿Qué te sirvo?

—Nada, gracias.

Los acerados ojos azules de Gray apenas si acusaron ese hecho tan inusual. Se sirvió una copa y se sentó en un sillón.

—¿Qué te trae por aquí esta noche, Yale? ¿Solo los servicios de Grimm?

—La cuñada de Alex Savege, Diantha Lucas, está bajo la vigilancia del matón de un tipo muy peligroso. Necesito que Grimm la mantenga a salvo hasta que pueda avisaros de que ya ha pasado el peligro.

Gray asintió con la cabeza.

—Así que era Diantha Lucas, ¿no?

—¿A qué te refieres?

El vizconde se puso en pie y abrió una cajita que había sobre la repisa de la chimenea. De su interior sacó una hoja de papel doblada que le entregó a Wyn.

La letra que llenaba la hoja demostraba una caligrafía firme y femenina.

A la atención del secretario del Club Falcon
14 ½ Dover Street, Londres

Señor:

Pese a las dificultades a las que tuvo que enfrentarse mi agente mientras seguía al miembro de su club al que llaman Cuervo, conozco la identidad de dicho hombre. No voy a descubrirla en esta misiva por si la interceptan algunos ojos indiscretos.

Se lo digo personalmente, en vez de hacerlo de manera pública para que los ciudadanos británicos se enteren, ya que es su derecho, porque en Shropshire, junto al Cuervo viajaba una joven de alcurnia. No me interesa exponer a una persona inocente a la censura de la sociedad, solo descubrir injusticias. No deseo mancillar el nombre de la dama, pero mucho me temo que si revelo la identidad del miembro de su club, dicha dama no escapará indemne. De modo que tengo las manos atadas.

Me he sentido en la necesidad de informarle de este hecho, no solo para que sepa que aún tengo la intención de que su club quede expuesto al escrutinio público y de que sus cuentas sean inspeccionadas, sino para que sepa que mis intenciones son sinceras. Creo que usted sabe poco del honor y mucho menos de la educación. Pero tal vez su amigo, el Cuervo, sea otra clase de hombre. Confío en que sea así.

LJ

Wyn dobló la hoja de papel.

—En ese caso, no hace falta que nos andemos por las ramas. Es evidente que ya no tengo cabida aquí, pero sigo necesitando que Grimm la vigile.

Gray guardó la carta en la cajita y regresó a su asiento.

—Será su única misión hasta que dispongas lo contrario. —Cogió la copa una vez más—. Pero no es necesario que dejes el servicio.

—Me van a echar del club. Lo sé tan bien como tú. Déjame libre de una vez, tal como quieres hacer desde hace meses. —La urgencia que corría por sus venas necesitaba dar por zanjado ese tema.

—El director no tiene intención de liberarte del servicio. Eres un miembro valioso de esta organización.

—Por favor... El duque de Yarmouth es una pústula en la cara del reino y *Lady Priscilla* fue una reprimenda. —Se le desbocó el corazón—. Aunque tampoco me importó demasiado, ya que me dio la oportunidad de pasar una temporadita en Manchester, en un pabellón de caza diminuto, con un montón de putañeros sin sentido de la moda, sin dos dedos de frente y sin gusto para las mujeres. —Y la oportunidad de encontrarse con una dama muy decidida en un carruaje del servicio de correos de Su Majestad bajo la lluvia.

—Por supuesto, que quieras abandonar el club por voluntad propia es otra cuestión —dijo Gray, como si él no hubiera hablado.

Wyn clavó la mirada en la copa que el vizconde tenía en la mano.

—Nunca bromeas, ¿verdad?

—Pocas veces. —La cara de Gray seguía siendo una máscara impasible. El mentón cuadrado, la nariz orgullosa y la mirada seria eran la personificación del poderío británico—. ¿De verdad quieres bromear en este momento?

El fuego crepitó en la chimenea y en la calle, al otro lado de las ventanas reforzadas con plomo del cuartel general del Club Falcon, se escuchó el traqueteo de un carruaje al pasar.

—El director no te encomendó esta misión como un castigo, Wyn. Yarmouth pidió expresamente que fueras tú.

Wyn se quedó sin aliento. Debería haberlo imaginado, pero no tenía sentido.

—Has realizado un servicio admirable para Inglaterra. Más que admirable. Y has cometido poquísimos errores.

—Colin, sabes muy bien cuántos errores he cometido.

—Uno. —Los ojos oscuros del vizconde relucieron—. Porque este asunto de lady Justice no puede ser considerado un error. Esa mujer lleva vigilando este edificio casi tres años. Blackwood y Seton no lo han pisado en todo ese tiempo, y Constance entra envuelta en una capa, con la capucha puesta, tras llegar en un carruaje sin blasón. No me cabe la menor duda de que lady Justice también conoce mi identidad y de que solo está esperando el momento oportuno para revelársela a todo el imperio. Pero hasta que llegue ese día, seguiré trabajando. Como deberías hacer tú.

Gray lo sabía. No toda la historia, pero sí sabía lo de la muerte de Chloe. El director sabía mucho más, pero aún lo quería entre sus filas. Sin embargo, eso ya no significaba nada para él, le daban igual sus alabanzas o sus grandes planes para su futuro. Lo único importante era la seguridad de una muchacha de ojos azules.

—Colin, te lo agradezco. —Hizo una reverencia y salió del club por última vez.

Su apartamento estaba igual que lo había dejado salvo por dos detalles: antes de que su criado se fuera a su casa para pasar la noche, siempre le limpiaba las botas. Además, en la mesita situada junto a la chimenea, como de costumbre, había una licorera con brandy y una sola copa.

Wyn se quitó el abrigo y se aflojó la corbata al acercarse a la mesa. La licorera de cristal relucía a la tenue luz de la lamparita. Con manos mucho más firmes de lo que habían estado en meses, levantó el pesado tapón y el intenso aroma del licor lo envolvió. Olía muy bien. Pero no tan bien como ella. Ni siquiera se le acercaba.

Levantó la licorera y se sirvió una copa de brandy. Hizo girar el licor, deleitándose con el conocido peso de la copa en la mano, con la cálida y reconfortante expectación, con la seguridad de que esa copa, esa licorera, le daría paz.

Se llevó la copa a los labios y se bebió el brandy de un trago. Sabía a aceite para las lámparas y a un lejano recuerdo de salvación. Sin embargo, ya conocía el verdadero sabor de la salvación, y no se encontraba en el contenido de esa copa.

La esperanza que había visto esa noche en unos ojos azules, pese a la consternación y a la preocupación, le indicó que no se echaría atrás así como así. Lo creía un buen hombre, un hombre merecedor de su fiel corazón. De modo que, aunque fuera la tarea más difícil a la que se había enfrentado jamás, le demostraría por la mañana que no lo era.

27

Diantha, que no había dormido bien por culpa de la emoción, se despertó con profundas ojeras. La doncella insistió en que se pusiera rodajas de pepino y ella accedió, aunque como Wyn la había visto muchísimo peor, no le preocupaba.

Sin embargo, sonrió mientras la doncella la peinaba con esmero y le abrochaba un vestido amarillo claro de muselina con pequeños capullos de rosa bordados en las faldas. En el espejo, se veía como una dama londinense, salvo por el brillo emocionado que tenía en los ojos y que, después de haber pasado casi tres semanas en la ciudad, sabía que no era en absoluto sofisticado.

¡Al cuerno con la sofisticación! Wyn iría a verla, le pediría formalmente matrimonio y de alguna forma convencerían a Tracy para que no se comportara como un imbécil.

Serena y Alex habían vuelto a casa casi al amanecer y no bajaron a desayunar. Diantha picoteó de su comida, pero no tenía apetito salvo en lo referente al hombre al que estaba a punto de ver.

El reloj marcaba las diez y media mientras ella descosía otro punto mal dado en su bastidor, esforzándose por desentenderse de los ronquidos de la doncella sentada en un rincón, cuando se abrió la puerta y un criado anunció:

—El señor Yale.

El anuncio le provocó un sobresalto y temió que el corazón se le saliera por la boca.

Lo vio entrar con el sombrero y la fusta en una mano. Tras echarle un vistazo a la sala de estar, la saludó con una elegante reverencia.

—Buenos días, señorita.

Diantha fue incapaz de esperar a que atravesara la estancia para acercarse a ella. Se puso en pie y caminó hasta él.

—Anoche se me olvidó preguntarle, cómo están la señora Polley, Owen y *Ramsés*. Los echo mucho de menos. Parece que hace siglos que no los veo.

—Una bruja sensible. —Wyn sonrió, pero el gesto no le iluminó los ojos. La plata parecía un tanto deslustrada esa mañana. Más bien parecía tener los ojos velados—. Están tan bien como cabe que estén teniendo en cuenta que se encuentran aislados en mitad de la nada. —Arrojó el sombrero y la fusta a un sillón y tomó asiento en el adyacente, cruzándose de piernas y colocando un brazo sobre las rodillas.

Pese a la pose relajada, su porte masculino hizo que a Diantha se le desbocara el corazón. Llevaba una chaqueta negra de corte impecable, unos pantalones del mismo color y una camisa blanca, al igual que la corbata. El chaleco, sin embargo, era de seda color vino tinto.

—Tiene muy buen aspecto —comentó ella al ver que no hablaba y que, en cambio, se limitaba a inspeccionar la estancia con un leve interés, posando la mirada en la doncella del rincón y después en la puerta que seguía abierta, junto a la que aguardaba el criado—. Pues la nada parece haberle sentado bien durante estas últimas semanas.

—La vida rural y bucólica es un magnífico reconstituyente —murmuró él, que por fin la miró. Esos ojos grises se clavaron en su corpiño—. Sin embargo, prefiero con mucho la vida de la ciudad.

Diantha intentó reírse.

—No sé si estoy de acuerdo con usted. Londres es interesante, pero está abarrotado. Creo que prefiero el campo. —En el campo, no la había mirado así, de forma penetrante pero como si no la viera. Diantha miró hacia la doncella y después lo miró de nuevo para decirle en voz baja—: Deja de mirarme el pecho. Me estás poniendo nerviosa.

—Diantha, tus nervios son mis mejores amigos. Me he visto obligado a conquistarlos en más de una ocasión antes de llegar a lo importante.

Sus palabras hicieron que sintiera un nudo en la garganta.

—¿Wyn?

Él miró hacia la puerta.

—¿Tu familia está levantada?

—Todavía no, pero...

Lo vio darle unas palmaditas al brazo del sillón.

—En ese caso, le recomiendo que se apresure a sentarse aquí, señorita Lucas.

—¿En ese sillón? ¿En el que está sentado? —Ansiaba besarlo. Ansiaba rodearlo con piernas y brazos y permitirle que la llevara al paraíso como había hecho en la Abadía. Sin embargo, en esa ocasión algo no andaba bien. Tenía los ojos entrecerrados y los había clavado de nuevo en ella.

—Vamos. ¿Ahora vas a ponerte quisquillosa? No lo habría imaginado de ti, bruja. Pero algunas jóvenes se hacen las duras hasta que tienen el anillo en el dedo, sin importar lo que haya pasado antes, supongo. —Apartó la vista y en esa ocasión la clavó en la ventana al tiempo que hacía un lánguido gesto con una mano.

Diantha sintió una repentina debilidad en las rodillas y se vio obligada a aferrarse al respaldo de una silla.

—Wyn, ¿qué pasa?

Cuando volvió a mirarla y a prestarle atención, Diantha reparó en que su expresión volvía a ser la del depredador de Knighton. En ese momento, se puso en pie y, tras tambalearse levemente, le hizo una reverencia.

—Señorita Lucas, solicitó usted mi presencia esta mañana, así que aquí me tiene. —Sus labios esbozaron una sonrisa lasciva—. Suponía que después de presenciar lo dispuesta que estaba anoche, hoy me recompensaría por la espera.

Diantha se alejó con un nudo en las entrañas, imaginando que tal vez era un sueño y se despertaría en cualquier momento. Sin embargo, los sueños que había tenido esa noche habían sido maravillosos y la situación en la que se encontraba era espantosa. La doncella del rincón, que a esas alturas se había despertado, contemplaba la escena con los ojos desorbitados.

—¿Has...? —Diantha intentó hablar pese al nudo que sentía en la garganta—. ¿Has venido a proponerme matrimonio?

Wyn se echó a reír.

—Eso dije. ¿Por qué no hacerlo? —Sus ojos parecían incapaces de detenerse en un sitio, y volvieron a posarse en su pecho—. Diantha Lucas, eres una mujer muy guapa. Cualquier hombre se alegraría mucho de tenerte todas las noches en su cama.

Diantha se llevó las manos al abdomen y sintió que le ardía la cara por la vergüenza.

—Estás borracho.

—Es posible. —Enarcó las cejas y asintió con la cabeza—. De hecho, es más que probable.

—Yo... pensaba que tenías la intención de... —Le dolía. Le dolía en la boca del estómago, y era un dolor mucho más intenso que el que le habían provocado sus anteriores mentiras. Intentó perseverar, comportarse como la dama que sabía que debía ser. Debería pedirle que se marchara y que volviera cuando estuviera sobrio. Debería decirle que se marchara y que no volviera jamás. Pero no podía. Lo amaba. ¡Por Dios, lo amaba!—. Ni... ni siquiera es mediodía —logró decir.

—Les dije a los caballeros que estaban anoche en el club que eras una chica lista. Una dama capaz de llevar el paso del tiempo es digna de admiración. —Asintió y fingió estar asombrado.

—¿Estuviste hablando de mí? ¿En tu club? ¿Bebido y después de que...? —Un sollozo se le atascó en la garganta. Sin embargo, no podía llorar. No iba a llorar.

—No fue exactamente en mi club, si te soy sincero —murmuró Wyn al tiempo que esbozaba otra sonrisa—. Más bien era un... convento... francés. Sí, lo era. —Le guiñó un ojo.

Diantha soltó un sollozo desesperado.

—Vamos, vamos, querida. ¿Acaso un hombre al que se le ha negado la satisfacción de su deseo no puede buscarlo en otro sitio antes de irse a dormir? —Se encogió de hombros.

Diantha se presionó los ojos con las puntas de los dedos y descubrió que, pese a sus esfuerzos, estaba llorando.

—Esto no puede estar pasando.

Se había reprendido por encapricharse de él. Se había dicho que no era una dama lo bastante elegante como para mantenerlo interesado. Había sufrido sus mentiras y también había sufrido por todas las mentiras que había ideado ella. Y, al parecer, se había torturado y se había angustiado todos esos días en vano. Por fin se daba cuenta de la verdad. Aunque fuera demasiado tarde.

—Vamos, no llores, bruja —lo escuchó decir desde el otro extremo de la estancia—. Es normal que un hombre beba más de la cuenta cuando está con sus amigos. Si quieres, dejaré de hacerlo una vez que pronunciemos los votos. Solo lo haré los domingos, eso sí. Vamos, ¿te parece bien esa promesa? —Su voz parecía un tanto ronca.

Sin embargo, a esas alturas las lágrimas le impedían verlo con claridad.

—Lloraré si quiero —le dijo mientras buscaba su pañuelo—. Y usted se quedará ahí plantado, viéndome llorar, señor Wyn Yale —añadió, tratándolo con fría formalidad—. Me lo debe.

—En realidad, lo único que te debo es un anillo.

Diantha levantó la cabeza al punto y se limpió las frías lágrimas que le humedecían las mejillas.

—Me prometió actuar con honor, eso es lo que me debe. Pero está claro que ha fallado.

Wyn se puso en pie en ese momento con expresión inescrutable, sin dejar de mirarla.

—Para una mujer es fácil hablar de honorabilidad.

—No lo es. ¿Sabe lo que llegué a pensar de usted? Que no podía existir un hombre más caballeroso y honorable. Pero me equivoqué. —Contuvo un sollozo con valentía.

Para Wyn, la escena era una tortura.

—Me debe su persona, pero está claro que no es eso lo que me está ofreciendo. No deseo casarme con usted. Ya no. Jamás.

Lo había conseguido, pensó Wyn, alentado por la claridad mental que le había otorgado una noche en vela durante la cual se había convencido de que debía alejarla de él. Observó cómo Diantha se esforzaba por contener las lágrimas mientras ardía en deseos de contarle la verdad. Sin embargo, no había ido para eso. Había ido para cortar los lazos que tan rápidamente y con tanta imprudencia habían surgido entre ellos en el camino. Había ido para convencer al espía del duque de que no había nada entre ellos. Nada que pudiera motivar a Yarmouth a utilizarla para hacerle daño a él. No podía permitir que otra joven sufriera por su culpa. Mucho menos si se trataba de su preciosa Diantha.

No obstante, debía asegurarse de algo más antes de continuar con la charada hasta el final.

—Vamos, bruja. No te enfades. —Logró pronunciar las palabras despacio, como si le costara trabajo hablar—. Al fin y al cabo, tampoco te encuentras en estado de buena esperanza. —Señaló en dirección a su cintura, tras lo cual parpadeó varias veces y fingió que debía esforzarse para mantener la vista enfocada—. ¿Verdad?

—No. —Diantha se llevó un puño al pecho y sus preciosos ojos lo miraron echando chispas—. ¿Sabe una cosa? No creo en el amor. Al menos, no en el amor entre un hombre y una mujer. Así que no me ha roto el corazón. Pero si creyera en él, me parece que habría sido usted el hombre del que me habría enamorado. Sin embargo, acabo de comprobar que mi escepticismo está justificado, porque usted... usted no lo merece. No nos merece.

Diantha se equivocaba, pensó Wyn. Aunque no estuviera seguro de otra cosa, sabía a ciencia cierta que se equivocaba, porque se sentía embargado por la violenta necesidad de desterrar la tristeza que empañaba esos ojos azules. Él sí creía en el tipo de amor que ella desdeñaba porque era... en fin, porque ella lo había conquistado por completo. Estuvo a punto de hablar, las palabras se le agolparon en la punta de la lengua alentadas por el ansia desesperada de retirar todo lo que había dicho y de contarle la verdad. Sin embargo, apretó los dientes y la observó alejarse hacia la puerta con una mano en los labios.

Sir Tracy se encontraba en el vano de la puerta. Tras él, revoloteaban tres criados que no intentaban disimular su interés. Wyn se habría aplaudido por la perfecta ejecución de su plan de haber tenido ánimo para hacerlo. La servidumbre al completo se enteraría de la escena en cuanto él abandonara la casa. Al cabo de unas horas, las noticias llegarían a oídos del duque de Yarmouth. Y Diantha estaría a salvo.

—Yale —masculló Lucas, que tenía la cara enrojecida—, has vuelto a hacerlo.

—¡Tracy! —exclamó Diantha, abriendo los ojos de par en par—. ¿Qué has escuchado?

—No me hacía falta escuchar. —Su hermano frunció el ceño—. Tus lágrimas hablan por sí solas. ¿Entiendes ahora por qué no quería esta unión para ti? ¿Por qué no quería a este distinguido caballero? Sube a tu habitación. Hablaré contigo después de haberlo acompañado a la puerta.

—No hace falta que la destierres a la torre del campanario, amigo mío. —Wyn cogió el sombrero y la fusta, tras lo cual caminó tranquilamente hasta la puerta—. Ya me iba.

—A partir de este momento, no serás bien recibido en esta casa —masculló Lucas—. Te agradecería que lo tuvieras muy presente.

—A su servicio, señor. Señorita... —Hizo una torpe reverencia, se colocó el sombrero, si bien le quedó un poco torcido, y salió a la calle en busca de su caballo, que lo llevaría a un futuro sin ella. A un futuro que comenzaba a esperar que fuera breve.

Diantha se abrazó por la cintura, totalmente entumecida. Apenas fue consciente de que Tracy despachaba a los criados y cerraba la puerta de la sala de estar.

—Hermanita, no permitas que ese canalla...

—Las cosas que ha dicho... —Cosas hirientes. Si fuera cualquier otra persona, habría sospechado que trataba de hacerle daño.

—Ven, siéntate —dijo Tracy al tiempo que la conducía hasta el sofá—. Bebe un poco de té.

Diantha le rodeó una muñeca, haciendo que el té se derramara sobre sus faldas.

—Tracy, ¿cómo suelen comportarse los hombres cuando están borrachos?

—De forma vulgar. Algunos se comportan como brutos. Otros, como imbéciles. Y luego hay otros que se sumen en el silencio, como nuestro padre.

—Como nuestro padre. —Al igual que le sucedía a su padre,

Wyn había sido incapaz de resistir la tentación de la botella. ¿Tendría ella la culpa? ¿Lo habría invitado a empinar el codo al tocarlo en el jardín, como hiciera aquella noche en la posada, y al suplicarle que la acariciara cuando él intentaba comportarse como un caballero?

No. Era imposible. Se había mantenido alejado del alcohol por ella desde que partieron de Knighton. Lo había hecho por ella. Había dejado de beber para garantizar su seguridad. Su padre había sido un hombre bueno, pero débil, desilusionado por las críticas y las objeciones de su mujer. Pero Wyn era un hombre fuerte.

¿Por qué lo había hecho?

Tal vez porque... ¿porque ella no lo merecía?

Eso no era cierto. La voz de su madre ya no le recordaba constantemente sus defectos. Y, por el amor de Dios, ¿por qué se había empeñado en oír de nuevo su voz? ¿Acaso había imaginado que hablar con su madre cambiaría las cosas? La que había cambiado era ella. Había dejado de ser la niña que su madre dejó atrás hacía cuatro años.

—¿Di? —Tracy le acercó de nuevo la taza de té.

Ella se puso en pie y corrió hacia la ventana. Delante de la casa había un niño, un mozo de cuadra, sujetando las riendas de *Galahad*. El enorme animal estaba muy atento a su dueño, que se encontraba a pocos pasos, junto a un carruaje cerrado tirado por cuatro magníficos tordos. La portezuela del carruaje, adornada con un blasón, estaba abierta, si bien nada se veía del interior, salvo las sombras.

—Diantha... —Tracy se acercó a ella—. Si estás pensando que Yale es como nuestro padre, te equivocas. Padre hizo todo lo que pudo por nosotros antes de morir.

Sir Reginald Lucas fue un borracho silencioso, que no gritaba, ni se entregaba al desenfreno. Al contrario, siempre estaba exhausto y triste. Wyn había hecho gala de un gran comedimiento, la verdad. De una gran disciplina. Durante el camino, jamás había gritado ni había protagonizado numerito alguno. Además, nunca había sido cruel con ella. La única vez que se sintió amenazada fue la noche de Knighton, cuando se percató de la oscuridad que rondaba sus ojos y de la desesperación de sus caricias. Pero después él le aseguró que no pretendía asustarla. Se había comportado así acicateado por el deseo.

En ese momento, vio que un brazo musculoso surgía del carruaje y agarraba a Wyn de un hombro. Él se zafó de dicha mano, tras lo cual subió al vehículo, que se puso en marcha al punto. Diantha lo siguió con la mirada hasta que dobló la esquina.

—No me digas que esperas que regrese —comentó Tracy, que estaba detrás de ella—. Porque aunque lo haga, le negaré la entrada.

En la calle, el niño estiró un brazo para acariciar el cuello negro de *Galahad* y el purasangre se inclinó, contento con la caricia.

—Hermanita, tengo noticias que te harán olvidar a ese sinvergüenza. —Tracy cambió el peso del cuerpo de un pie a otro antes de clavar la vista en la calle—. Es sobre nuestra madre. Es que... está aquí, en Londres.

En un primer momento en el que fue incapaz de respirar, Diantha reflexionó sobre la cruel ironía de descubrir que amaba a un hombre al que había perdido pocos minutos antes de descubrir que podía ver de nuevo a la madre que jamás la había amado. Francamente, era casi insoportable.

—¿En Londres? —repitió con un hilo de voz—. Pero pensaba que estaba en Francia. Quiero decir, que papá dijo algo al respecto.

—Bueno, esa es la cuestión. Que no sé si nuestro padrastro está al tanto de su presencia en Londres. —Tracy se frotó el mentón—. Si mamá se lo hubiera dicho, él habría alertado a las autoridades.

—¿¡A las autoridades!? ¿Qué quieres decir? ¿Se supone que no debe pisar Inglaterra?

Tracy la miró con los ojos de par en par.

—Pensaba que lo sabías.

—¿El qué?

—El problema que tuvo con la ley hace cuatro años.

—¿Con la ley? —preguntó Diantha, boquiabierta—. Tracy, ¿mamá está en el exilio? ¿Por eso se marchó?

—Por eso y porque Carlyle le dijo que no pensaba mantenerla más —respondió su hermano con tirantez—. No después de lo del contrabando.

—¿Contrabando? ¿Mamá? ¿Por qué no me has contado antes todo esto?

Tracy meneó la cabeza.

—Todo el mundo lo sabe.

—¡Menos yo, porque no me lo habías contado!

—Suponía que lo había hecho Serena, o que lo habías leído en el periódico y no te apetecía hablar del tema.

Diantha se dejó caer en el sillón que Wyn había ocupado pocos minutos antes.

—No lo sabía —susurró—. No deseaba enterarme. —Al parecer, era un día de dolorosos descubrimientos.

La baronesa había repetido hasta la saciedad que Diantha era una niña desobediente, que no era lo bastante decorosa ni lo bastante guapa. No obstante, la peor crueldad que le había infligido su madre, la crueldad que solo conocían el ama de llaves y Teresa, la había descubierto hacía tan solo dos años y ni siquiera había tenido el valor de contársela a Wyn, pese a todo lo que él le había contado sobre sí mismo. Quería ir a Calais a hablar con ella precisamente para echárselo en cara, para decirle que estaba al tanto de la mentira y que había logrado superarla. Sin embargo, no se habría empecinado en hablar con ella de haber sabido que su familia habría podido salir perjudicada al restablecer el contacto con su madre. Jamás le había preguntado a nadie el motivo por el que la baronesa se había marchado. Jamás.

Wyn no era el único que había mentido. Ella se había mentido a sí misma. Una y otra vez.

—¡Ay, Tracy! —Se cubrió la cara con las manos—. Nada de esto ha salido como planeaba.

—Bueno, no es el momento para tratar ese tema. De todas formas, se marcha esta misma noche a Francia y no creo que vaya a regresar en el futuro. Así que ¿quieres verla o no?

Diantha asintió con la cabeza. Tenía la boca seca.

—Muy bien —dijo su hermano con tirantez—. Será mejor que me encargue de arreglarlo todo. Volveré a por ti antes de la cena. Pero, escúchame bien. No se lo digas a Serena. Esto quedará entre tú y yo, ¿de acuerdo?

Diantha miró a su hermano a la cara y vio inseguridad y debilidad. Al fin y al cabo, era hijo de sir Reginald. No se parecía a Wyn, por más que ella intentara comprenderlo.

—No se lo diré.

Wyn tampoco sabría que había encontrado a su madre. Nunca quiso llevarla a Calais. Tal vez hubiera estado al tanto de la cuestión del exilio, como al parecer lo estaba todo el mundo. Así que era lo mejor. Era mejor que no supiera más de ella, y que ella no supiera más de él.

Sin embargo, su dolorido corazón se negaba a asimilarlo.

28

El carruaje con el blasón aristocrático que había visto en la calle atormentó a Diantha durante el resto del día. En el salón, después de salir a dar un paseo por el parque con los niños, deambuló e intentó convencerse de que no se dirigía a la ventana, pero una vez allí pegó la nariz al cristal y escudriñó la calle. El mozo de cuadra estaba sentado en unos escalones, dos casas más abajo.

—Serena, creo que me he dejado los guantes en el carruaje.

Serena estaba ocupada escribiendo una carta.

—Pídele a John que vaya a buscarlos.

—Oh, seguro que está sacándole brillo a la plata o algo así. —Se dirigió a la puerta a toda prisa—. Iré yo. —Atravesó el pasillo a la carrera. El criado se encontraba en el vestíbulo. Lo miró con una sonrisa deslumbrante antes de llevarse un dedo a los labios—. No me alejaré mucho, John —le susurró antes de salir por la puerta.

John se quedó en los escalones, observándola mientras corría por la acera.

El niño alzó la vista. Tenía una reluciente moneda entre los dedos. Se puso en pie de un salto y se quitó la gorra.

—Buenos días, señorita. —Apenas tendría ocho o nueve años, y estaba tan bien aseado y vestido como todos los criados de la casa de Serena.

Lo miró con una sonrisa.

—¿A qué juegas con esa moneda?

El niño adoptó una expresión ansiosa.

—Ah, no quiero quitártela —lo tranquilizó—. Es que te he visto jugando y me he preguntado cómo se llamaba el juego. Me encantan los juegos de manos. —Y las mentiras, como la que le había contado a Serena cuando le dijo que iría a casa de lady Emily esa tarde de modo que pudiera hacerle una visita secreta a su indecente madre.

El niño se relajó y volvió a hacer girar la moneda entre sus dedos.

—Verá, señorita, este juego es bueno para lo que llaman «agilidad» —dijo asintiendo sabiendo de lo que hablaba.

Ella se recogió las faldas y se sentó en los escalones.

—¿Me enseñas?

El niño extendió la mano y la moneda comenzó a saltar de un dedo a otro como si tuviera vida propia, pasando por encima de sus nudillos tres veces antes de que cayera al suelo con un tintineo. El niño frunció el ceño.

—Todavía no le he pillado el truco.

—Estoy segura de que pronto se lo pillarás. ¿Acabas de aprenderlo?

—El caballero que vino a la casa de milord esta mañana me lo enseñó antes de dejarme al cargo de su caballo. —Miró la moneda con expresión inquieta una vez más.

—No parece que estés muy contento con ella. ¿No es bastante por cuidar de un caballo?

El niño frunció tanto el ceño que se le arrugó la frente.

—Oh, no, señorita, es más que suficiente. Es que cuando el caballero se fue, dejó aquí a su caballo. Es un buen caballo, señorita, de lo contrario no me preocuparía.

—¿No ha vuelto para recogerlo? —Muy a su pesar, empezó a retorcer los dedos en su regazo.

—No, señorita. Lo llevé a los establos y dejé que el viejo Pomley se encargara de él. Es un animal demasiado bueno para tenerlo mucho tiempo esperando, sobre todo porque el caballero dijo que solo tardaría un cuarto de hora.

«Un cuarto de hora.» Tiempo de sobra para proponerle matrimonio, una proposición que ella rechazó, antes de meterse en un carruaje con blasón y marcharse. Sin su caballo.

El pánico le formó un nudo en el estómago.

—Humm, me pareció ver el caballo antes. Sí que es bonito.

—Y fuerte. Podría ser de carreras, pero no tiene el temperamento necesario para la pista. O eso ha dicho el caballero. —El muchacho meneó la cabeza con gesto apesadumbrado.

—¿Te importaría enseñármelo?

El niño se puso en pie de un salto. Diantha lo siguió por el callejón que llevaba a los establos con los nervios tan a flor de piel que ni se molestó en esquivar los charcos que había por el camino hasta llegar al lugar que el encargado le había asignado a *Galahad*. El caballo, que comía de un cubo de avena, volvió la cabeza para mirarla.

Sintió una repentina impotencia. Wyn no dejaría a *Galahad* de esa manera en circunstancias normales. Claro que tal vez estuviera demasiado borracho como para que le importase. O tal vez los hombres del carruaje eran amigos suyos y se lo habían llevado para seguir bebiendo o para visitar otro «convento francés» en el que disfrutar.

Se llevó las manos a las mejillas. No. Ni siquiera en esas circunstancias. Esa negligencia no era típica de él. Se negaba a creerlo. Aunque debía hacerlo. No tenía motivos para no creerlo, salvo la ingenua esperanza que había albergado en su corazón desde el preciso momento en el que lo vio en el carruaje del servicio de correos de Su Majestad. Era una imbécil de órdago.

A la postre, a Wyn se le pasaría la borrachera y recuperaría a *Galahad,* y ella tendría que resignarse a encontrarse con él en eventos sociales de vez en cuando. Pero después del encuentro de esa noche con su madre, en su futuro no habría más planes impulsivos. Esa parte de su vida debía desaparecer. De ella debía resurgir una mujer nueva, más triste pero también más sabia gracias a lo que había aprendido acerca de ella misma y acerca de un hombre.

Cuando Tracy fue por fin a buscarla a las siete y media, Diantha tenía los nervios a flor de piel. Recorrieron en silencio las calles iluminadas por las farolas y llenas de carruajes. A la postre, se apearon en una estrecha calle secundaria. A menos de cien metros de distancia, los mástiles de los barcos se alzaban hacia el cielo, y las carretas cargadas de mercancías se movían de un lado para otro, envueltas en la bruma que ascendía desde el suelo a medida que la noche se iba enfriando.

—Los muelles —dijo su hermano—. El barco de nuestra madre parte en una hora de allí.

—¿De noche?

Su hermano se encogió de hombros como si quisiera negar que su madre era una criminal que escapaba al amparo de la noche. A través de las puertas que daban a la calle les llegaba el ruido de risas y de música. Los hombres entraban y salían de los edificios, hombres de aspecto rudo, caras curtidas y ropa ajada. Marineros, supuso ella. Una mujer se quitó la capucha de su capa al entrar en un establecimiento, y el color chillón de su pelo y de sus mejillas resultó grotesco a la luz de las antorchas. Era un mundo muy alejado de Devon, incluso muy alejado del camino que recorrió por Shropshire y Gales. Diantha no sentía esa incomodidad al entrar en un mundo extraño, en un mundo peligroso, desde que se subió al carruaje del servicio de correos de Su Majestad, justo antes de que deseara que apareciese un héroe y obtuvo a un galés de pelo oscuro.

Sin dejar de mirar a derecha y a izquierda, Tracy la condujo a una puerta. La abrió un hombre calvo de mediana edad, ataviado con un chaleco rojo en el que tenía enganchados los pulgares.

—Vaya, vaya —dijo el hombre con una sonrisa—. Pero qué palomita más guapa.

—Mi hermana no es asunto tuyo, Baker —le espetó Tracy—. Si le dices a mi madre que salga, estaré encantado de no decirle a Savege que se encuentra en la ciudad.

El señor Baker se agarró la barbilla con gesto pensativo.

—Bueno, señor, su madre puede que esté un poco indispuesta para recibir vistas.

—Mejor que no lo esté. Le dije esta tarde que vendríamos.

El señor Baker señaló la escalera.

—Ustedes mismos. —Miró a Diantha—. Pero no creo que a esta damita le guste la delicada sensibilidad de su madre.

Tracy se puso colorado. Se volvió hacia ella.

—Subiré y le diré que estamos aquí.

Ella asintió con la cabeza y vio cómo su hermano subía la escalera.

El señor Baker la recorrió con una mirada lenta, desde la coronilla hasta los pies. El hombre ensanchó la sonrisa. Ella se arrebujó más en la capa y se acercó a la estrecha ventana que había junto a la puerta. Por la calle, envuelta en la bruma, pasó una carreta, seguida de un destartalado coche de alquiler, varios jinetes y otros transeúntes, mientras ella sentía las manos cada vez más frías y húmedas. Cerró los ojos y tras los párpados vio un carruaje con un blasón y un caballo negro sin jinete.

Abrió los ojos de golpe. Necesitaba un plan, algo que la distrajera para no pensar en Wyn a todas horas.

Se le formó un nudo en la garganta. A menos de veinte metros de ella, un hombre pasó bajo la luz de una farola. Un hombre muy corpulento ataviado con un gabán y un sombrero, pero cuyo pelo negro, mentón cuadrado y tamaño eran inconfundibles.

Aferró el pomo de la puerta.

—Un momento, señorita —dijo el señor Baker—. ¿Adónde cree que va?

—No tengo tiempo. —El corazón se le desbocó al tiempo que sus manos resbalaban sobre el pomo.

—Su hermano bajará enseguida con su madre.

—Dígale... dígales que volveré enseguida. —Abrió la puerta.

La cogió del brazo.

—Un momento, señorita.

Lord Eads desapareció tras un grupito de personas que había calle arriba. Se volvió.

—No. Dígale a mi hermano que no puedo verla. Que he cambiado de opinión. Veo que un carruaje de alquiler se ha quedado libre ahora mismo. Le diré que me lleve de vuelta a casa de mi amiga, donde se suponía que iba a estar esta noche. No puedo ver a mi madre ahora. —El corazón se le iba a salir por la boca.

—No volverá a tener otra oportunidad. Su madre y yo nos vamos en una hora.

—Yo... lo sé. Lo sé. —Se soltó y abrió la puerta de par en par.

Se internó en el tráfico mientras la asaltaba el hedor a pescado y a heces de animales, pero le daba igual. Sus sentidos por fin habían vuelto a la vida tras horas de entumecimiento. Las faldas le entorpecían la marcha, de modo que la ancha espalda del escocés desapareció pronto de su vista.

Dos hombres le silbaron desde un portal.

—¡Hola, preciosa! Vente para acá. Te daremos un buen revolcón. —Uno de los hombres se abalanzó sobre ella y la cogió del brazo.

—¡No! —Se debatió—. ¡Suélteme!

Lord Eads se detuvo y se volvió, y a Diantha casi se le salió el corazón por la boca.

En un abrir y cerrar de ojos, el escocés estaba sobre ellos y apartó a su acosador de un empujón.

—¿Es que tu madre no te ha enseñado a tratar a una dama, desgraciado? —Clavó su mirada encendida en ella mientras el malhechor retrocedía—. ¿Y a ti nadie te ha dicho que no debes corretear por las calles de noche, muchacha?

—No, he vivido siempre en la oscuridad. Pero ahora usted debe rectificar esa situación. —Presa de los temblores, se agarró a su fuerte brazo—. ¿Dónde está? ¿Le ha hecho daño? Tiene que decírmelo, porque de lo contrario me moriré. Y no estoy siendo melodramática. No tengo palabras para describir lo que siento en el pecho. Es la peor sensación que he experimentado en la vida. Llevo todo el día intentando fingir que no la siento, pero es inútil. ¿Le ha hecho daño? Si no... Ay, Dios, por favor, que no se lo haya hecho... Pero ¿dónde está?

Lo vio fruncir el ceño.

—No le he hecho daño, muchacha. Pero tampoco sé dónde está.

—Necesito saber la verdad —le rogó—. Si sabe que solo está emborrachándose con sus amigos en otra parte, tendré que aceptarlo. Pero esta mañana se marchó de un modo muy raro, en un carruaje con un blasón en la portezuela y los cuatro tordos más espectaculares que he visto en la vida, y dejó atrás su caballo. No es típico de él, y me doy cuenta de que...

—¿Has dicho cuatro tordos?

A Diantha le dio un vuelco el corazón.

—¿Los reconoce?

—Sí, muchacha. —Tenía el ceño muy fruncido.

—¿Sabe...? —Se quedó sin respiración—. ¿El duque?

Él asintió con la cabeza.

Le clavó los dedos en el brazo.

—Se lo ruego: dígame dónde puedo encontrarlo.

—No puedo. —Negó con la cabeza—. Me cortaría el cuello.

—¿El duque?

La miró como si fuera tonta.

—¡Dígame adónde se lo ha llevado el duque! Se lo ruego.

El escocés guardó silencio un momento, un silencio durante el cual los ruidos de la calle resonaron a su alrededor, en el callejón medio iluminado por las antorchas. A la postre, lo vio asentir con la cabeza.

—Iré a ver qué se puede hacer y luego te informaré.

—No. —Lo agarró del brazo—. Tiene que llevarme con usted.

—No, muchacha.

—No voy a aceptar un no por respuesta. No me separaré de usted.

El escocés miró a su alrededor.

—¿Qué hacías aquí sola?

—Buscaba la verdad. De nuevo. Pero tiene que llevarme con él. Quiero ayudarlo. Necesito ayudarlo. Si fuera una de sus hermanas, lo entendería, ¿verdad?

El escocés la miró desde su enorme estatura. Por segunda vez en muchísimos años, Diantha rezó.

A pesar de que llevaba mucho tiempo trabajando para el gobierno y, brevemente para un mandamás de los bajos fondos como Myles, Wyn se sorprendió al descubrir que un aristócrata tenía una mazmorra, en la ciudad, en el oscuro sótano de una casa medieval, donde en ese momento se encontraba encadenado a una pared con grilletes en las muñecas. Dado su estado actual, también le costaba convencerse de que había tomado la decisión correcta al subir al carruaje ducal por propia voluntad. Le habían quitado el cuchillo. De hecho, lo había entregado sin oponer resistencia. Tenía la cabeza entumecida y el corazón destrozado por la farsa que había interpretado delante de Diantha;

tanto era así que no había pensado en lo que hacía cuando la portezuela del carruaje se abrió y uno de los esbirros del duque gritó: «Entra o te pego un tiro en el corazón.» Dado que no le apetecía morir desangrado en la acera delante de la casa de Diantha, había accedido. Al fin y al cabo, un hombre merecía cierto orgullo y la brujilla se merecía algo mejor.

Un guardia que dormía en un rincón a pierna suelta y roncaba llevaba las llaves colgadas del cinturón. Wyn había intentado engatusarlo, incluso intentó sobornarlo, para conseguir dichas llaves. También ejecutó un repentino movimiento con los brazos cuando el hombretón se acercó, pero eso solo le valió moretones en las muñecas y una brecha tan larga como Piccadilly en un lateral de la cara. Tal vez no fuera tan larga, pero había sangrado bastante. Se sentía un poco mareado y tenía la boca como la suela de un zapato. Aunque tenía claro que si se hubiera presentado en Yarmouth, a esas alturas también estaría encadenado. Al menos, de esa forma le había ahorrado a *Galahad* el viaje.

Carraspeó.

—¿Me habéis estado siguiendo mucho tiempo antes de recogerme?

El guardia se despertó sobresaltado y se frotó los ojos.

—Desde anoche.

—¿Solo desde ayer por la noche?

Recibió un gruñido por respuesta.

—Ah. El duque solo debe de confiar en vosotros para las tareas sucias. Qué humillante para ti.

Otro gruñido, en esta ocasión de enfado.

—¿Qué dices?

—Rufus estaba persiguiendo fantasmas —masculló el hombretón—. Le dijo a Chopper que la muchacha no era nada. No para un tipo tan presumido como usted.

A Wyn le dio un vuelco el corazón.

—Admito que no termino de entenderlo. Tu compinche, Rufus, te falló a ti, a Chopper, y tal vez al duque, en una tarea que tenía que ver con capturarme, ¿es eso?

El gigantón asintió con la cabeza, hirviendo de indignación.

—Y ahora, ¿quién se ha largado más contento que unas castañuelas y me ha dejado aquí tirado? —Frunció el ceño.

—Supongo que Rufus.

El hombretón asintió con la cabeza, pero volvió a guardar silencio.

Por lo que Wyn dedujo con bastante satisfacción que Rufus, el empleado del duque que había estado vigilando la casa de Savege desde dentro, había recibido la paga y había dejado el servicio del duque horas atrás. Rufus se había tragado la estratagema de Wyn y Yarmouth lo había despachado. Diantha estaba a salvo.

Se escucharon pasos en la escalera y entró otro hombre.

—Ah, has vuelto pronto —dijo Wyn—. Dado que desapareciste tan rápido tras ese encantador paseo en carruaje, empezaba a echarte de menos.

Ese tipo no era tan grande como el otro guardia, aunque tenía muchas cicatrices. Había ganado combates brutales. Si Wyn tuviera las manos libres, tal vez podría derrotarlo a él solo. Incluso a ambos, siempre que contara con su cuchillo.

—Quiere verte.

Lo llevaron escaleras arriba, atravesando un pequeño descansillo, tras lo cual el guardia de menor tamaño abrió una puerta situada en la planta alta. El hedor de la descomposición le asaltó las fosas nasales. Mal iluminada, la estancia era una fortaleza, con ventanas amuralladas, tapices flamencos y una enorme cama con dosel, cuyas cortinas estaban adornadas con cordones dorados y borlas. En una mesa junto a la cama había una bandeja de plata con platos llenos de una comida que nadie había tocado. En la silla situada junto a la mesa se sentaba, encorvada, una mujer delgada de edad indefinida, oculta por una capa negra y un velo. La mujer no alzó la vista cuando los guardias instaron a Wyn a acercarse a los pies de la cama, pero se puso en pie para recoger las cortinas.

El hedor de la muerte lo sacudió con fuerza. Desde las sombras, el espectro de un hombre con una larga melena canosa, muy espesa pese a las circunstancias, lo miraba con ojos enormes y hundidos por la oscuridad. Tenía la cara llena de pústulas rojas tan grandes como una moneda de seis peniques, y algo humedecía su camisa de dormir, tiñéndola de rosa, bajo la bata de terciopelo.

En el castillo de Yarmouth, Wyn había visto el retrato de un duque, era el retrato de un hombre de mediana edad, alto, delgado, de planta aristocrática, con una barbilla pequeña, los ojos redondos y los hombros estrechos que resaltaban más por la pose indolente en la que apoyaba un codo en el busto de un emperador muerto hacía siglos. Calígula, seguramente.

El monstruo que había delante de Wyn se parecía muy poco al aristócrata del retrato.

—Excelencia, le haría una reverencia, pero estos caballeros me han atado muy fuerte. Ah... Un momento... —Ladeó la cabeza con gesto pensativo—. No, no se la haría aunque pudiera. —Se encogió de hombros y los grilletes se le clavaron en las muñecas.

El duque asintió con la cabeza y la mujer apartó todavía más las cortinas. Un par de pistolas de duelo descansaban a los pies de la cama, muy bien dispuestas sobre el cobertor de satén, aunque aún estaban en su estuche.

Wyn sintió un nudo en la garganta.

—Vaya —comentó como si nada—, quiere zanjar este asunto de un modo caballeroso. —«Curioso», pensó. Yarmouth no parecía capaz de levantar la mano siquiera, mucho menos de empuñar un arma.

—La se... segunda... —La voz del anciano sonó ronca, por falta de uso, pero también por la enfermedad.

Tal vez fuera sífilis, a juzgar por las pústulas. De ser así, la criatura sumida en esa cama llevaba sufriendo bastante tiempo.

Wyn enarcó una ceja.

—¿La segunda?

—La segunda... es... —La corbata de Yarmouth se estremeció—... por si falla con la primera.

Eso sí que no se lo había esperado. En los ojos del duque vio la locura. Locura, sí, que tal vez ya lo afligiera cuando violó y torturó a su joven pupila, Chloe Martin, una muchacha que apenas tenía dieciséis años cuando Wyn la encontró mientras huía de su tutor legal después de escapar de él. Locura causada por la enfermedad o tal vez solo aumentada por esta.

—Dada la hospitalidad que me han ofrecido hoy, supongo que no va a pagarme por este asesinato, como sucedió la última vez —repuso con voz lacónica—. Así que le pido que me informe de sus propósitos, Excelencia. Si puede.

—Quiero que me... mate.

—Si me dan una de esas pistolas, le dispararé al hombre que tengo a mi izquierda en la rodilla. Si me dan la otra, le dispararé a este otro tipo de la misma manera. Por supuesto, sería una tontería no hacerlo.

Un brillo salvaje iluminó los ojos de Yarmouth.

—Lo contraté para... matar... a una...

—Espía francesa. Cierto. Y como me creía muy listo, acepté gustoso la proposición, claro que eso fue antes de que descubriera que la supuesta espía eran tan francesa como usted y como yo, y que en realidad se trataba de una muchacha con la que había practicado sus fantasías depravadas hasta dejarla tan herida que apenas si podía correr. Sin embargo, encontró el valor de huir de usted. La voluntad humana es increíble, ¿no cree?

Unos dedos llenos de heridas se aferraron a la ropa de cama.

—¡Máteme!

—¿Para darle el gusto? ¿Y matar dos pájaros de un tiro? ¿Acabar con su mísera existencia al mismo tiempo que me condena a una muerte segura por desafiarlo hace cinco años? Por intentar desafiarlo, en realidad.

—Su carta... Ju... juró... —El duque sacudió la cabeza, presa de unos temblores incontrolables.

—Juré que lo mataría la próxima vez que lo viera —convino Wyn—. Por haberme tendido una trampa para acabar matándola. Por mentirme. Por... —Ya no pudo contener la rabia por más tiempo—. Estaba bajo su protección. Era una niña. Que le fue entregada para que la protegiera después de la muerte de sus padres. En cambio, le hizo daño. —Tenía apretados los puños y los grilletes se le clavaban en la piel.

—La vanidad... le jugó una mala pasada. —Esbozó una sonrisa retorcida—. La mató.

Por accidente. Un mensaje enviado al duque, ya que Chloe se ofreció como cebo voluntario para atraer a Yarmouth mientras Wyn esperaba agazapado en un callejón a medianoche, con mano firme pero la cabeza llena de brandy. Y Chloe salió por la puerta en primer lugar... desviándose del plan.

Cómo se había reído el duque. Sus carcajadas resonaban por ese callejón oscuro del infierno mientras se alejaba sin haber sufrido daño alguno.

Semanas más tarde, tras salir del olvido en el que se había sumido la noche después de que Jin lo ayudara a darle sepultura al cuerpo, Wyn le mandó una carta al duque. Después, tras cinco años esperando su oportunidad para acceder a la fortaleza impenetrable de Su Excelencia, *Lady Priscilla* le había proporcionado dicha oportunidad para cumplir la promesa que le había hecho a Chloe Martin mientras la muchacha yacía moribunda en sus brazos.

—El caballo era otra mentira, ¿verdad? *Lady Priscilla* era su coartada para obligarme a hacer su voluntad una vez más. Quiere morir y acabar con su sufrimiento, pero no tiene el valor de hacerlo solo. Dado que intenté desafiarlo hace cinco años, voy a tener el honor de apretar el gatillo una vez más, ¿no?

Observó el rostro demacrado de Yarmouth, con una claridad que nacía tanto de la rabia como de la satisfacción, y reconoció en ese momento sus propios pecados. No debería haberle hecho daño a Diantha. Decidida como estaba, incluso ansiosa, a confiar en él esa mañana, tal vez habría accedido a obedecerlo si le hubiera explicado el peligro que corría. Tal vez hubiera hecho caso por una vez y lo habría ayudado, manteniéndose a salvo.

—No hay mayor honor que el hecho de que te confíen la seguridad y la felicidad de una mujer —dijo en voz baja.

Un jadeo apenas perceptible, casi un suspiro, brotó de la mujer cubierta por el velo que seguía en la silla. Pero Wyn no apartó la mirada del duque.

—Es usted un hombre retorcido, Excelencia. Se merece padecer esta miseria hasta que la locura lo consuma por completo. Porque me niego a ayudarlo. —No cuando por fin había descubierto la tragedia de la mentira. No cuando por fin había saboreado la vida.

—Se rebeló contra mí. —Las palabras fueron pronunciadas en voz baja, apenas un jadeo procedente de los labios de Yarmouth—. La querida Chloe... luchaba... cada vez. —La boca adoptó una mueca de placer, y sus ojos relucieron.

Wyn le dio la espalda.

—Sácame de aquí —le dijo al guardia.

Chopper miró la cama, envuelta en la oscuridad.

Wyn no supo si el duque dio su permiso o si sus guardias ya no soportaban estar en presencia de su jefe, tal como le pasaba a él. Lo empujaron hacia la escalera, y mientras lo llevaban hacia su incierto destino, pensó en Diantha... a salvo. Incluso sonrió.

No le había hecho caso. Si se lo hubiera contado todo, no le habría permitido esconderla para garantizar su seguridad... no de nuevo, no después de la Abadía. Habría insistido en ayudarlo y a esas alturas estaría allí, prisionera del duque, como él. En cambio, estaba a salvo en casa de Savege, con Grimm montando guardia para estar más seguros.

Llegaron al descansillo que había justo encima del sótano justo cuando se abría la puerta y entraba el escocés que la noche anterior le aseguró que ya no trabajaba para el duque de Yarmouth.

Y detrás de Duncan, apareció Diantha.

Con los ojos abiertos de par en par, algunos mechones escapados del bonete torcido, dos rosetones allí donde deberían estar sus hoyuelos, amordazada con un trozo de tela y las muñecas atadas con una cuerda, lo miró y su cuerpo se quedó laxo.

Duncan la pegó a su costado.

—¿Qué pasa aquí? —Chopper frunció el ceño—. ¿Has traído a tu palomita aquí, Donnan?

—¿Te parece una mujer de esas, imbécil?

El hombretón empezó a babear.

—¿Vas a dejar que nos divirtamos un poquito, amigo?

Duncan clavó la mirada en Wyn.

—No, muchachos. La muchacha está aquí para el placer de Su Excelencia.

29

Diantha sintió una arcada. Sabía que el propósito de la mentira era desconcertar a los rufianes del duque a fin de que bajaran la guardia, pero la mera idea le resultaba repugnante. Tragó saliva para librarse del amargor de la bilis en la medida que se lo permitía el trozo de tela arrancado de sus enaguas que llevaba metido en la boca, y se recobró del fingido desmayo. Comenzó a forcejear para enderezarse entre los brazos de lord Eads, intentando en todo momento no mirar a Wyn. Si lo miraba, si lo miraba de verdad, acabaría desmayándose en serio.

Grilletes de hierro. ¡Sangre! Ardía en deseos de arrancarles los ojos a esos rufianes con sus propias manos.

Logró entornar los párpados y gimió, tras lo cual meneó la cabeza a fin de interpretar el papel que lord Eads le había asignado en el carruaje de alquiler en el que habían recorrido las calles a toda prisa para llegar a esa casa.

—Maldito seas, Eads. —La voz de Wyn apenas parecía humana.

El rufián más corpulento la miró de arriba abajo, como si ella fuera la cena.

Sin embargo, el otro pareció recelar.

—A ver, Donnan. —Meneó la cabeza—. El duque no está...

Y, en ese momento, se produjo un estallido de violencia masculina en el pequeño descansillo entre los dos estrechos tramos de escalera. Wyn se abalanzó con todas sus fuerzas sobre el hombre que tenía a su izquierda, logrando desestabilizarlo, ya que se encontraba al borde de un escalón. El tipo trató de mantener el equilibrio agitando los brazos. Lord Eads protegió con su cuerpo a Diantha, colocándose entre ella y el rufián corpulento que en ese momento se lanzaba a por Wyn. Diantha trató de mantener el equilibrio mientras se quitaba las cuerdas de las muñecas y se sacaba la tela de la boca. Lord Eads se abalanzó sobre su oponente al tiempo que el otro recuperaba el equilibrio y atacaba a Wyn. Diantha gritó. Se escuchó el tintineo de los grilletes y con un ágil movimiento, Wyn saltó sobre la cadena y la utilizó para rodearle el cuello al maleante. El oponente de lord Eads gritó y cayó contra la pared, llevándose las manos al cuello. La sangre manaba de entre sus dedos. Al final, su enorme cuerpo acabó desmadejado en el suelo. El otro rufián también gritó y después jadeó. Ya no tenía la cadena en torno a los hombros, sino en torno al cuello.

—¡No lo mates! —chilló Diantha.

—No voy a matarlo —dijo Wyn con voz áspera, justo antes de que el tipo cayera a la escalera entre el tintineo de los grilletes. Después, se volvió hacia ellos y sus ojos plateados miraron a lord Eads echando chispas—. Pero voy a matarlo a él.

Diantha se alejó de la puerta.

—Lord Eads no...

En el piso superior, envuelto en las sombras, se escuchó un portazo. Los hombres alzaron la vista. Cuando sus miradas se encontraron, los ojos azules lanzaron un desafío a los grises.

—Permíteme —dijo lord Eads.

Wyn asintió con la cabeza y se arrodilló junto al rufián que seguía sangrando. Los grilletes tintinearon de nuevo. Lord Eads se apresuró a subir la escalera.

Diantha dio un paso al frente.

—Pero, ¿qué va a...?

Wyn la agarró por la muñeca y tiró de ella hacia la puerta. A su espalda quedaron los grilletes, asegurados en torno a las manos del rufián más menudo. La niebla había hecho acto de aparición y había convertido el callejón trasero de la casa del duque en un resplandeciente y misterioso camino que parecía sacado de un cuento de hadas. Wyn tiró de ella, clavándole los dedos en la muñeca mientras Diantha se esforzaba por mantener el paso.

No protestó. Jamás había visto en los ojos de Wyn una expresión tan furiosa como la que lucía poco antes. Tampoco había visto morir a un hombre antes.

Sus rápidos pasos reverberaban de forma espeluznante a lo largo del callejón que llevaba hacia el establo. Ese vecindario no se parecía en absoluto a la calle cercana a los muelles donde la había llevado Tracy. Era una zona mucho más respetable a juzgar por el rápido vistazo que le había echado mientras bajaba del carruaje de alquiler. En aquel momento, desconocía lo que iban a encontrarse en el interior de la residencia del duque. Desconocía si iban a encontrar a Wyn vivo o... o...

Se tropezó. Wyn la agarró por los hombros, la enderezó y en la fantasmagórica oscuridad, sus alientos se condensaron al encontrarse. Desde algún lugar cercano, les llegó el sonido de los cascos de los caballos y el traqueteo de las ruedas de un carruaje.

—¿Habéis venido a caballo? ¿En carruaje?

Ella negó con la cabeza.

—Lord Eads despachó al carruaje de alquiler.

Wyn la aferró de nuevo por la muñeca y la instó a seguir caminando. La niebla se movió delante de ellos, revelando parte de un edificio de piedra con una enorme puerta de madera. Wyn la detuvo, abrió la puerta, que chirrió con el movimiento, y tiró de ella hacia el interior.

Era un lugar oscuro y calentito. El olor de los caballos y del heno flotaba en el aire. Un olor sencillo, familiar.

Wyn la soltó a fin de cerrar la puerta y Diantha se dejó caer contra la pared, temblando. Los pasos de Wyn se alejaron a medida que se adentraba en la oscuridad. Sin embargo, estaba segura de que no la abandonaría por más furioso que estuviese. Estaba segurísima. En ese momento, mientras tomaba el aire a bocanadas para llenar sus pulmones y su cuerpo se recobraba del impacto de lo que había presenciado, la ira y el desconsuelo volvieron a embargarla.

Wyn regresó. Lo primero que ella vio fue el blanco de su camisa y de su corbata. Después, lo distinguió por entero. Y se percató de que tenía sangre en la cara. La ira se esfumó. Extendió un brazo.

—¿Por qué te...?

Él le agarró la muñeca, se la colocó contra la pared y se apoderó de sus labios.

Diantha bebió su aliento, se alimentó de su ira y dejó que el alivio se llevara el profundo dolor que sentía en lo más hondo.

Estaba cometiendo un error. Lo amaba, pero no podía permitir que le hiciera daño de nuevo. Tras años de confiar ciegamente en su madre, había aprendido cuándo debía renunciar al amor a fin de no acabar herida. Apartó su cara de la de Wyn, luchando por respirar ya que se encontraba atrapada entre la pared y su duro cuerpo.

—Defiéndete —la retó Wyn al tiempo que le mordisqueaba el labio inferior, arrancándole un gemido—. Defiende lo que has hecho esta noche. Defiende el hecho de haberte involucrado de forma voluntaria e imprudente en un asunto que no te concernía.

—Te hemos salvado la vida —le recordó ella. Wyn le acarició los labios, pero ella no opuso resistencia. Sentía el cuerpo más vivo que nunca a causa del deseo. El roce de esas manos ásperas y decididas era como un sueño—. ¡Te habían puesto grilletes!

Wyn le acarició una mejilla con una mano y le enterró los dedos en el pelo. El movimiento la despojó del bonete, ya que la instó a alzar la barbilla. Se percató de que tenía las muñecas enrojecidas. Jadeó al ver las heridas y él atrapó sus labios de nuevo. La besó con pasión y ferocidad, sin permitirle que respirara, y ella se aferró a sus hombros hasta que le flaquearon las piernas. Solo se apartó para tomar aire. Entre tanto, Wyn dejó un reguero de besos en su mentón mientras le acariciaba el cuello con una mano y le abría la capa. Diantha intentó apartarlo con un débil empujón.

—Wyn, yo...

—Diantha, eres mía —afirmó contra su cuello—. Mía.

No hubo palabras bonitas con las que le declarara su afecto o el alivio que sentía. Solo el mismo afán posesivo que demostró aquella noche en la posada. Apartó la mano de su hombro para cubrirle un pecho, un gesto que les arrancó a ambos un gemido en la oscuridad. Acto seguido, introdujo un muslo entre los suyos, y ella se lo permitió. Su cuerpo lo deseaba, pero su corazón estaba desolado.

—No. No puedo hacerlo. No después de que anoche estuvieras con... con una mujer de mala reputación.

Wyn le enterró los dedos en el pelo, quitándole las horquillas y manteniéndola inmovilizada.

—Anoche no estuve con mujer alguna, salvo contigo, en sueños.

—¿No estuviste con una mujer?

—¿Cómo iba a estar con otra si solo te deseo a ti?

—Pero esta mañana dijiste...

—Mentí. Mentí. —Recalcó las dos palabras con sendos besos que la pegaron aún más a él—. Mentí para que me rechazaras y lo logré. Pero ahora te deseo. —Le asestó un tirón a una de las mangas de su vestido. El corpiño cedió, desnudando un pecho que él acarició con el pulgar tras introducirlo bajo la tela para tocarle el pezón. Diantha sintió con las palmas de las manos el gemido placentero que recorrió su torso—. Y voy a hacerte mía. —Con un ágil movimiento, la alzó en brazos—. Ahora mismo. En un establo, porque tengo la impresión de que lo necesitas. —Dio tres pasos, la puerta de la cuadra se cerró tras ellos y la apoyó en la pared antes siquiera de que sus pies tocaran de nuevo el suelo.

Diantha jadeó en busca de aire.

—No quiero —protestó. Sin embargo, las caricias de Wyn la hacían gemir de deseo mientras le apartaba la chaqueta de los hombros. Tenía que tocarlo, aunque fuera por última vez, decidió mientras la ira se mezclaba con el deseo y la desesperación—. No quiero. —Extendió los dedos sobre su musculoso torso y se derritió por completo.

Wyn pegó sus caderas a las suyas.

—Te necesito, Diantha. —Sus manos ascendieron por su cintura y siguieron hasta sus pechos—. Te deseo.

—Supongo que debería sentirme halagada por que me consideres en la misma categoría que al brandy. —Le dio un tirón a su chaleco mientras le besaba el mentón y le sacaba los faldones de la camisa de debajo del pantalón a fin de tocar su piel. A fin de tocar la ardiente y musculosa perfección de ese hombre—. No me casaré contigo. Si vuelves a pedírmelo...

—Me dirás que sí. —La tumbó en el suelo, sobre la paja limpia, y la cubrió con su cuerpo.

Diantha arqueó la espalda para sentirlo aún más. Sintió que le levantaba las faldas por las piernas y después por los muslos.

—Me vuelves loco —dijo él con voz ronca.

Bajo las capas y capas de tela, le aferró las nalgas.

—¡Oh, Dios! —exclamó ella.

Mientras la acariciaba entre los muslos, Wyn tomó un pezón entre los labios. Gimió al tiempo que la tocaba. Diantha se entregó por completo. El deseo que la embargaba era arrollador y desesperado, y llegó al éxtasis casi antes de que fuera consciente de lo que pasaba. Wyn no fue muy delicado. Al parecer, le gustaba tocarla así y si eso lo complacía, a ella también. Porque ansiaba complacerlo. Porque lo amaba tal como era.

—Más —suplicó, susurrando—. Pero no... no quiero que me penetres. No quiero... ¡oh! —Su cuerpo se arqueó bajo sus caricias. Extendió un brazo para apoyar la mano en la pared con los ojos entornados.

Wyn pensó que su belleza era exquisita a medida que el placer aumentaba.

—No vamos a casarnos —insistió ella— y no quiero que me dejes embarazada. Así que no... —El resto de la frase se perdió con un gemido que expresaba su rendición en cuanto la penetró con un dedo.

—¿Que no te toque? —Enloquecido por su ardor y su belleza, Wyn comenzó a desabrocharse los pantalones con la otra mano—. ¿Que no te toque así? —Cada vez que movía el dedo con el que la penetraba, sus pechos subían y bajaban sobre el corpiño, dejando a la vista una tentadora areola rosada. Se inclinó para tomar el pezón en la boca—. Mi Diantha. —Succionó el pezón, arrancándole un gemido y haciendo que sus caderas buscaran su mano con más ansia. No podía esperar más.

Le aferró las caderas y la colocó bajo su cuerpo, rozando su verga, al tiempo que la besaba en el cuello, dándose un festín con su sedosa piel y con sus pechos. Diantha le dio un empujón con una mano mientras que con la otra lo pegaba a ella aún más. Después deslizó dicha mano por su brazo.

—Te he dicho...

—Has dicho «más».

Tenía que hacerla suya. Introdujo las manos bajo sus faldas

y le besó los pechos, tras lo cual fue descendiendo por su cintura, apartando las capas de seda y encaje.

—¿Qué haces?

—Voy a hacerte mía en un establo. —Le separó los muslos.

Diantha intentó bajarse las faldas.

—Te he dicho que no quiero que me hagas el amor.

Él le aferró las muñecas.

—¿Solo porque temes que te deje embarazada?

Esos ojos azules lo miraban abiertos de par en par, velados por la pasión.

—Sí... sí —contestó, jadeando.

—Dime la verdad —la instó él mientras acariciaba su sexo.

Diantha cerró los ojos y gimió, y después Wyn se dispuso a hacer lo que había deseado hacer desde que pasara la noche en un pajar, fantaseando con ella.

Su olor y su sabor eran dulces. Estaba maravillosamente mojada. La saboreó y la acarició con la lengua. La escuchó jadear, pero no le impidió seguir. Al contrario, la vio cerrar los puños sobre la paja. Usó los labios y los dientes para torturarla hasta que la escuchó gritar su nombre. Sin embargo, ansiaba más. Era incapaz de saciarse. La penetró con los dedos.

—¡Oh, ya basta! —exclamó Diantha al tiempo que arqueaba la espalda. Tenía los nudillos blancos por la tensión, los ojos cerrados y la cabeza echada hacia atrás—. Quiero que... que... ¡Ooooh! —Gritó mientras su cuerpo se estremecía al compás de las caricias de su lengua. Los gemidos continuaron y acabó jadeando en busca de aire, hasta que al final le suplicó entre sollozos—: Te necesito.

Wyn volvió a colocarse sobre ella, entre sus muslos.

—Pídemelo.

—¡Por favor! —Diantha arqueó las caderas y lo estrechó con los muslos—. Si quieres, te lo suplico.

—Una dama solo necesita pedir las cosas una vez. —La penetró una y otra y otra vez y después se detuvo, hundido hasta el fondo en ella.

Diantha gimió, le colocó las manos en la espalda y él, desesperado como estaba por encontrar el alivio, la hizo suya sobre la paja, el colchón sobre el que le ofrecía el regalo de su cuerpo.

Le levantó las caderas para aumentar el placer que le proporcionaba, pero en un momento dado solo pudo seguir moviéndose por instinto, enterrándose en ella todo lo que podía, entre sus deliciosos muslos, en ese cuerpo que Diantha le ofrecía.

—¡Wyn! —la oyó gritar, y se corrió mientras ella se estremecía a su alrededor.

Se derramó en ella sin control y en contra del sentido común, para que nadie dudara jamás de que era suya. Ni él ni ella volverían a dudarlo. En ese momento, masculló un juramento, o tal vez fuera una oración para poder ser merecedor del corazón de esa mujer.

Mientras tomaba una honda bocanada de aire, inclinó la cabeza para besarle el cuello, los pechos y el hueco de la garganta. Diantha se pegó a él y fue incapaz de salir de ella. Estaba agotado, pero se encontraba justo donde deseaba estar.

Con los ojos cerrados, Diantha le permitió que siguiera acariciándola.

—No sabía que pudiera hacerse así. Con la boca de un hombre —comentó entre jadeos.

—Espero que no lo supieras, joder.

—Un caballero no debe usar palabras malsonantes delante de una dama —murmuró ella—. Regla número siete.

—Si hablas de la «boca de un hombre» así en general, me preocupa, como podrás comprender.

Esos ojos azules se abrieron.

—Ningún otro hombre me ha tocado como me has tocado tú. Lo sabes.

—Lo sé. —La besó en los labios con delicadeza, ya que los tenía hinchados por sus besos.

Ella le colocó una tentativa mano en el mentón y después le acarició el pelo. Sus dedos rozaron con cuidado la herida que tenía en la sien. Ya no le dolía, solo sentía el placer de la caricia.

Diantha fue la primera en apartarse. La vio cerrar los ojos mientras le quitaba un rizo húmedo de la cara. Sin embargo, esa mujer callada y saciada no era la única faceta de su carácter. Dado que estaba enfadada, sabía que la tranquilidad duraría poco, y debía llevarla a un lugar donde estuviera a salvo.

Se apartó de ella y se abrochó los pantalones mientras ella se cubría las piernas con las faldas y se abrochaba el vestido, ocultando de nuevo sus preciosos pechos. La oscuridad era casi completa. A su alrededor, se escuchaba la respiración de los caballos y a lo lejos, la voz de un sereno que daba la hora.

Wyn observó a Diantha.

—¿Cómo lograste que el escocés lo hiciera?

La vio parpadear, pero siguió ocupada quitándose briznas de paja de las arrugadas faldas.

—¿Cómo convenciste a Eads de que te llevara a ese lugar?

Diantha se puso en pie en el desnivelado interior de la cuadra y se sacudió las faldas.

—Gracias.

—¿Gracias?

Ella lo miró con los ojos relucientes y Wyn añadió:

—Diantha, gracias por salvarme la vida. Por preocuparte lo bastante por mi ebrio pellejo como para arriesgar tu vida pese a... pese al hecho de que te mentí. ¡Otra vez! —Se le quebró la voz. »Gracias —insistió Wyn, tomándola por los hombros—. Gracias, maldita sea. ¿Eso es lo que querías oír?

Diantha se zafó de sus manos y salió de la cuadra. La siguió, observando sus movimientos en la oscuridad. Unos movimientos tan elegantes y hermosos que la ira que lo embargaba se esfumó. La vio inclinarse para recoger la capa del suelo y el contorno de su cuerpo lo dejó sin aliento. Jamás se cansaría de observarla.

—¿Qué intenciones tenía lord Eads cuando subió a ver al duque? —le temblaba la voz, pero Wyn reconoció su determinación, su valor.

—No lo sé —contestó al tiempo que le rozaba un hombro.

Ella se volvió y vio que una solitaria lágrima se deslizaba por una de sus mejillas.

—No me toques. No quiero nada de esto. —Se apartó de él e interpuso la capa que llevaba en las manos entre ellos—. ¿Por qué no me dijiste simplemente que no deseabas casarte conmigo? ¿Por qué tuviste que caer de nuevo en la bebida? ¿Tanto miedo tenías de que yo no quisiera librarte de la responsabilidad que habías contraído? ¿Tanto miedo tenías de que ansiara tu atención? —El dolor velaba sus ojos—. Bueno, pues que sepas que no me conoces en absoluto. Así que supongo que, a menos que te lo diga claramente, no te vas a enterar. No te necesito. El señor Hache está dispuesto a convertirse en mi esposo. Aunque aparezca embarazada después de este... de este...

—Lo nuestro es real —la interrumpió Wyn, que se acercó a ella de nuevo.

Diantha sintió un repentino nudo en la garganta que le impidió hablar. Wyn era muy alto, la anchura de sus hombros y de su torso tensaba la camisa, otorgándole un aspecto intimidante que no aliviaba en absoluto la seriedad de su rictus. Le rodeó la cintura con un brazo y después le colocó una mano en el mentón, obligándola a mirarlo.

—Lo nuestro es real.

Estaba muy guapo con la furia relampagueando en sus ojos plateados mientras la contemplaba como si quisiera grabarse a fuego su rostro en la memoria.

—Esto no es real —susurró ella. Se obligó a no abrazarlo como deseaba, a dejar los brazos caídos a ambos lados del cuerpo—. Detesto lo que estoy sintiendo ahora mismo. —Se sentía inadecuada. Herida. Y lo peor era el anhelo. Un anhelo enorme y doloroso.

—Diantha, te vas a casar conmigo. —Wyn tragó saliva con dificultad—. Cásate conmigo.

Diantha lo empujó, embargada por una terrible confusión.

—¿Esta mañana fingiste que habías estado con una prostituta para que rechazara tu proposición y ahora insistes en que me case contigo? —Se zafó de sus manos—. Estás loco.

Wyn se pasó una mano por el pelo y se frotó la nuca.

—Sí, me tienes loco. Anoche estuve a punto de empinar el codo otra vez en un desesperado intento por alejarte.

—¿Que estuviste a punto?

—¿Sabes lo que te habría pasado si no hubiéramos reducido a los hombres del duque? ¿Te advirtió Eads o te lanzaste de cabeza a rescatarme de nuevo sin sopesar las consecuencias?

—Siempre sopeso las consecuencias de mis actos —le soltó—. Siempre. ¡Y lo he hecho para ayudarte!

—¡No necesito que me ayudes de esta forma!

Diantha apenas podía respirar.

347

—¿No te emborrachaste anoche, ni tampoco estabas borracho esta mañana? ¿Fingiste estarlo para que yo te rechazara?

—Sí.

Aunque no lo habría creído posible, el sufrimiento que Wyn le infligía aumentó.

—Eres un bruto.

—Lo he hecho para protegerte de Yarmouth, que amenazó con hacerte daño para vengarse de mí.

Diantha sintió que le daba un vuelco el corazón.

Wyn siguió, bajando la voz:

—Sabía que si te informaba de sus amenazas, ingeniarías algún plan descabellado e imprudente para salvarme, algo que hiciste pese a mi engaño, porque tu tenacidad raya en la insensatez. Sin embargo, mi engaño fue aún más insensato y en parte esperaba, creo, que me desenmascarases. No obstante, tú no tienes la culpa de nada y te pido que me disculpes.

¿Lo había hecho todo para protegerla?, se preguntó Diantha. ¿Wyn se había entregado a un villano para que ella estuviera a salvo? ¿Y para colmo le pedía perdón?

El corazón le latía a un ritmo frenético y apenas era capaz de hilar sus pensamientos. Lo había obligado a rescatarla una y otra vez. Wyn jamás le había fallado y jamás lo haría, aunque en el proceso acabara herido una y otra vez. Insistiría en casarse con ella, si bien eso solo le reportaría un sufrimiento mayor. Era una díscola, una tonta y una desobediente. Todo lo que había tratado de hacer para ayudarlo había acabado vinculándolo aún más a ella, aunque esa no fuera la intención de Wyn.

—Diantha, ya ha pasado todo y ahora debes casarte conmigo.

No soportaba hacerle eso.

—Pero ¿es que no entiendes por qué no puedo hacerlo? ¿Acaso estás ciego?

—Eso parece. —Inspiró hondo, haciendo que su pecho se ensanchara—. Ni siquiera sé lo que estoy diciendo. Cuando estoy contigo, cuando pienso en ti... se me nubla la razón. Por el amor de Dios, si acabo de hacerte el amor a poco más de doscientos metros de la casa donde me han mantenido prisionero y en un establo, para más inri, sin quitarme siquiera las botas. Quince años perfeccionando todos y cada uno de mis movimientos para acabar arrojándolo todo por la borda nada más verte. Ni siquiera me reconozco.

—¿Crees que yo no me arrepiento de que las cosas hayan salido así? ¿Crees que no me arrepiento de haberte pedido ayuda? —Se abrazó la cintura—. Y es peor de lo que imaginas, porque todo ha sido en vano. Mi madre no está en Calais, sino en Londres. Tracy me llevó a verla esta noche, pero... me daba igual. —La crueldad que había cometido su madre ya no le importaba, y lo tenía muy claro—. Ya no quería verla. No lo necesitaba.

Solo lo necesitaba a él.

—Diantha... —Wyn se acercó a ella para abrazarla y la besó.

Adoraba sus besos, adoraba sus abrazos y lo adoraba a él. Lo quería tanto que hasta le dolía. Adoraba todo lo relacionado con él salvo el hecho de haberlo obligado a ser un hombre que no era. Sin embargo, le ofreció los labios y le permitió que la besara porque esa sería la última vez. El último beso. Le resultó asombroso que hubiera soñado, aunque fuera por un instante, que su historia pudiera tener otro final. Wyn era su héroe y siempre lo sería, pero ella no era la heroína que él necesitaba.

—Perdóname por haberme enfurecido —susurró él con voz ronca contra sus labios. Sus ojos plateados la observaban. Tenía el ceño fruncido—. No me arrepiento de nada. De nada.

La puerta del establo se abrió con un crujido. Wyn la instó a ocultarse en las sombras al tiempo que le indicaba que guardara silencio colocándole un dedo sobre los labios.

Acompañado por la oscilante luz de un farol, apareció el rostro arrugado de un hombre que caminaba con una evidente cojera y que llevaba una brida al hombro. El recién llegado levantó el farol y enarcó las cejas.

Wyn lo saludó con una reverencia.

—Gracias por permitirnos usar el establo, buen hombre. —Se llevó la mano al ala de un imaginario sombrero, agarró a Diantha de la mano y la instó a salir del establo.

Tras ellos, abandonado sobre la fragante paja, quedó su corazón hecho pedazos.

30

—¿Dónde cree tu familia que estás esta noche?

—En casa de Emily Vale.

No dijo nada más, pero Wyn la agarró de la mano con fuerza mientras caminaban. Sumidos en la calma creada por la niebla, salieron a una calle y, guiado únicamente por los sonidos, identificó un carruaje de alquiler. La metió en su interior y después se sentó en el pescante junto al cochero. El trayecto fue largo y lento, y cuando Wyn abrió la portezuela y le tendió una mano para ayudarla a descender, se apeó con ademanes rígidos delante de la casa de lady Emily.

Un criado los acompañó hasta una sala de estar, en la que apareció la dama.

—Señorita Lucas. —Se acercó a ella con una sonrisa mientras la luz de las velas le arrancaba reflejos a la montura metálica de sus anteojos y a su cabello rubio platino, pero salvo por esos detalles, era la personificación de la sobriedad desde el vestido azul oscuro hasta el sempiterno libro que llevaba en una mano—. Y el señor Yale. —Lo saludó con un gesto de cabeza, pero sin el menor rastro de placer.

—Buenas noches, lady Cleopatra. —Wyn le hizo una reverencia.

—Nada de lady. Cleopatra a secas. Era una reina, so cretino.

—Como siempre, me doblego ante la magnitud de su sapiencia.

Diantha no podía soportarlo.

—Cleopatra...

Emily le tocó el brazo.

—No, señorita Lucas. No es necesario que usted me explique por qué han aparecido en mi casa en mitad de la noche con aspecto de que hubieran atravesado medio Londres a pie. Quiero que el señor Yale tenga ese honor.

—Seguro, sí —repuso él—. Pero no le daré el gusto. —Echó a andar hacia la puerta. Una vez allí, se volvió, con una sonrisa torcida en los labios—. Con esto estamos en paz.

—Por fin. —La sonrisa de lady Emily apenas era perceptible—. Aunque me pregunto por qué espera tan poco de mí después de hacerme esperar casi cuatro años para poder devolverle el favor.

—Se equivoca, milady. —Miró a Diantha. Hizo una reverencia—. Buenas noches, señorita Lucas. —Se marchó.

Diantha clavó la mirada en la puerta y recordó la historia que le contó Emily acerca de cómo Wyn la había ayudado en una situación peliaguda algunos años antes, no porque quisiera conseguir algo, sino porque él era así.

Sin embargo, sabía que había algo más. Conocía la historia de la madre de Wyn, y había leído las reglas de su tía abuela.

—No debe pensar mal de él —dijo en voz baja—. No quería devolverme a casa en un estado tan lamentable y tampoco quiere que mi familia se entere de los líos en los que me he metido. —Se volvió hacia su anfitriona—. Creo que debería escribirle una nota a mi hermano, si es posible.

—De hecho, sir Tracy le mandó un mensaje hace menos de un cuarto de hora. Estaba escribiéndole una respuesta para enviarla a la casa de lady Savege. —Emily se cogió del brazo de Diantha—. Vamos. Será mejor que se dé un baño y le busquemos ropa limpia. Mientras Clarice le cepilla el pelo, podrá leer la carta de su hermano y contestarle si lo desea.

—Le pido disculpas, y le agradezco mucho su ayuda. Le dije a Serena que vendría aquí esta noche.

—¡Qué conveniente! Le comentaré en mi nota que estamos tan encantadas en nuestra mutua compañía que ninguna soportaba la idea de abandonarla hasta mañana. —Condujo a Diantha hacia la puerta—. Pero, señorita Lucas, con independencia de la aventura que ha vivido esta noche, debo insistir en un punto.

—Por supuesto.

—Si dice una sola palabra sobre la presencia de ese vanidoso en mi casa, me veré obligada a forzarla a dormir en la carbonera.

Diantha fue incapaz de reprimir la sonrisa.

—¿Vanidoso? Lleva siempre chaquetas negras y solo lo he visto una vez con un chaleco de otro color.

—Vaya por Dios, pues va a tener que dormir en la carbonera. —Subieron la escalera—. Admito que me siento un poquito decepcionada, ya que la tenía por una persona sensata. Pero tengo entendido que algunas damas depositan su afecto en los lugares más sorprendentes.

Diantha regresó a casa por la mañana sin el menor deseo de escuchar más recriminaciones de su hermano. La carta que le escribió la noche anterior estaba llena de recriminaciones y la avisaba de que iría a verla temprano. De modo que Diantha solicitó la compañía de un criado y se dirigió a pie a casa de Teresa.

—¿Has visto a lord Eads después del baile, Te?

—No. —Teresa estaba bordando un paño de lino con hilo de seda y movimientos precisos—. Pero cuando lo haga, haré lo que sea para que se case conmigo.

Diantha dudaba mucho de que lord Eads volviera a aparecer en la alta sociedad. Solo había asistido a ese baile por Wyn. Clavó la mirada en el día lluvioso antes de inspirar hondo y volverse hacia su amiga.

—He venido, Te, porque tengo que decirte algo.

Teresa soltó el bordado.

—Lo supe en cuanto entraste. Pasa algo. —Se cambió de sitio y se sentó en el sofá junto a Diantha.

—Estoy enamorada de un caballero. El señor Yale. Tal vez lo viste en el baile, es guapísimo y muy elegante, salvo cuando yo lo incito a no serlo. Pero incluso en esos momentos, desaliñado, enfebrecido, sin afeitar y hasta furioso, es perfecto.

—¿Furioso? —Teresa puso los ojos como platos—. ¿Sin afeitar? —Sus preciosos labios pusieron una mueca asombrada—. ¡Diantha!

—Me ha comprometido y cree que tiene que casarse conmigo. Pero estoy arruinando su vida y no puedo aceptarlo porque deseo lo mejor para él. Se supone que eso es el amor, y yo deseo amar de esa forma.

—Yo... yo... —Teresa tomó las manos de Diantha entre las suyas—. Pues claro.

Se quedaron sentadas de esa manera un buen rato, mientras Teresa se apoyaba en su hombro para ofrecerle consuelo. A la postre, dijo:

—Di, ¿podrías explicarme eso de que te ha comprometido?

Diantha soltó una carcajada, aunque se sentía fatal.

—Fue mi última trasgresión. Ahora debo dejar de comportarme de forma imprudente y convertirme en una dama de la que mi familia se sienta orgullosa.

—¿No crees que se enorgullecerían si te casaras con un caballero como el señor Yale? Sobre todo teniendo en cuenta que...

—¿Teniendo en cuenta que le he entregado mi virginidad? No. Tracy me ha prohibido casarme con él. De todas formas, da igual que esté arruinada.

—Siempre has dicho que no importaría —comentó Teresa en voz muy baja.

—Te, ¿podrías alegrarte por mí, aunque sea por hacer borrón y cuenta nueva?

Teresa suspiró.

—Me gusta bastante tu antiguo yo. Esta nueva Diantha tal vez no sea de mi agrado. —Le dio un apretón en la mano—. Pero seguro que te querré por más formal y aburrida que te vuelvas. —Le acarició el dorso de la mano—. Que sepas que el señor Yale a lo mejor se siente muy infeliz por tu negativa a permitirle que haga lo que dicta el honor. Seguro que irá a verte.

—Ese es el problema. Que lo hará. —Se miró las manos—. No puedo estar en casa cuando lo haga.

—Puede que vaya una y otra vez hasta que te vea.

—En ese caso, tengo que irme de Londres. —Diantha se puso en pie alentada por un nuevo objetivo que intentaba desterrar el dolor de su corazón—. Trazaré un nuevo plan.

—¿Un nuevo plan? Ay, no, Di...

—Eres brillante, Te. —Le dio un apretón en las manos a su

amiga—. Este plan me llevará muy lejos de Londres, y si el señor Yale va a casa para intentar convencerme de que me case con él, no estaré allí para sucumbir.

—Me parece un plan malísimo.

Diantha apretó los dientes, se obligó a sonreír y se dirigió a la puerta.

—¿Me ayudas a hacer el equipaje? Tengo muchas cosas que preparar. John, el criado, me ayudará a encontrar la parada más cercana del carruaje del servicio de correos de Su Majestad o dónde subirme a un coche de postas, no me cabe la menor duda. Es un hombre muy simpático. Y le pediré a la cocinera que prepare un almuerzo para comer al aire libre. Siempre es muy amable. —Extendió una mano hacia el pomo—. Tengo que escribir una carta para Serena, a fin de que no se preocupe por mí. Y tengo que...

Teresa se puso en pie de un salto.

—¡No puedes irte, Diantha!

Se volvió hacia su amiga.

—Tienes que ayudarme, Te. —Le temblaba la voz—. No soporto la idea de volver a ser una carga para él, de que le hagan daño por mi culpa. Si me quedo, sé que eso es lo que pasará. Es lo que hago siempre.

A Teresa le temblaba el labio inferior mientras la miraba con expresión persuasiva. Sin embargo, asintió con la cabeza. Diantha abrió la puerta y se detuvo.

—Y una cosa más, Te.

—¿Qué? —Teresa apenas fue capaz de pronunciar la sílaba.

—Al final, voy a tener que conformarme con el señor Hache.

—¡Ay! —Se abalanzó sobre Diantha y la abrazó con fuerza.

31

Cuervo:
Cuando concluya el juicio por la supuesta infidelidad de
la reina (y se falle en contra de la propuesta de ley parlamen-
taria como espero que suceda), Su Majestad tiene la intención
de marcharse de Inglaterra. De forma discreta, está buscando a alguien de confianza capaz de protegerla en caso de que
el rey insista en perjudicarla de alguna manera. La reina te
tiene presente desde que deslumbraras a los ministros en Viena, y aquellos que le son más leales te han recomendado. El
rey lo ha descubierto y, puesto que desea que sigas a su servicio y no lo abandones a favor de la reina, desea recompen-
sarte por tu larga trayectoria en el Club. Nuestro director ha
recomendado que te nombre caballero.

PEREGRINO

Yale:
El duque ha muerto. Murió en su cama, asfixiado a manos de la vieja criada.

D. E.

32

Mientras entraba, arrastrando los pies con el paso cansado de un hombre mucho mayor, el barón Carlyle examinó la tarjeta de visita de Wyn.

—¿A qué se debe esta visita, señor?

Wyn hizo una reverencia.

—Lamento que no sea una visita de placer, milord.

Carlyle lo miró con más detenimiento.

—Me escribió para pedirme la mano de mi hija. Ahora me acuerdo. —Asintió con la cabeza—. Excelente propiedad la suya. Unos ingresos envidiables. Pero como ya le contesté, mis deseos en cuanto a sus pretendientes no tienen la menor importancia para Diantha, para mi consternación, y hará lo que le plazca. Me temo que no puedo ayudarlo para convencerla. Piensa por sí misma, al igual que todas mis hijas. —Meneó la cabeza con gesto apesadumbrado.

—No he venido para que me ayude a convencer a su hija de que me acepte, milord. —Estaría encantado de ocuparse de esa tarea solo.

A su debido tiempo. Diantha lo aceptaría con unos alicientes que la dejarían sin aliento y fervorosa. Y si Tracy Lucas lo miraba mal aunque fuera una sola vez, Wyn respondería con una mirada muy elocuente por encima del cañón de su pistola. Ya estaba harto de hacer lo que dictaban otros hombres. Su futuro, y el de Diantha, estaba solo en sus manos.

El barón meneó la cabeza.

—No pierda el corazón por ella, señor Yale. Aunque ahora esté muy guapa ataviada con un vestido de gala, mi cuarta hija sigue siendo una muchacha rebelde. A un caballero bien plantado como usted le irá mejor una esposa que sepa cómo comportarse como una dama.

—Le agradezco el consejo, señor. —No podía estar más en desacuerdo. Diantha era para él y siempre lo sería. A su lado, tratar de controlarlo todo era una quimera, y eso era lo que quería. No quería apagar su fuego, no quería verla deprimida, tal como la dejó en casa de lady Emily. Quería que se lanzara de cabeza al peligro, obligándolo a gritar y a rescatarla y a hacerle el amor tan a menudo como fuera posible. Había sido un tonto al apartarla de su lado y había empeorado las cosas cuando, furioso y aterrado, no le contó toda la verdad la noche anterior. No volvería a cometer ese error—. He venido a hablar con usted de otro asunto: su esposa.

Carlyle frunció el ceño.

—Lady Carlyle ha estado en Londres y se ha puesto en contacto con su hijastro. Le ha pedido dinero para financiar un burdel de altos vuelos.

El barón se quedó blanco.

—¿En Londres?

—No, en Francia. No me complace ponerlo al día de estos detalles, milord. Pero por el bien de su hijastra, creo que debe saberlo.

Carlyle se pasó una mano por la cara con gesto distraído antes de acercarse al aparador.

—¿Clarete, señor Yale?

—No, gracias. Debo ponerme en camino. —Para encontrar a una dama de ojos azules y hacerle la proposición de matrimonio más convincente que hubiera hecho un hombre. Sin embargo, lo asaltaba una pequeña duda—. Pero primero, milord, ¿le importaría hablarme del señor Highbottom? Tengo entendido que pretende la mano de la señorita Lucas.

—¿Quién? —Carlyle frunció el ceño.

—El señor Hinkle Highbottom.

—¿Hinkle y Highbottom? ¿Cómo que pretenden la mano de mi hija?

—¿Son dos?

—Alfred Hinkle y Oswald Highbottom. —Carlyle se acercó a una mesa atestada de libros y cogió un par de ejemplares muy pesados—. Dos de las mentes arqueológicas más preclaras de este siglo, aunque supongo que a los jóvenes como usted no le interesan estas cosas.

El corazón comenzó a latirle desbocado al escucharlo.

—Si no le importa, milord, ese tal señor Highbottom...

—El profesor Highbottom. Catedrático del Christ Church College en Oxford durante más de cuarenta años.

Wyn lo miró sin comprender, muy a su pesar.

—¿La señorita Lucas conoce al profesor?

—Desde que era una niña. Highbottom estaba entregado a sus estudios. Nunca formó una familia propia, por supuesto. Pero se encandiló con Diantha cuando se vino a vivir a Glenhaven Hall. —El asomo de una sonrisa apareció en sus labios—. Jugaba con ella sobre sus rodillas hasta que el reumatismo pudo con él.

—En ese caso, ¿el profesor Highbottom no tiene prometida la mano de su hija ni ella tiene interés en casarse con él?

—Como he dicho, no tengo el menor control sobre la decisión de mi hija. —Carlyle frunció el ceño—. Pero si se comprometiera con un hombre que le saca sesenta años, me encargaría de romper esa alianza sin dilación. Perdóneme, pero no me explico cómo...

—¡Milord! —un criado apareció en la puerta.

—¿Qué pasa, Bernard? ¿No ves que estoy ocupado?

—El criado de lady Savege ha insistido en que le diera esto sin pérdida de tiempo, milord. —Cruzó la estancia a toda prisa con un sobre en la mano.

Carlyle despidió al criado antes de abrir la misiva, tras lo cual se metió la mano en un bolsillo y sacó sus anteojos.

—Perdóneme, señor Yale, pero si mi... —Puso los ojos como platos. Luchó un momento con los anteojos antes de conseguir ponérselos.

—Milord. —Wyn le hizo una reverencia, un poco mareado y con el acuciante deseo de encontrar a una dama de ojos azules y besarla hasta que admitiera todas las mentiras que le había contado—. Lo dejaré con sus asuntos.

—¡Por el amor de Dios! —exclamó Carlyle—. ¿Lo ve, señor? —dijo en voz más alta al tiempo que se quitaba los anteojos y los usaba para golpear la carta—. Está mejor sin la muchacha. Problemática, tonta... —Se ofuscó, pero tenía los ojos llenos de lágrimas y dejó que Wyn le quitara la carta de los dedos. Carlyle se llevó una mano a la frente—. Les dije a Tracy y a Serena que pasaría esto si la traían a la ciudad. Les dije que la dejaran en Devon, donde todo el mundo la conoce y no puede meterse en problemas graves. Ahora... —Meneó la cabeza y dejó caer los hombros—. Niña tonta. Le pasará algo malo en el camino. Y acabará como... como su madre.

Wyn echó a andar hacia la puerta.

—No mientras yo viva.

33

—Señorita Finch-Freeworth, no me cabe la menor duda de que conoce usted el propósito de mi visita.

La joven sentada frente a él parpadeó de forma muy expresiva. Sus ojos verdosos se desviaron brevemente hacia la doncella, sentada en el otro extremo de la sala de estar. Después, negó con la cabeza.

Wyn bajó la voz para decirle:

—Debe decírmelo. ¿Adónde ha ido la señorita Lucas esta vez?

De nuevo, obtuvo una silenciosa negativa por respuesta.

Wyn trató de no apretar los dientes para seguir hablando.

—¿No lo sabe o no piensa decírmelo?

La joven clavó la mirada en su regazo.

—Sé que usted era su confidente antes de que se embarcara en su último viaje —comentó él—. Lo sé todo sobre su último viaje, de hecho. Todo.

La señorita Finch-Freeworth levantó la cabeza, con los ojos abiertos de par en par.

—Ella no me lo ha dicho. No... no me ha...

—Le gusta ocultar la verdad, pero usted no tiene por qué imitar ese vicio tan pernicioso, señorita Finch-Freeworth. ¿Ha estado con ella hoy antes de que abandonara Savege House?

—Sí —respondió ella, titubeante—. Y su doncella también.

—Dígame adónde ha ido, se lo ruego.

—No puedo —replicó la joven después de soltar el aire con brusquedad—. Le prometí que guardaría el secreto bajo la amenaza de que no hacerlo acabaría con nuestra amistad. Y deseo tenerla como mi mejor amiga durante el resto de mi vida.

—Señorita, disculpe mi franqueza, pero si no me pone al tanto de su paradero, tal vez dentro de poco se quede sin su mejor amiga. Los caminos son peligrosos para una joven de alcurnia que viaja sola, y me resultaría imposible inspeccionar todos los carruajes del servicio de correos de Su Majestad que salen hoy de Londres a fin de evitarle el peligro, ¿no le parece? Debe decirme adónde se dirige.

—Señor Yale, si la conociera tan bien como afirma conocerla, sabría usted que Diantha hace amigos allá por donde va. Encontrará quien la ayude durante el viaje. No me cabe duda de que ya lo ha hecho.

«¿Viaje? ¡Por el amor de Dios!», pensó Wyn, que se inclinó hacia delante y se aferró las rodillas para evitar de esa manera zarandear a la muchacha a fin de hacerla entrar en razón.

—Dígame solo su destino, entonces.

—No puedo. Pero sí puedo decirle que no ha emprendido el viaje sola.

—¿Otra de sus leales doncellas? —masculló él.

La joven tuvo el recato de ruborizarse.

—La doncella de Diantha llegó hoy procedente del campo. La verdad es que se trata de una persona peculiar. Sin embargo, se puso a trabajar al instante, protestando y rezongando porque las cosas habían acabado como habían acabado porque «ese hombre» llevaba días sin ponerse en contacto con ella. Supongo que se refería a lord Carlyle. En todo caso, la mujer sabía muy bien lo que le convenía a Diantha, ya que le preparó el equipaje con la ropa de viaje y todo lo necesario. De modo que no tiene por qué preocuparse. Creo que la señora Polley cuidará perfectamente de Diantha.

Por primera vez desde hacía una hora, Wyn fue capaz de respirar con libertad. Mientras la buena mujer permaneciera despierta, Diantha estaría a salvo. No obstante, si la señora Polley se dormía...

—Señorita Finch-Freeworth, no sé qué más decirle para convencerla de que comparta conmigo el plan de la señorita Lucas. Si algo llegara a pasarle, no podría perdonármelo.

La joven se removió, incómoda.

—Me dijo que se sentía usted responsable de ella, aunque no tenía por qué. Por eso se marchó. No quiere arruinarle la vida.

«¡No, por Dios!», exclamó para sus adentros. La había pifiado con ella mil veces, cometiendo error tras error. Pero la encontraría y jamás cometería otro error mientras viviera, se prometió. Sería perfecto de nuevo, pero solo para ella. Todos los días. Todos los minutos de cada día.

—La señorita Lucas es una persona admirable, por la amabilidad que demuestra hacia los demás con sus arrojados planes... —Se inclinó hacia delante—. Por su empeño en casarse con el señor Hache...

La señorita Finch-Freeworth lo miró boquiabierta.

—¿Le ha hablado del señor Hache?

—Sí. Pero hasta hoy desconocía un detalle crucial de su existencia que lo convierte, cuando menos, en un marido inapropiado para ella.

La joven inspiró hondo varias veces. Era una muchacha guapa, cuya belleza intensificaba el brillo inteligente de sus ojos. Una inteligencia de la que Wyn dependía en ese momento.

La vio asentir con la cabeza.

—Sí —dijo la joven.

El corazón comenzó a latirle con fuerza.

—¿Sí?

—Sí, el señor Hache es imaginario. —Asintió de nuevo, como si acabara de librar una lucha interna—. Su madre... ¿Sabe usted algo de la madre de Diantha?

—Un poco.

—Lady Carlyle fue muy cruel con Diantha. Le decía que nunca atraería a un marido por su carácter extrovertido y su naturaleza díscola. Convenció a mi amiga de que su carácter era inadecuado y de que, por tanto, jamás se casaría. Hasta tal punto estaba convencida de eso que cuando la señorita Yarley, que sabía de lo que estaba hablando, le aseguró en la Academia Bailey para Señoritas que algún día se casaría con un buen hombre, Diantha se rio de ella en su cara. ¡Se rio en su cara! Y se inventó al señor Hache.

—Se lo inventó.

—Señor Yale, me mira usted de hito en hito. Pero le aseguro que el señor Hache es mucho mejor que la mayoría de los hombres reales. Posee unos modales exquisitos y viste muy bien, aunque no vaya al último grito de la moda. Sus ingresos son sustanciales, adecuados para mantener a una esposa y a varios hijos. Su casa es espaciosa y bien amueblada, que no ostentosa. Conduce un carruaje tirado por dos caballos bien avenidos, caza de vez en cuando y le gusta leer en voz alta por las noches junto al fuego. Así que es el marido ideal.

Wyn sentía una terrible opresión en el pecho. Debería estar convenciéndola de que le contara el plan de Diantha, pero no pudo resistirse.

—¿Cómo... cómo la trata?

—Es muy caballeroso y exquisito. Pero, la verdad, a mí siempre me ha parecido un poco aburrido. Y creo que Diantha opina lo mismo. Además, no es guapo.

Wyn enarcó las cejas.

La señorita Finch-Freeworth asintió con la cabeza.

—Cualquiera pensaría que si una mujer se inventa un pretendiente, lo imaginaría guapísimo, ¿verdad? El señor Hache es alto y tiene todo el pelo, pero... bueno... tiene un problema con los lunares.

—¿Tiene lunares?

—Muchos. Enormes y verrugosos. En el cuello. Algunos también en la cara. —Señaló un lugar cercano a los labios con un dedo, y después se tocó la frente y un lateral de la nariz—. ¿Lo entiende? —añadió, en voz baja.

Wyn solo atinó a asentir con la cabeza, ya que tenía un nudo en la garganta.

—Fue su madre quien... —dijo la señorita Finch-Freeworth.

Él la instó a que siguiera hablando con un gesto de la mano.

La joven prosiguió con su relato, pero no alzó la vista.

—Su madre no solo le dijo que su carácter era inadecuado. —Hizo una pausa—. Le decía, muy a menudo, que si fuera guapa, podría manipular a un hombre hasta conseguir que se casara con ella pese a sus terribles modales. Y...

—¿Y?

—Lady Carlyle le aplicaba todos los días una crema, aunque

lo hacía a regañadientes. Decía que tal vez la ayudara a mejorar su apariencia física y así conseguiría atrapar a un hombre con el que casarse antes de que la conociera a fondo y saliera corriendo. —Apretó los dientes—. Hace dos años, el tarro de crema se acabó y Diantha le preguntó al ama de llaves si sabía dónde podía comprar otro. ¿Y sabe qué pasó? Resultó que era la misma lady Carlyle quien elaboraba la crema. Era manteca de cerdo mezclada con perfume. —Se le llenaron los ojos de lágrimas—. ¡Era grasa, señor Yale! Su propia madre le hizo algo así porque... porque...

Wyn intentó respirar con normalidad.

—Porque no podía controlarla.

La señorita Finch-Freeworth entrelazó las manos sobre el regazo.

—Diantha no es tonta, señor Yale.

—No.

—El señor Hache es un nombre en clave.

—Entiendo.

—Fruto de la convicción de que nunca sería lo bastante buena como para que un hombre quisiera casarse con ella.

—Señorita Finch-Freeworth, yo no deseo controlarla. —«Jamás intentaré hacerlo de nuevo», se prometió—. Solo quiero lo mejor para ella. Lo quiero todo para ella.

Las pestañas pelirrojas de la señorita Finch-Freeworth se agitaron.

—¿Ah, sí?

—Si la señorita Lucas desea proseguir su viaje, prometo no detenerla. Pero debe al menos concederle la oportunidad de que pueda elegir algo distinto.

La joven lo miró con gesto reflexivo. Y, después, asintió con la cabeza.

34

Peregrino:

Me temo que estoy ocupado con otro Asunto en este preciso momento y, por desgracia, debo rechazar tu invitación a cenar. Sin embargo, debido a este acuciante Asunto, me veo obligado a contestar sin dilación el quid de tu mensaje. En resumidas cuentas, aunque agradezco la magnanimidad de Su Majestad, no lo quiero. Si el director y él de verdad quieren darme las gracias, les ruego una sola cosa: clemencia por el único acto de villanía que cometeré en breve.

Al servicio del rey y del reino,

CUERVO

Cuervo:

Su Majestad promete clemencia. El director la garantiza.

PEREGRINO

P. D.: Intenta que no te maten.

35

El carruaje del correo de Su Majestad con destino a Cardiff y que seguía la ruta de Swindon estaba más atestado que los carruajes que Diantha había tomado para ir de Manchester a Shrewsbury y traqueteaba muchísimo más. Sin embargo, el cochero, un londinense que rezongaba a menudo por el tráfico y la lluvia, era muy simpático.

Naturalmente, a la señora Polley esas cosas no le importaban porque estaba durmiendo. La pareja sentada junto a Diantha la entretuvo con las historias de los viajes que habían realizado mientras degustaban unas empanadillas que tenían una pinta estupenda, si bien esas no las compartieron, por desgracia.

A Diantha le rugía el estómago. Estaba a punto de anochecer y había pasado mucho tiempo desde que degustó el almuerzo que la cocinera le había preparado a toda prisa para que se llevara. Los criados de Serena no estaban contentos con su marcha. Sin embargo, le habían prometido guardar silencio hasta que volviera a casa el lacayo que iba a acompañar a la señora Polley y a ella hasta la casa de postas. Después, si les preguntaban, se lo contarían todo a su señor y afrontarían las consecuencias.

Clavó la vista en la ventanilla mojada por la lluvia y la tristeza le provocó un nudo en la garganta, logrando que olvidara el hambre. Pese a su promesa de no ocasionarles problemas a los demás, había puesto en una situación comprometida a la servidumbre de Serena y Alex. La señora Polley era un encanto de persona, e insistía en repetir que no necesitaba el trabajo en la Abadía, aunque Diantha sospechaba que era mentira.

Se limpió una lágrima de la mejilla. En ese momento, tenía una meta, un nuevo plan con el que podría ayudar a los demás sin exigirle sacrificios a nadie, y eso la mantendría alejada de su familia durante un tiempo. Las historias que le había contado Owen sobre los espantosos alojamientos donde dormían los niños en las minas de Monmouthshire la habían torturado desde hacía semanas. Con el dinero de su asignación mensual, que debía de ser una fortuna para esos niños, podría ayudar a algunos, sobre todo a los enfermos, como hubiera sido el caso de la hermana de Owen. Cuando se lo gastara todo, volvería a Glenhaven Hall. Al fin y al cabo, su padrastro había tolerado a su madre durante años. También toleraría a una hija indecente si le prometía ser buena y mantenerse calladita.

Otra lágrima resbaló por su mejilla, y en ese momento supo que se estaba engañando a sí misma. Sin embargo, no veía otra solución.

El carruaje se zarandeó de forma muy violenta y Diantha fue arrojada sobre el hombro de la pasajera que viajaba a su lado.

—¡Válgame Dios! —exclamó la mujer, aferrando su bolsa de viaje.

—¿Qué demonios ha pasado? —exigió saber su marido.

La señora Polley se despertó de golpe y el resto de los pasajeros se enderezó en sus asientos. El carruaje se zarandeó de nuevo y se escuchó un disparo. El carruaje se inclinó hacia un lado, lanzando a unos sobre otros de nuevo.

La mujer chilló:

—¡Son salteadores de caminos!

Diantha pegó la cara a la ventanilla. A través de la lluvia que lo oscurecía todo, solo vislumbró las siluetas de los árboles, pero el carruaje estaba aminorando la velocidad.

—¡Van a robarnos! —exclamó la mujer a su espalda.

—Mildred, mantén la cabeza fría o acabarán matándonos a todos.

Con el corazón en la garganta, Diantha le dio unas palmaditas a Mildred en la mano y devolvió la mirada preocupada de la señora Polley al tiempo que meneaba la cabeza. Escucharon unas voces amortiguadas procedentes de la parte superior del carruaje y otras que procedían de la parte delantera. Mildred tomó aire, haciendo que su pecho se ensanchara, dispuesta a gritar de nuevo.

—¡No se deje llevar por el pánico! —le aconsejó Diantha con la voz más calmada de la que fue capaz—. Querrán nuestro dinero y otros objetos de valor. Si se los damos deprisa, se irán. —Desconocía de dónde procedían sus palabras, pero los demás pasajeros parecieron calmarse.

Mildred le aferró la mano a su marido y este le dijo:

—Querida, hazle caso a la joven.

El hombre sentado junto a la señora Polley asintió con la cabeza. Esta última también se relajó y dejó de aferrar la bolsa de viaje con tanta fuerza como hasta entonces.

Diantha llegó a una firme conclusión. Eso era lo que se le daba bien. Consolar a la gente. Aunque fuera una dama desastrosa, una decepción como hija y una hermana problemática, era capaz de consolar a la gente que necesitaba consuelo, al menos era algo. Tal vez lograra llenar el vacío que sentía en el corazón, aunque fuera en parte.

El problema de dicho plan, por supuesto, era que su corazón no estaba vacío. Se encontraba demasiado lleno, si bien alejado del dueño de su afecto con quien compartir dicha plenitud.

El carruaje se detuvo con un último zarandeo. Diantha sintió un nudo en el estómago.

—Recuerden, no se dejen llevar por el pánico —dijo en voz baja.

La portezuela del carruaje se abrió y apareció un hombre que los apuntaba con una pistola.

Mildred chilló. Su marido soltó una especie de gemido. La señora Polley frunció el ceño y cruzó los brazos al tiempo que resoplaba.

El salteador de caminos les hizo una elegante reverencia. La lluvia repiqueteaba sobre las capas de su gabán negro y de su sombrero del mismo color. Sus ojos plateados relucían.

—Damas y caballeros, no estoy aquí en busca de sus joyas ni de su dinero —anunció con la voz más ronca y maravillosa que

Diantha había escuchado en la vida. Acto seguido, clavó la mirada en ella—. He venido a por esta joven.

Diantha sintió que su boca, su corazón y su alma sonreían a la par. Wyn le tendió una mano y ella hizo ademán de aceptarla.

Mildred la agarró por el brazo.

—¡No puede irse con él! ¡Va a abusar de usted!

La señora Polley le asestó un golpe a Mildred con la bolsa de viaje.

—Deje que el hombre abuse de quien quiera.

Diantha se zafó de la mano de la mujer, aceptó la mano de Wyn y al rozarlo su cuerpo hizo algo más que sonreír: rio de alegría. Wyn la ayudó a bajar del carruaje y la alejó del vehículo. La lluvia seguía cayendo a su alrededor mientras Diantha recorría con la mirada la firme línea de su mentón y la preciosa curva de sus labios antes de clavarla en sus ojos. Lo que vio en ellos convirtió sus piernas en gelatina.

—Has aterrorizado a toda esa gente —logró murmurar—. Una mujer se ha desmayado.

—Qué va. —Su voz era tierna—. La he visto abrir un ojo con disimulo.

—Supongo que algunas mujeres sienten debilidad por los villanos. —Alzó la barbilla—. Yo, por supuesto, prefiero a los héroes caballerosos.

—Eso me habías dicho, sí.

—Muy bien. Voy a preguntártelo: ¿por qué has venido cuando he dejado bien claro que no quería que lo hicieras?

—He venido para decirte que he decidido cambiarme el apellido a Highbottom. —Esbozó una sonrisa torcida—. Hinkle Highbottom. Tiene su aquel, ¿no te parece?

Diantha contuvo el aliento. La había pillado. La había rescatado. Y estaba temblando de forma incontrolable.

—Siempre... siempre me lo ha parecido, sí.

Wyn inclinó la cabeza y la miró con una expresión maravillosa.

—¿Por qué lo inventaste?

—Porque creía que ningún otro hombre me querría.

Bajo la atenta mirada de los pasajeros, Wyn la acercó a él y la besó. Primero con ternura y después con pasión, y Diantha se aferró a él para disfrutar de su abrazo.

Wyn se alejó de ella.

—Yo te quiero. Además, pienso hacerte mía sin más demora. Esta vez no voy a permitir que hagas las cosas a tu modo y...

—Antes tampoco me lo permitiste. Me llevaste a tu escondite y me retuviste allí en contra de mi voluntad.

Alguien jadeó en el interior del carruaje.

—Cierto —admitió él—. Pero esta vez, bruja, harás lo que yo te diga. Sin trucos. Ni por mi parte ni por la tuya.

Diantha sonrió y Wyn le miró las mejillas. Primero una y después la otra. Sin embargo, ella necesitaba dejar las cosas claras.

—En fin, que sepas que no estaba huyendo. Iba a Monmouthshire para cuidar a los niños que trabajan en las minas.

—Una misión encomiable, pero no será hoy. Hoy pondremos rumbo al norte, hacia la frontera.

—¿Al norte? ¿¡A Escocia!?

Él asintió con la cabeza y su sonrisa hizo que a Diantha le diera un vuelco el corazón.

Sin embargo, acabó frunciendo el ceño.

—No llegaremos en un día.

—Haremos paradas por el camino.

—¿Mi familia está al tanto de este plan? Porque es un plan, ¿verdad? ¿O es una solución perentoria que has tomado después de que lograra darte esquinazo?

—No lo está. Sí que lo es. Y no, no es una solución perentoria. Aunque eso debería ser más que evidente después del número de veces que he solicitado tu mano en matrimonio.

—¿Mi familia no lo sabe?

—Voy a casarme contigo, Diantha Lucas, lo aprueben los demás o no. Al otro lado de la frontera, solo necesito el beneplácito de un herrero y de su yunque. Y, por supuesto, tu consentimiento. —Le acarició la barbilla mientras recorría su cara con la mirada—. ¿Me lo darás?

Una felicidad indescriptible se apoderó de ella.

—¡Sí, sí, sí! —Le colocó una mano en el pecho y los rápidos latidos de su corazón aceleraron el suyo—. Y después, ¿qué?

—Después te llevaré a Monmouthshire para salvar niños si eso es lo que deseas.

Diantha era incapaz de hablar, solo atinó a mirar esos preciosos ojos mientras intentaba convencerse de que todo era real.

Sin embargo, había algo que ciertamente lo era. Miró de reojo a los pasajeros del coche de postas y al cochero sentado en el pescante, que estaba indignadísimo por haber tenido que detener el vehículo a punta de pistola. El lacayo que lo ayudaba estaba contando pagarés.

—¿No vas a meterte en un lío terrible por esto?

—Tengo amigos en las altas esferas. En las más altas. Y tengo pensado contártelo todo sobre ellos en cuanto logremos quedarnos a solas.

—¿Todo?

—Hasta el más sórdido detalle.

—¿Sórdido? ¿De verdad?

—Bueno, no tanto. —Sonrió—. Pero sé que de vez en cuando te gustan los dramas y quería que este día fuera muy especial para ti.

—Wyn —susurró ella—, tengo que preguntarte una cosa.

—Lo que quieras, bruja.

—¿Por qué dejaste de beber después de lo de Knighton? No fue precisamente para no tocarme, porque lo hiciste incluso después.

—Dejé de beber porque no quería pasar otro momento en tu compañía sin ser plenamente consciente de tu persona al detalle. Quería despertarme de la pesadilla y encontrarte a mi lado. Te deseaba y quería convertirme en un hombre merecedor de tu amor.

Diantha se quedó sin aliento.

—Incluso entonces pensaba que lo eras.

—Y esa es una de las muchas razones... —Dejó la frase en el aire y sus ojos adquirieron un brillo especialmente plateado, como el agua de un río bajo el sol—. Diantha, estoy enamorado de ti. Lo que siento trasciende la razón. Trasciende mi experiencia.

—¡Ooooh!

—Ya estaba enamorado de ti en la Abadía. Lo sabía desde mucho antes. Y mi amor por ti aumentó ayer por la mañana cuando me rechazaste porque me creíste indigno para mí mismo. Debería habértelo dicho antes. Debería habértelo dicho de inmediato. Te quiero.

—¿Aunque te vuelva loco?

—Porque me vuelves loco.

Diantha era incapaz de hablar. Era incapaz de controlar el temblor de sus labios.

Él la abrazó por la cintura, la pegó a su cuerpo y le acarició una mejilla.

—Y tú me quieres.

Diantha exhaló un suspiro y Wyn deseó escucharla suspirar así, entre sus brazos, durante el resto de su vida.

—Supongo que debo admitirlo —replicó ella.

—Cuando te apetezca.

—¿Y si no me apetece hasta que llevemos treinta años casados? —Sus hoyuelos aparecieron de nuevo—. ¿Podrás esperar hasta entonces?

—No tendré que hacerlo. —La estrechó con más fuerza entre sus brazos—. Me negaré a casarme contigo hasta que me complazcas al respecto.

—Una decisión muy poco caballerosa por tu parte.

—Por favor, recuerda que ahora mismo interpreto el papel de villano. —Hizo un gesto hacia el carruaje.

—Ah, sí. —Diantha puso los ojos en blanco y suspiró de nuevo, en esa ocasión haciendo un alarde de fingida reticencia—. Supongo que yo también te quiero, después de todo.

—¿Supones?

—Supongo. —Sus mejillas estaban sonrojadas y había inclinado la cabeza mientras jugueteaba con un botón de su chaqueta—. En realidad, supongo que te quiero desde que me invitaste a bailar en la terraza. Supongo que siempre he soñado que tú me querías, pero nunca pensé que el amor fuera real hasta que comprendí que no soportaba la idea de pasar un solo día sin ti. Supongo que te quiero más de lo que jamás creí que se podía querer a otra persona y que el amor que llevo dentro es tan grande que rebosa y burbujea y me hace desear compartirlo con todo el mundo, que es por lo que me dirigía a Monmouthshire, porque me resultaba imposible contener ese amor y tú lo habías rechazado.

—¿Diantha? —susurró él con un deje en su voz que a ella le derritió el corazón. Cuando lo miró, lo vio tan guapo como siempre, pero con los ojos llenos de lágrimas—. No te merezco.

—Bueno, en eso te equivocas. Porque estoy segura de lo contrario. Soy muy problemática, ¿sabes?

—Eso me han dicho.

—Y a veces soy un poco díscola.

—¿A veces?

—Y de vez en cuando me embarco en algún plan descabellado e imprudente.

—Increíble.

Diantha frunció el ceño.

—No puedes decirlo en serio.

—Tu descabellado plan nos unió.

—El otro era mejor.

Wyn esbozó una sonrisa torcida.

—¿Otro, a qué te refieres?

—Había pensado en ir a Monmouthshire porque era el lugar más próximo a la Abadía que se me ocurrió. Pensé que a lo mejor podía visitarte y... bueno, aporrear tu puerta hasta que me permitieras el paso.

—Sabes que te lo habría permitido sin dudar.

—Lo único que sé es que los días que pasé allí fueron los más felices de mi vida.

—¿Felices? Solo tenías una criada rezongona, un menú limitado y un enfermo irascible al que atender.

—Te tenía a ti. Para mí sola. —Introdujo los brazos bajo su gabán y lo abrazó por la cintura al tiempo que pegaba la cara a su torso—. Fue como un sueño, salvo la parte del pozo apestoso. —No podía dejar de sonreír—. ¿De verdad vas a secuestrarme ahora y a llevarme al otro lado de la frontera para casarte conmigo?

—Sí.

—A lo mejor puedes abusar de mí durante el camino y así ya no seré adecuada para ningún otro hombre. Varias veces, a ser posible. ¿Te parece bien?

—Sí. Pero técnicamente ya nos hemos ocupado de eso. Sin embargo, me parece perfecto.

—¿Aunque proteste como debe hacer una damisela en apuros?

—Aunque protestes, si lo deseas.

—Eres un villano. —Se puso de puntillas y lo besó en esa deliciosa boca. Y, como sucedía siempre que lo hacía, él le devolvió el beso—. Mi villano —añadió en voz baja.

Epílogo

La luz del sol pintaba el camino que transcurría en paralelo a la acequia y las colinas que se alzaban a ambos lados con sus gloriosos tonos dorados y verdes. Las ovejas pastaban en las laderas y la brisa soplaba con suavidad por el valle. Un perro corrió hacia ellos, dejó un palo junto al agua, y Diantha se soltó de la mano de Wyn y se acercó a por él.

—*Ramsés*, qué tonto eres. Deberías traérmelo a los pies. —Se inclinó para recoger el palo, y la elegancia de sus movimientos excitó a Wyn como siempre lo excitaba todo lo relacionado con ella.

En una ocasión, soñó con tomarla en la hierba y hacerle el amor, sin más compañía para su placer que el cielo despejado y los trinos de los pájaros. Los criados tenían el día libre y Owen había ido al pueblo para practicar su nuevo oficio en la herrería.

Wyn observó a su mujer y el deseo se acrecentó. La idea de hacer realidad su sueño era muy prometedora.

Sin embargo, antes tenía que encargarse de un asunto. Sacó la carta que llevaba en el bolsillo y abrió el sello.

Cuervo:
La batalla real ha llegado a una conclusión anticipada y he recibido una carta del capitán de la corte de la reina en la que me informa de que Su Majestad la Reina desea que acudas a su lado de inmediato. Si te niegas, Su Majestad el Rey promete una baronía. El director espera tu respuesta.

PEREGRINO

P. D.: Gorrión me pide que te transmita su afecto, pero que quede entre nosotros: creo que está furiosa por el hecho de no haber podido planificar y organizar tu boda. Cuidado con la sirena sentimental que cuenta con la inteligencia de un hombre: nunca es del todo sincera.

Diantha le quitó la carta de las manos.

—¿De lord Gray? —La leyó mientras sus rizos le rozaban las muñecas y le ocultaban los ojos.

Con ternura, Wyn se los apartó al tiempo que intentaba coger el papel sin que se diera cuenta. Ella se apartó para evitar que se lo quitara y siguió leyendo mientras andaba por el camino. Se detuvo de repente y se volvió hacia él con los ojos como platos.

—¡Una baronía! No me lo habías comentado.

—No era seguro hasta hoy. —Cogió el palo y lo tiró, de modo que *Ramsés* salió corriendo tras él.

—¡Y también la reina! ¡Qué emocionante! —Levantó la vista cuando él se acercó—. ¿Qué quieres hacer? ¿La corte de la reina y una gran responsabilidad o un título nobiliario y el prestigio?

Wyn la cogió de la cintura y la pegó a su cuerpo, quitándole el papel de las manos.

—Solo tengo un deseo, bruja.

A Diantha le brillaban los ojos.

—¿Y cuál es?

Soltó la carta, que voló guiada por la brisa y acabó en el agua de la acequia, alejándose con la corriente. La abrazó con más fuerza.

—Este. —La besó en la boca y bebió de la embriagadora belleza que era su sabor, su olor y su deseo por él. Cuando se apartó, Diantha tenía las mejillas arreboladas y los labios sonrosados.

—Tengo un plan —murmuró ella al tiempo que le echaba los brazos al cuello y lo miraba con los hoyuelos bien a la vista.

Volvió a besarla en los labios y sintió sus pechos contra el torso mientras sus caderas y sus muslos lo acogían, de modo que calculó con celeridad la distancia que los separaba del suelo.

—¿En serio?

—Te lo cuento: rechazas ambas cosas y nos quedamos aquí

el resto de nuestra vida, como los humildes señores Yale, con un perro nombrado en honor a un faraón. Y con cualquier persona que pueda llegar después, por supuesto.

Volvió a besarla, porque nunca se cansaría de besarla.

—Un plan excelente.

—¿De verdad? —Sus labios esbozaron una sonrisa mientras él la besaba.

—Sí. —Abrió las manos en su espalda—. Encaja con mis deseos a la perfección. Sobre todo ahora mismo.

—¿Por qué ahora mismo?

—Porque de esta forma zanjamos un asunto que para mí no tiene la menor importancia y así podemos concentrarnos en otros menesteres. Verás, yo también tengo un plan. —La cogió del trasero y la pegó a él.

—Me gusta tu plan. —Diantha le introdujo las manos por debajo del chaleco—. Pero desconocía que tuvieras la costumbre de hacer planes.

—Pues sí. —Pegó los labios a la curva de su hombro—. Muchos planes. —La instó a rodearle la cadera con una pierna mientras la brisa le agitaba las faldas.

—Muéstreme sus planes, señor Yale. —Se pegó a él, y sus ojos eran un milagro de deseo y de amor—. Y yo le mostraré los míos.

Nota de la autora

Mientras me documentaba para este libro, me adentré en las mentes y en los corazones de las personas que padecían, o habían padecido, una dependencia al alcohol; además de adentrarme en mis propias experiencias y recuerdos, como me sucede en todos mis libros. En la actualidad, hay un sinfín de teorías acerca del alcoholismo, así como una infinidad de tratamientos disponibles. Sin embargo, hay un hecho que se mantiene inalterable: la desintoxicación puede ser mortal. Hay una multitud de factores que contribuye a la gravedad de los síntomas del síndrome de abstinencia, y dichos síntomas no son predecibles. El láudano (un opiáceo) que Wyn toma baja su tensión arterial y acaba salvándole la vida. No obstante, el síndrome de abstinencia que sufre Wyn es muy leve en comparación con otros. La desintoxicación alcohólica siempre debe realizarse bajo la supervisión de un médico.

Por la ayuda prestada a la hora de documentarme en el alcoholismo y su desintoxicación, les doy las gracias a Marcia Abercrombie, a Sarah Avery, a Laurie LaBean, a Mary Brophy Marcus y al doctor Ashwan Patkar del programa de adicciones del Duke University Medical Center, que nos ofreció su tiempo y sus consejos de forma muy generosa. También les doy las gracias a todas las personas con las que hablé y que prefieren permanecer en el anonimato.

También quiero agradecerle a Mandakini Dubey haberme ayudado a traducir a un hindi reconocible la amenaza que Wyn le hace a Duncan (que Diantha adivinó al pensar que se trataba de un «Te mataré»); a Laura Florand, sin cuya ayuda mi incursión en el ajedrez habría sido aún más breve y muchísimo menos fiel; y a Gina Lamm y a Catherine Gayle por su elegante (y rapidísima) ayuda en la documentación. Mi agradecimiento para la maravillosa Teresa Kleeman. Y un abrazo enorme a mi hermana, la autora de *The Ballroom Blog*, que amenizó la invención de personajes con jardines llenos de estatuas y de setos, con los cuales es maravilloso trabajar.

También le debo mi agradecimiento más efusivo a mi equipo de lectores, que prestan su tiempo y su preocupación para que mis libros sean mejores (aunque a veces debido a una gran presión por vuestra parte). Quiero darles las gracias a Marcia Abercrombie, a Georgann T. Brophy, a George C. Brophy, a la doctora Diane Leipzig y a Marquita Valentine. También me siento bendecida al contar con Cathy Maxwell, por su amabilidad y su generosidad. A Pan Jaffee, a Jessie Edwards y a Meredith Burns, del departamento de relaciones públicas de Avon, les quiero agradecer con toda el alma la maravillosa gira con la que abrí mi saga del Club Falcon, así como a Gail Duboy por otra portada increíble. Muchísimas gracias a Esi Sogah, editor asociado de Avon Books, cuyos consejos me ayudaron mucho. Y, como siempre, un agradecimiento total a mi maravillosa editora, Lucia Macro.

Quiero dedicarle un agradecimiento especial a mi agente, Kimberly Whalen, sin cuya claridad de ideas, maravillosa percepción de los personajes y de la historia, y relación honesta con el mundo editorial, me sentiría perdida.

A mi marido, Laurent, cuyo apoyo, amor y ánimo me guían y me dan valor e inspiración. Te lo debo todo. Adoro todas nuestras citas, no solo en las que hablamos de trabajo y de mis argumentos.

Por último, les quiero dar las gracias de todo corazón a mis lectores. Vuestras cartas, mensajes, comentarios y tuits, así como vuestras visitas a las convenciones de libros hacen que escribir historias de amor sea muchísimo más divertido. Agradezco enormemente que vuestros corazones sean tan hermosos y se abran con tanta alegría al amor. Agradezco que estéis ahí.

Para estar al día de las últimas noticias y los rumores acerca de los apuestos héroes y las atrevidas heroínas de mi saga del Club Falcon, espero que visitéis mi página web: *www.katharineashe.com.*

Una última nota literaria: la febril referencia de Wyn al purgatorio, al paraíso y a Beatriz es de *La divina comedia,* de Dante Alighieri. El poema de amor del poeta florentino de la Edad Media sobre la inalcanzable Beatrice quedó inmortalizado en su *Purgatorio, Paraíso* y en otros poemas.

2/15 ① 11/14
10/18 ② 2/17